Steffen Möller

Viva Polonia

Als deutscher Gastarbeiter in Polen

FISCHER Taschenbuch

5. Auflage: Februar 2014

Überarbeitete und erweiterte Ausgabe
Erschienen bei FISCHER Taschenbuch,
Frankfurt am Main, April 2009

Vorwort

Mein Briefmarkenalbum

Als Kind habe ich eine Zeit lang Briefmarken gesammelt. Obwohl ich die Sache eher halbherzig betrieb, verdanke ich diesem Hobby doch meine erste Begegnung mit Polen. An den wenigen polnischen Marken, die ich ergattern konnte, faszinierte mich nämlich der Aufdruck »Poczta Polska«, zu deutsch: Polnische Post. Der Stabreim ging mir so ein, dass ich stundenlang vor mich hinsagen konnte: »Potsta polska, potsta polska«.

Kurze Zeit später stellte ich dann die erste allgemeingültige Behauptung über die Polen auf. Es war Anfang der achtziger Jahre, und ich sah im Fernsehen, wie Wojtek Fibak Tennis spielte und Lech Wałęsa Werften besetzte.

»Alle Polen tragen Schnurrbärte«. Schon bald musste ich den Satz differenzieren. Der böse General Jaruzelski, der 1981 das Kriegsrecht ausrief, trug nämlich leider keinen Schnurrbart. Ich reformulierte meine These so: »Alle guten Polen tragen einen Schnurrbart.« Doch auch diese neue Aussage schrie förmlich nach einer weiteren Verfeinerung, da ja auch Papst Johannes Paul II., der so gut Deutsch konnte, keinen Schnurrbart trug. Ich grübelte lange und fand schließlich eine Lösung:

»Päpste zählen nicht.«

Im vorliegenden Buch mache ich eigentlich genau das

Gleiche. Ich stelle Behauptungen über Polen und die Polen auf, deren Grundlage sehr subjektive Beobachtungen sind, aus denen ich höchst allgemeingültig klingende Schlüsse ziehe.

Darf man das?

Keine Ahnung, aber es ist mein Hobby. Als Legitimation kann ich höchstens anführen, dass ich ein großer Polen-Fan bin, mehrere Polnisch-Sprachkurse besucht habe und sogar den schwierigsten polnischen Zungenbrecher fehlerfrei herunterbeten kann.

Ach so, und dann lebe ich natürlich seit mehr als dreizehn Jahren in Polen. Zuerst war ich Deutschlehrer in einem Warschauer Gymnasium, danach Sprachlektor an der Warschauer Uni. Heute bin ich Schauspieler und Kabarettist und toure durch das ganze Land. Ich habe die Polen im Aufzug, bei Hochzeiten oder im Urlaub beobachtet, von Rzeszów bis Stettin; habe polnische Trinklieder, Flüche, Seifenoperndialoge und Kinderabzählreime auswendig gelernt.

Wie es Hobby-Ethnologen so geht, bin ich nicht bloß Beobachter geblieben, sondern habe mich meinem Forschungsgegenstand schrittweise angeglichen. Das Ergebnis: Ich ertappe mich manchmal dabei, wie ich mich selbst schon wie ein Pole verhalte. Ich bin furchtbar abergläubisch geworden, kann dafür aber phantastisch tanzen. Ich interessiere mich brennend für die Geschichte des Mittelalters, besonders für die Schlacht bei Tannenberg 1410. Für Politiker habe ich nur noch ein verächtliches Grinsen übrig, ebenso wie für die steifen Deutschen, die keine Ahnung von Improvisation haben und einen harmlosen Grillabend ein paar Monate im Voraus planen.

Zugegeben: Meine Polonisierung hakt noch da und dort. Irgendwie kann ich mich nicht zum charmanten Handkuss durchringen, und noch nie im Leben habe ich den Nationalsport der Polen betrieben, das Pilzesammeln. Auch fällt es mir schwer, dem polnischen Kultfilm »Rejs« etwas Komisches abzugewinnen. Und stets und überall fehlt mir unser deutsches Graubrot. Aber das Schöne an Polen ist ja, dass es auch für die nächsten tausend Jahre Deutschlands Nachbar sein wird. Da bleibt noch Zeit zur Assimilierung.

Nach etwa acht Jahren hatte ich eine kleine Krise. Polen erschien mir bereits viel zu verwestlicht. Ich reiste weiter nach Osten, nach Moskau, Omsk, Nowosibirsk und ins Altaigebirge. Schon nach wenigen Wochen war ich wieder in Warschau. Russland, so erwies sich, war doch etwas ganz anderes, nämlich purer Osten, so wie Paris der pure Westen ist. Und ich wusste nun, was ich an Polen so schätze, nämlich die Tatsache, dass es im Spannungsfeld zwischen Europa und Asien liegt. In solchen Feldern, so hörte ich in irgendeiner Flughafen-Lounge raunen, trifft man nicht nur die schönsten Frauen – es kommt auch zu einzigartigen Mentalitätsmischungen. Die Polen mit ihrem absurden Humor und ihrer gleichzeitig überwältigenden Warmherzigkeit sind ein gutes Beispiel dafür.

Und damit das Wort »Spannungsfeld« nicht so abstrakt bleibt, empfehle ich wärmstens, am Berliner Hauptbahnhof in den nächsten Eurocity nach Warschau zu steigen. Jeden Tag gibt es drei Züge, die Fahrt dauert sechs Stunden. Vom Speisewagen aus lassen sich die polnischen Spannungsfelder im Breitwandformat bewundern. Vielleicht sitze ich ja auch gerade da und murmle wie in Trance vor mich hin: »Poczta polska, poczta polska, poczta polska.«

7

Wer dieses Buch aufmerksam durcharbeitet, darf mir dann gerne einen Wodka ausgeben. Die nächste Runde geht an mich. Viva Polonia!

Italia

Nie hätte ich gedacht, dass es mich eines Tages nach Polen verschlagen würde. Was weiß ein Wuppertaler schon von Polen? Kaffeefahrten nach Holland – kein Problem. Aber Polen? Das ist ja noch hinter Berlin!

Es wurde denn auch ein sehr verschlungener Weg zu meinem ersten Kontakt mit leibhaftigen Polen. Er fand – in Italien statt.

Nach dem Zivildienst zog ich nach Berlin um. Das war nicht besonders originell. Man schrieb das Jahr 1990, alle Zwanzigjährigen strömten in die Noch-nicht-Hauptstadt. Ich begann, an der Freien Universität Philosophie und Theologie zu studieren. Sehr bald meldete ich mich für einen Italienischkurs an. Berlin erreicht zu haben schien mir für einen Wuppertaler schon eine sehr akzeptable Leistung zu sein – aber nun musste es doch irgendwie weitergehen, in noch exotischere Gefilde. Das konnte nur Italien sein, das schönste Land der Welt.

Ein Jahr lang besuchte ich also eifrig Italienisch-Kurse. Meine Lehrerin, die kleine Elisabetta aus Genua, die einen melancholischen Berliner Philosophen geheiratet hatte, war hocherfreut über meinen Enthusiasmus.

»Stefano, du bist so offen. Man merkt gleich, dass du aus der Provinz kommst. So einer wie du gehört nach Italien. Da wirst du dich wohlfühlen!«

Ich glaubte ihr und fuhr nach Florenz. Dort stellte ich

aber zu meinem Kummer fest, dass die Italiener zwar tatsächlich sehr offen und nett sind – für meinereiner allerdings ein bisschen zu sehr. Deutlich bekam ich das beim Besuch eines Konzertes in der berühmten Florentiner Kathedrale zu spüren. Ein Requiem wurde gespielt, ich lauschte versunken der Musik. Neben mir saß ein wohlerzogener junger Philosophiestudent, mit dem ich vor dem Konzert ein paar Worte gewechselt hatte. Als der letzte Ton sanft verklungen war und ich dem Ende alles menschlichen Daseins nachsann, erhob sich um mich herum ein Orkan. Die Leute schrien wie in der Fankurve eines Fußballstadions »Bravi, Bravi! Da capo!«. Alle im Gotteshaus versammelten Italiener gerieten außer Rand und Band. Aber das Schlimmste war: Sogar meinen Kollegen von der philosophischen Fakultät riss es vom Holzstuhl.

»Da capo!«, heulte er frenetisch, als hätte Epikur nicht die Ataraxia, den Gleichmut, als höchstes Ideal gepriesen. In diesem Moment wurde mir klar, dass auch ein extrovertiertes Wuppertaler Gemüt nicht einmal an das Temperament eines italienischen Philosophiestudenten heranreicht. Nein, ich hatte keine Zukunft in diesem Land. Noch am nächsten Tag wollte ich durch die Alpen zurück nach Deutschland trampen.

Zunächst aber musste ich zum Campingplatz am Stadtrand von Florenz zurück. Um in dieser dunklen Stunde meines Lebens irgendwie Gesellschaft zu haben – ich hatte immerhin ein ganzes Jahr mit der falschen Sprache verplempert – setzte ich mich zu einer Deutschen und ihrem amerikanischen Freund ans Lagerfeuer. Das Mädchen hieß Sabine und kam aus Hamburg. Während ihr Lover mich mit Hemingway und »Wem die Stunde schlägt« nervte, beobachtete sie mich angestrengt.

»Ist was?«, fragte ich sie nach einer Weile.

»Du erinnerst mich ganz stark an jemanden, den ich kenne.«

Plötzlich, als wir gerade Cornedbeef aus der Dose pulten, fasste Sabine sich an die Stirn.

»Ich weiß! Du erinnerst mich an den Ex-Freund meiner Schwester. Oh, war das ein Arsch!«

Ich ließ die Dose sinken, wünschte den beiden noch einen schönen Abend und beschloss, mich in mein Zelt zurückzuziehen. Auf dem Weg dorthin kam ich an einer Gruppe junger Leute vorbei, die ebenfalls an einem prasselnden Lagerfeuer saßen. Einige grillten Würstchen, andere sangen, jemand spielte dazu Gitarre. Die Szenerie wirkte weder deutsch noch italienisch. Einem spontanen Impuls folgend, setzte ich mich dazu, einzig hoffend, dass mich an diesem Tag niemand mehr ansprechen würde. Eine Weile lang ging alles gut. Von der Sprache verstand ich kein einziges Wort, hatte nicht einmal Ahnung, ob es sich um eine skandinavische oder eher slawische handelte. Nur ein einziges Wort kam mir bekannt vor, das sich oft wiederholte: »tak«. Während ich noch rätselte, was es bedeuten könnte, bemerkte mich eines der Mädchen, eine sehr attraktive Blondine.

»Do you want a sausage?«

Ich war verwirrt. Ein Würstchen – einem wildfremden Menschen angeboten? Sabine hätte das nie im Leben gemacht.

»Yes . . .«

Sie gab mir eine frisch gegrillte Wurst, daraufhin nahm ich meinen restlichen Mut zusammen und fragte sie, woher die Gruppe käme.

»From Cracow, Poland.«

Sie seien Kunstgeschichtsstudenten.

»I see! Poland!« Ich brachte erstmals an diesem Abend ein Lächeln zustande. »Can you say me, what means ›tak‹?«

Noch bevor meine neue Bekannte antworten konnte, wurde sie von einem bebrillten Kunstgeschichtsstudenten um die Taille gefasst.

»It means ›yes‹.« Er streckte mir die Hand hin. »Hi! I am Grzegorz. Can you say: ›W Szczebrzeszynie chrząszcz brzmi w trzcinie‹?«

»Pardon? We Schebsche . . . Can you repeat it?«

Wenn der Kerl sich über mich lustig machen wollte, hatte er sein Ziel erreicht. Das Mädchen kicherte und schaute mich erwartungsvoll an.

Heute weiß ich: Der junge Mann hatte keineswegs die Absicht, mich zum Affen zu machen. Er traktierte mich lediglich mit dem bekanntesten polnischen Zungenbrecher, den jeder Ausländer spätestens nach zweiminütiger Bekanntschaft mit einem Polen nachsprechen muss. Er lautet übersetzt: »In Szczebrzeszyn (einer kleinen Stadt in Südostpolen) zirpt ein Käfer im Schilf.«

In jener Nacht wusste ich das aber leider noch nicht. Minutenlang stammelte ich herum und lenkte damit natürlich die Aufmerksamkeit der übrigen Studenten auf mich, die sogar ihr Singen einstellten. Einen Moment lang empfand ich es als so grauenvoll wie bei Sabine und ihrem Ami. Doch dann blickte ich in die Gesichter um mich herum und merkte: Ich hatte mich geirrt. Diese Polen lachten mich ja gar nicht aus – sie freuten sich einfach nur, dass jemand ihre höllenmäßig schwierige Sprache verunstaltete. Als ich im siebzehnten Anlauf endlich eine einigermaßen akzeptable Aussprache auf die Reihe kriegte, wurde ich mit donnerndem Applaus und einem Kuss von der Blondine belohnt. Ich meine sogar, mich an ein »da capo« zu erinnern.

Leider habe ich die Studenten später nie wieder gesehen, auch nicht, als ich acht Monate lang in Krakau gewohnt habe. Schade. Ich würde mich bei ihnen gerne für meine erste Lektion in polnischer Gastfreundschaft bedanken – und bei Gelegenheit den Szczebrzeszyn-Zungenbrecher fehlerfrei runterrattern. Ich habe ihn nämlich auswendig gelernt, nicht nur die ersten zwei Verse, die jeder Pole kann, sondern das gesamte Gedicht des Dichters Jan Brzechwa, alle zehn Strophen! Wehe dem Polen, der mich heute unschuldig fragt: »Sprich mal bitte nach: W Szczebrzeszynie chrzaszcz brzmi w trzcinie . . .« Den fege ich ins Schilf, sodass er nur noch zirpen kann.

Die beliebtesten polnischen Zungenbrecher

1. W Szczebrzeszynie chrząszcz brzmi w trzcinie –
   In Szczebrzeszyn (Stadt in Südostpolen) zirpt ein Käfer im Schilf
2. Stół z powyłamywanymi nogami –
   Ein Tisch mit herausgebrochenen Beinen
3. Król Karol kupił królowej Karolinie korale koloru koralowego – König Karol kaufte der Königin Karolina ein korallenfarbenes Halsband
4. Szedł Sasza suchą szosą –
   Sascha ging eine trockene Chaussee entlang

Mensa

Nach dem Fehlschlag mit Florenz musste ich die Befürchtung hegen, meine Tage in Berlin zu beschließen. Was sollte noch kommen für jemanden, der mit Italien fertig war?

Erst ein volles Jahr später, im Oktober 1992, platzte der Knoten. Noch morgens, als ich zur Freien Universität radelte, hatte ich keine Ahnung, was mich erwartete. Ich besuchte irgendein philosophisches Seminar und ging anschließend in die Mensa zum Mittagessen. Das war ein wichtiger Ort. Hier wurde mir nicht nur schmackhaftes Essen in großen Portionen serviert, sondern auch das bis heute tragfähige Alibi für eine meiner schlimmsten Unarten: mein Schnellessertum.

»Steffen, auf der Flucht?«, werde ich häufig von irritierten Tischnachbarn gefragt, die gerade genüsslich die zweite Reisgabel zu Munde führen, während ich bereits den komplett geleerten Teller zur Seite schiebe und mich auf den Nachtisch stürze. Schuld an allem ist die Mensa der FU. Um die täglichen Massen von mehreren tausend Studenten innerhalb von nur drei Stunden abzuspeisen, hat sich der Innenarchitekt einen perfiden Trick ausgedacht. Der riesige Speisesaal ist in den Farben Orange-Blau gestrichen. Das sind Komplementärfarben, die sich für das menschliche Auge unangenehm beißen. Der Effekt ist der, dass alle Mensaesser im riesigen Saal unterbewusst nichts wie weg wollen aus dieser Farbenhölle. Keiner hat Lust, stundenlang sitzenzubleiben, herumzudiskutieren und nachdrängenden Studenten den Platz zu blockieren. FU-Absolventen erkennt man deshalb weltweit daran, dass sie schnell essen und magenkrank sind. Hätte ich meiner alten Mensa nicht die großartigste Wendung meines Lebens zu verdanken, würde ich sie erbarmungslos vor den Europäischen Gerichtshof zerren.

Nun also zu dieser Wendung. Wie üblich hetzte ich nach nicht einmal acht Minuten reiner Esszeit aus dem Speisesaal hinaus. Um meinen gestressten Magen zu relaxen, betrachtete ich in der Eingangshalle die Anzeigen am Schwarzen Brett. WG-Gesuche, Mitfahrangebote, ein Hamster, der zum Tausch gegen einen Kanarienvogel angeboten wurde – das Übliche. Außerdem die Ferienreklame, Exotik bis zum Abwinken, Tauchkurse auf Borneo, Selbsterfahrungskurse für Männer auf Kuba, Anflug gratis – wiederum das Übliche.

Und da geschah es. Ich sah es, das Plakat meines Lebens, einen unspektakulären Computerausdruck.

»Zweiwöchiger Polnischkurs in Krakau, 600 DM«.

Krakau? Das klang irgendwie magisch. Mittelalter, Faust, hochgewölbte gotische Zimmer. Wie weit war das eigentlich von Berlin entfernt? Eher hätte ich gewusst, wie lange man nach Malaysia fliegt. Und dann der günstige Preis: nur 600 Mark für zwei Wochen! Vielleicht genügten ja zwei Wochen, um die Sprache zu lernen? Dann wäre dieser Kurs ein echtes Schnäppchen. Ich kannte ja immerhin schon den berühmtesten Zungenbrecher sowie das Wörtchen »tak«.

Ich stand nicht lange vor dem Plakat, dann wusste ich: Das probierst du aus. Hinfahren und zwei Wochen lang unverbindlich reinschnuppern, ehe man viel Zeit und Geld investiert. Also um Himmels willen nicht noch einmal den Fehler machen wie mit Italien: erst den Sprachkurs, dann hinfahren. Mit Polen war alles umgekehrt: Die landläufigen Vorurteile über das Land waren mies, also würde diesmal alles gut werden.

Ich riss das Plakat kurzerhand ab und fuhr nach Hause, um sofort unter der angegebenen Telefonnummer anzurufen. Eine muntere Polin namens Beata meldete sich. Zu meiner Erleichterung erklärte sie mir, dass ich der Erste sei, der sich anmelden wollte. Es war Oktober, und der Kurs sollte erst im März stattfinden.

Die nächste Aufgabe war, Familie und Freunden meinen Plan mitzuteilen. Das erwies sich als der schwierigste Teil meines Vorhabens.

»Ratet mal, wohin ich fahre: nach Krakau!«

»Nach Asien?«

»Was treibt dich denn da hin?«

»Kann man dir irgendwie helfen?«

Gerade solche Reaktionen bestärkten mich aber nur in meinem Entschluss. Sie riefen Trotz hervor – eine, wie ich heute weiß, überaus polnische Eigenschaft, die mich zum Leben in diesem Land prädestinierte.

In Krakau

Ein halbes Jahr musste noch vergehen, ehe ich erfuhr, wie lange die Reise nach Krakau dauerte. Um es vorwegzunehmen: neun Stunden. Im März 1993 bestieg ich in Berlin-Lichtenberg den Zug. Schon die alten polnischen Waggons gefielen mir. Sie stammten aus den sechziger Jahren, und man konnte noch die Fenster öffnen und die Vorhänge vorziehen. Auf der Suche nach einem polnischen Wort blickte ich mich im Abteil um. Über der Tür fand ich eins: »Hamulec bezpieczeństwa« – Notbremse. Ein junger polnischer Mitreisender half mir geduldig bei der Aussprache. Endlich, nach hundert Versuchen, hatte ich es raus. Es klang etwa so: »Hamuletz betzpiätschenstwa« (wörtlich: Bremse der Sicherheit). Das Gute an diesem Sprachtraining war: Die Reise verging wie im Flug, wir passierten Posen, Breslau, Kattowitz – und schon fuhren wir im Krakauer Hauptbahnhof ein.

Bei der Gelegenheit muss ich übrigens zerknirscht ein Geständnis ablegen: Die gesamte Reise über, neun Stunden lang, habe ich mein Portemonnaie umklammert und meinen polnischen Mitreisenden misstrauisch beobachtet. Als ich gezwungen war, ein einziges Mal zur Toilette zu huschen, musterte ich anschließend unauffällig meine Sachen, ob auch nichts fehlte. Gleich hinterherschieben darf ich aber auch, dass ich weder auf dieser Reise noch in den darauffolgenden dreizehn Polen-Jahren auch nur ein einziges Mal bestohlen worden bin. Sehr oft ist es hingegen passiert, dass ein Schaffner, Kellner oder Student atemlos hinter mir herlief mit den Worten: »Hallo, Ihr Portemonnaie! Sie haben es auf dem Tisch liegen lassen!«

Ich trat vor den Bahnhof und sah mich um. An der Straße entlang zog sich eine atemberaubende, wenn auch verfallene Kulisse repräsentativer Gründerzeit-Häuser. Die sonst so gerühmten polnischen Restaurateure waren im eigenen Land ganz offensichtlich noch nicht zum Zug gekommen.

Um zu meiner Sprachschule zu gelangen, musste ich die gesamte Altstadt durchqueren. Am Florianstor vorbei, wo ein Maler die Stadtmauer mit seinen Bildern vollgehängt hatte, schleppte ich mein Köfferchen, als mir plötzlich ein quer über die Straße gespanntes Werbebanner auffiel. Darauf standen einige Worte, die ich endlich mal verstand: »Festiwal muzyczny, IX symfonia Ludwiga van Beethovena«.

Voilà! Da ist er – der Genitiv! Im Polnischen hat er noch keine Feinde.

Offensichtlich handelte es sich um Reklame für ein feministisches Musikfestival. Eine clevere Komponistin hatte sich das Pseudonym »Ludwiga van Beethovena« ausgedacht, um allen Chauvinisten zu demonstrieren, dass auch Frauen komponieren können. Originelle Idee, dachte ich: hängt einfach ein »a« an den Namen, so wie die Italienerinnen ja immer ein »a« am Ende des Namens haben (wie Gina Lollobrigida) – und fertig ist die Frau. So frech hatte ich mir das angeblich prüde, konservative Polen nicht vorgestellt.

Keine fünfzig Meter weiter traten die Häuser zurück und gaben einen riesigen Marktplatz frei. Schon aus der Ferne sah ich in der Mitte des Platzes, von hundert Tauben belagert, ein hohes Denkmal aufragen. Ein überlebensgroßer Romantiker aus Bronze starrte in weite Ferne. Die Haare standen ihm genialisch wirr zu Berge – Romantiker eben. Für mich stand sofort fest: Beethoven. Gleichzeitig verstand ich jetzt, im Kontext dieses Beethoven-Denkmals, die subtile Ironie der Feministin Ludwiga van Beethovena noch besser.

Ich war gerührt. Nach so viel historischem Ärger mit Deutschland stellten die Polen mitten in ihrer ältesten Stadt ein Denkmal für einen Bonner auf. Das nennt man wahrhaft europäische Gesinnung! Wo in Deutschland gibt es, bitteschön, ein Denkmal für Chopin? Schande über uns!

Meine Europa-Euphorie erlitt allerdings sofort einen Dämpfer. Als ich näher herantrat, sah ich eine Inschrift auf dem Sockel des Denkmals:

Adamowi Mickiewiczowi
Naród

Also doch nicht Beethoven. Wer zum Teufel war denn Adamowi Mickiewiczowi Naród gewesen? Ich sprach einen jungen Amerikaner an, der unter dem Denkmal saß und einen Reiseführer mit dem Titel *Let's go Eastern Europe* studierte. Auf meine Frage: »Who the hell . . .«, blätterte er eifrig in seinem Buch.

»Wait a minute . . . Adam Michnik . . . wait . . . Adam Mickiewicz, Polish national poet, 1798–1855 . . . wait . . . No, I can't find him. There's definitely no guy named Adamowi Mickiewiczowi Naród. Sorry!«

Polens Nationaldichter Adam Mickiewicz auf seinem Dativ-
Denkmal in Krakau, mitten auf Europas größtem Marktplatz

Wir wunderten uns über die Namensähnlichkeit – vielleicht war es das Denkmal eines Cousins des Dichters? – und kamen schließlich überein, dass es sich um irgendeinen verdienten Bürgermeister Krakaus handeln müsse.

Erst zwei Tage später erfuhr ich von meiner Lehrerin Beata, was da tatsächlich in der Krakauer Altstadt gespielt wurde. Ich war einer ungeheuerlichen Tücke der polnischen Sprache aufgesessen. Im Polnischen werden, anders als im Deutschen, Englischen oder Italienischen, sogar die Eigennamen dekliniert. Der Mann auf dem Sockel war tatsächlich der Nationaldichter Adam Mickiewicz gewesen – allerdings im Dativ: »Dem Adam Mickiewicz«. Und »Naród« bedeutete »Nation«.

Auch das Musikfestival hatte nicht viel mit Feminismus zu tun. Angekündigt wurde die hinlänglich bekannte 9. Symphonie des Bonner Mannes, allerdings im Genitiv: »9. Symphonie DES Ludwig van Beethoven«.

Diese grammatikalischen Enthüllungen ernüchterten mich für einen Moment – um mich dann nur noch stärker zu berauschen. Auf dem Krakauer Markt verliebte ich mich unsterblich in die polnische Sprache, in der alles, aber auch alles erbarmungslos durchdekliniert wird. Im Genitiv wird an alle männlichen Namen ein »a« drangehängt. Im Dativ ist es statt des »a« ein »owi«. Verrückt! Mein Lieblingsfall ist bis heute der Dativ geblieben. Welche unglaubliche Metamorphose meines eigenen, gerade mal viersilbigen Namens eröffnet sich hier. »Ich gebe SteffenOWI MöllerOWI die Hand« – welche Aufwertung! Die erste Postkarte aus Krakau adressierte ich denn auch an meine Mutter nach Wuppertal: »Sigrunowi Möllerowi« (und das war ein weiterer Fehler, wie mir Monate später klar wurde: Die Endung »-owi« wird nur an Männernamen gehängt).

Aberglaube

In den vierzehn Jahren, die seither vergangen sind, bin ich
abergläubisch geworden. Eigentlich hatte ich mich immer
für einen aufgeklärten Menschen gehalten, doch dem polnischen Aberglauben kann man einfach nicht widerstehen.
Ehe man sich's versieht – schwupp! – ist man im Sack. Das
hat zwei Gründe: Erstens gibt es eine raue Menge aber-
gläubischer Vorstellungen, im Unterschied zu dem kläg-
lichen Häuflein, das in Deutschland übrig geblieben ist
(Freitag der dreizehnte, schwarze Katze – mehr ist es doch
nicht). Zweitens besteht das Verführerische am polnischen
Aberglauben darin, dass er in den alltäglichsten Dingen
lauert. Man stößt zwangsläufig darauf; zunächst winkt
man ab, doch mit der Zeit beginnt man, seine Gebote automatisch zu befolgen.

Wenn ich zum Beispiel erzähle, dass ich während meines
Aufenthalts in Polen kein einziges Mal bestohlen wurde,
klopfe ich dabei unbedingt auf ein Stück unbehandeltes
Holz, um das Unheil nicht herbeizuschreien. Wünscht mir
jemand vor meinem Auftritt im Kabarett viel Glück, sage
ich nicht »danke«, damit der Glückwunsch nicht gefährdet
wird. Bei Dreharbeiten am Set meiner Fernseh-Serie »M
jak Miłość« habe ich mir das Pfeifen abgewöhnt. Es würde
nämlich, wie ich von den unterschiedlichsten Seiten be-
lehrt wurde, unweigerlich dazu führen, dass unser Film bei
der Premiere ebenfalls ausgepfiffen würde.

Fällt mir bei einer Probe das Drehbuch runter, trete ich, bevor ich es aufhebe, erst einmal leicht mit dem Schuhabsatz auf das Titelblatt.

Einem bereits ergrauten Schauspieler-Kollegen sprang bei Dreharbeiten ein Knopf von seiner Uniform ab. In der nächsten Pause setzte er sich in höchsteigener Person hin und begann, den Knopf wieder anzunähen. Beim Nähen hielt er ein Stück Faden zwischen den Zähnen. Als ich ihn verwundert darauf ansprach, murmelte er: »Damit mir mein Talent nicht durch den Mund abhaut!«

Apropos abhauen. Bei einem traumatischen Erlebnis in der Garderobe meiner Fernseh-Serie wurde ich von einer namhaften polnischen Schauspielerin fast getötet, weil ich ihre Handtasche vom Stuhl auf den Boden stellen wollte. Es könnte ja das Geld «heraus- und davonlaufen». Polnische Frauen schlagen die Hände über dem Kopf zusammen, wenn sie sehen, dass deutsche Frauen ungerührt ihre Handtaschen auf dem Boden abstellen. Welche bodenlose Leichtsinnigkeit!

Wenn ich für ein Hochzeitspaar Blumen kaufe, achte ich darauf, dass es auch ja eine ungerade Anzahl ist. Übrigens würde ich auch niemals in einem Monat heiraten, der im (polnischen) Monatsnamen nicht den Buchstaben »r« enthält. Die Scheidung wäre vorprogrammiert.

In Kneipen setze ich mich niemals mehr an die Tischecke, getreu dem alten polnischen Sprichwort: »Wer an der Ecke sitzt, darf bald Gott loben gehen«, was bedeutet, dass er als Mönch im Kloster landet.

Vor kurzem kam meine Mutter aus Deutschland zu Besuch. Als sie mich an der Tür umarmen wollte, sprang ich nach hinten zurück und rief entsetzt: »Mama! Nicht über der Schwelle umarmen oder die Hand geben!«

Wenn ich aus dem Haus gehe und mir einfällt, dass ich etwas vergessen habe, kehre ich nach Hause zurück und setze mich für einen Augenblick hin, um noch einmal in Ruhe mein Leben zu überdenken.

Als ich auf dem Flughafen im Getümmel eine alte Bekannte übersah, zupfte sie mich am Ärmel.

»Hallo Steffen! Du kennst mich wohl nicht mehr?«

»Ach, Agnieszka, entschuldige bitte, ich habe dich ganz einfach nicht bemerkt!«

»Na gut«, meinte sie versöhnlich. »Ich glaube dir. Dafür werde ich jetzt reich!« Denn wer von alten Freunden aus Versehen nicht erkannt wird, kann mit baldigem Reichtum rechnen.

Woher kommt diese Flut an Aberglauben in einem katholischen Land, das im 18. Jahrhundert zu den aufgeklärtesten Staaten Europas gehörte? Dafür gibt es verschiedene Erklärungen. Der englische Dichter William Blake etwa sieht den Aberglauben keineswegs als Beweis für heidnische Überbleibsel, sondern als geradezu untrennbar mit der Religion verbunden: »Es hat nie einen abergläubischen Menschen gegeben, der nicht gleichzeitig auch religiös gewesen wäre.«

Ein alter polnischer Gentleman vertrat mir gegenüber eine ganz andere Theorie. Seiner Meinung nach war der Aberglaube in Polen vor dem zweiten Weltkrieg noch nicht so sehr verbreitet gewesen. Erst die Ausrottung der polnischen Intelligenz durch Hitler und Stalin sowie die Massenlandflucht nach dem Zweiten Weltkrieg hätte zu einem bäuerlichen Wandel von Sitten und Bräuchen auch in den Städten geführt.

Diese Theorie trifft sicherlich auf einen der kuriosesten polnischen Bräuche zu: Am Ostermontag, der »Śmigus

Dyngus« genannt wird, ziehen die polnischen Kinder mit Wasserpistolen durch die Stadt und bespritzen alle jungen Mädchen. Der ursprünglich ländliche Brauch erfreut sich heute immer größerer Beliebtheit in der Stadt und hat dazu geführt, dass viele Frauen an diesem Tag gar nicht mehr das Haus verlassen.

Wie auch immer es nun genau steht mit den Widersprüchen von Religiosität, Aberglaube und Aufklärung: Man sollte die Sache nicht dramatisieren. Besonders tief ist der Aberglaube in Polen nämlich auch wieder nicht verwurzelt. Die Polen betrachten die Dinge zum Glück, wie überall, auch hier mit einer gehörigen Portion Ironie. Abergläubische Tabus sind eher in Fleisch und Blut übergegangene Gewohnheiten, wie das Essen mit Messer und Gabel oder das Zähneputzen vor dem Schlafengehen.

Viel tiefer sitzt der Aberglaube in Russland. Nur ein einziges Beispiel: Die Putzfrau in einem Omsker Studentenheim verbot mir streng, im Treppenhaus zu pfeifen. Diesmal ging es um keine Filmpremiere; die Sache war viel ernster. Wer pfeift, wird nicht nur selber arm, sondern verschuldet auch bittere Armut aller übrigen Hausbewohner. Und nun pfeif mal unbeschwert mit dieser Verantwortung!

Liste des polnischen Hochzeits-Aberglauben

- Die Braut sollte ein Tränchen verdrücken – das bringt Glück.
- Wenn bei den Fest-Vorbereitungen Glas und Teller kaputtgehen, bringt das ebenfalls Glück.
- Geheiratet wird am besten in Monaten mit dem Buchstaben »r« (»Czerwiec« – Juni, »Sierpień« – August,

»Wrzesień« – September, »Październik« – Oktober, »Grudzień« – Dezember, »Marzec« – März).

- Gute Termine sind Weihnachten und Ostern, schlechte Termine in der Fastenzeit vor Ostern und der erste April. Am ersten April besteht nämlich die Gefahr, dass das Paar seine Ehe nicht ernsthaft führen wird.
- Die Braut sollte etwas Neues tragen (bringt Reichtum), etwas Altes (dann fehlt es nie an Hilfe durch Verwandte und Freunde), etwas Weißes (Reinheit der Gefühle), etwas Himmelblaues (garantiert Kinder und Treue des Partners) und etwas Geliehenes (damit die Familie des Bräutigams wohlwollend ist).
- Der Bräutigam sollte der Braut beim Anziehen der Schuhe helfen und ihr ein Geldstück in den Schuh legen.
- Die Hochzeit sollte in der Kirche stattfinden, in der die Braut getauft wurde.
- Wenn das Paar zur Hochzeit geht, sollte es sich nach Tauben und Elstern umsehen – das bringt Glück. Unbedingt vermieden werden sollte aber der Anblick von Raben und Krähen, weil sie schwarz und groß sind.
- Die Kirchenschwelle sollte mit dem rechten Fuß überschritten werden. Ein Straucheln bringt Unglück.
- Wenn sich die Braut umschaut, um zu sehen, ob ihr Schleier gut liegt, ist dies ein schlechtes Omen.
- Wenn während der Trauzeremonie der Ring herunterfällt, sollte er um Himmels willen nicht von Braut oder Bräutigam, sondern vom Priester oder einem Ministranten aufgehoben werden.
- Nach vollzogener Trauung sollte das Paar vor dem Altar eine kleine Drehung machen – aber Achtung: derjenige, der den anderen dreht, wird in der Familie die Entscheidungen treffen.

- Beim Verlassen der Kirche werden Geldstücke über das Paar geworfen, die im Anschluss restlos aufgesammelt werden müssen. Derjenige Partner, der schneller und mehr Geld sammelt, wird in der Familie die Kasse verwalten.
- Beim Gratulieren vor der Kirche sollte es ein Mann oder ein Fremder sein, der der Braut als Erster gratuliert – das garantiert Glück.
- Beim Heimkehren des Paares wird das junge Paar mit Brot und Salz von den vier Eltern begrüßt.
- Nach dem ersten Hochzeitstoast muss das Paar seine Champagnergläser hinter sich werfen, so dass die Gläser in kleine Scherben zerbrechen.
- Das Hochzeitspaar muss den ersten Tanz initiieren.

Aggression

In Deutschland sind es nach meiner Erfahrung vor allem Störungen der öffentlichen Ordnung, die aus harmlosen Bürgern Hyänen machen. An erster Stelle ist das Fahrradfahren zu nennen. An der Berliner Friedrichstraße hatte ich einmal das Vergnügen, innerhalb einer einzigen Minute von drei älteren Herrschaften übel angeraunzt zu werden, weil ich mit dem Fahrrad den Bürgersteig entlangrollte. Doch nicht nur ältere Mitbürger arbeiten im Nebenjob als Hilfspolizisten. In Hamburg war ich Zeuge, wie eine junge Mutter mit Kinderwagen sich einen Mann vorknöpfte, der ebenfalls mit dem Fahrrad an ihr vorüberrauschen wollte. Andere Passanten solidarisierten sich mit ihr; die Situation eskalierte sekundenschnell: Es kam zu Rempeleien.

Erstaunliche Aggressionsanwandlungen habe ich auch

in einem Berliner Bus erlebt. Eine junge Mutter mit Kinderwagen verschlief ihre Haltestelle und wachte erst auf, als sich die Bustüren schon fast wieder geschlossen hatten. Sie drängte ihren Kinderwagen hinaus, sodass der Busfahrer gezwungen war, die Tür noch einmal aufzumachen. Eine ältere Passagierin platzte schier vor Wut.

»Können Sie nicht vorher nachdenken?«

Als die Mutter ihren Kinderwagen endlich draußen hatte und der Bus anfuhr, hämmerte die Passagierin noch einmal von innen gegen das Fenster, bis sich die junge Mutter irritiert umdrehte.

»Wohl plemplem?«, schrie die ältere Dame durch die Glasscheibe und tippte sich mit dem Zeigefinger heftig gegen die Stirn.

In Polen gibt es diese Art von Aggression viel seltener – und schon gar nicht auf der Straße. Einer der Gründe dafür dürfte sein, dass den Leuten das deutsche Oberlehrertum völlig abgeht. Außerdem herrscht größere Toleranz, die bisweilen an resignative Gleichgültigkeit grenzt:

»Wozu soll ich mich aufregen, wenn in diesem Land sowieso jeder macht, was er will?« Man schreitet nicht ein, wenn das abstrakte Gemeinwohl auf dem Spiel steht, sondern wehrt sich allenfalls, wenn die eigene Sicherheit bedroht ist. Die Rauchschwaden brennender Mülleimer an den Straßenbahnhaltestellen müssen schon kilometerweit in den Himmel steigen, ehe mal jemand einen Eimer Wasser heranschleppt.

Wer also nicht gerade mit dem Baseballschläger durch Warschau läuft, braucht auch keine Angst vor tätlichen Übergriffen zu haben. Tatsächlich würde ich behaupten, dass es in Polen nur wenig physische Gewalt gibt, nicht einmal im verrufenen Warschauer Stadtteil Praga-Nord.

Die Beklemmungen, die ich in einer Berliner S-Bahn beim Einsteigen von kahlrasierten Heinis mit ihren Kampfhunden durchmache, bleiben mir in Polen erspart.

Eine Ausnahme ist allerdings das Schlangestehen. Jahrelang habe ich es auf meiner Post an der Kreuzung von Aleja Solidarności und Aleja Jana Pawła erlebt, wie brave Bürger zu Furien mutierten, wenn jemand wagte, sich vorzudrängeln oder außer der Reihe eine Auskunft am Schalter einzuholen. Die Einführung des Nummernautomaten war eine wahre Erlösung. Auch auf Flughäfen oder vor Museen sah ich perplex, wie harmlose Polen fast ausflippten, wenn jemand sich vor Abfertigungsschaltern oder Kassen vordrängeln wollte. Sind es die traumatischen Erinnerungen an kommunistische Warteschlangen, die eine so ungeheure Wut aufgestaut haben? Gut möglich, doch da auch die junge Generation so grässlich ausrastet, würde ich noch einen weiteren Schuldigen dafür verantwortlich machen wollen: Es ist die stets schwelende Angst vor dem Betrogenwerden. So wie wir Deutsche den Störer der öffentlichen Ordnung brandmarken, ist in Polen das Schlitzohr der Staatsfeind, der »Cwaniak«. Man kann ihm nichts Konkretes vorwerfen; sein Vergehen ist zu gering, als dass die Polizei einschreiten würde. Im Autobahnstau klemmt er sich hinter den Rettungswagen; beim Sonderangebot im Elektroladen erboxt er sich das letzte Handy für einen Zloty; seine aus Versehen nicht abgerissene Museumskarte verkauft er beim Hinauskommen an einen Wartenden in der Schlange. Der Cwaniak verkörpert für viele Polen die schlechteste Seite ihrer Nation, das ewige Tricksen und »Kombinieren«. Kein Wunder, dass mir noch nie jemand an einer polnischen Supermarktkasse von sich aus angeboten hat, mich vorzulassen, selbst wenn sein eigener Einkaufswagen rappelvoll war und ich nur einen Liter Milch hatte. Längst habe ich mir auch abgewöhnt, um solche Gefälligkeiten zu bitten. Hier geht bei den sonst so gutmütigen Polen das Visier herunter. Um Himmels willen niemandem einen Vorteil verschaffen – er könnte ihn sich schamlos zunutze machen.

Doch das polnische Misstrauen ist, im Unterschied zur tätlichen deutschen Aggression, immerhin nur passiv. Auch wer in der Straßenbahn oder im Bus das eherne Gesetz der Höflichkeit verletzt und einem älteren Menschen beharrlich NICHT seinen Platz räumt, muss allenfalls mit einem erbosten Dauergemurmel rechnen; ein »Plemplem« habe ich noch nie gehört.

Alte Reisebusse und junge Polinnen

Viel ist geschrieben worden über den »unerreichten« Reiz der polnischen Frauen – Heine nannte sie gar die »Weichselaphroditen«. Auch ich möchte ihnen huldigen. Ich tue es, indem ich von alten polnischen Reisebussen erzähle.

Es war in Taizé, dem internationalen Jugend-Meditations-Zentrum in Frankreich. Kurz nach dem Zivildienst fragte mich ein Theologie-Kommilitone, ob ich mit ihm dorthin fahren würde. Der Aufenthalt gehört nicht unbedingt zu meinen angenehmsten Erinnerungen. Ich schlief zusammen mit achtundvierzig anderen Pilgern in einem großen Zelt. Von Natur aus ohnehin kein Pfadfindertyp, erschwerten Ameisen, die mitten in der Nacht unter meiner Iso-Matte hervorkrabbelten, einen geruhsamen Schlaf.

Dafür tummelten sich in den Zeltstädten Taizés schöne

Frauen. Es waren Polinnen. Ich erkannte es an den Bussen, mit denen sie gekommen waren. Die Busse hatten schwarze Nummernschilder und kontrastierten brutal mit dem Sex-Appeal ihrer weiblichen Passagiere. Es waren alte, rostige Wracks, deren Motorklappen hinten während der Fahrt offen standen. Die Fahrer öffneten sie, um den Motor zu kühlen, sonst wären die Busse auf der langen Fahrt von Polen nach Frankreich wohl explodiert. Beides, die Busse und die Mädchen, faszinierten mich so sehr, dass ich, statt

Ein Warschauer Umlandbus mit Werbung für eine Landschafts-gärtnerei. Bei Bedarf nimmt er auch »S« mit: »Schüler«.

in die Messe zu gehen, zwischen den Bussen herumlief und Fotos machte. Als einmal drei solcher Busse zusammen abfuhren, hingen noch lange schwarze, stinkende Rauchwolken in der Luft.

Heute weiß ich, dass es sich bei diesen Bussen um die Marke »Autosan« handelte, in Polen produziert, genauer gesagt: in der Stadt Sanok in Südost-Polen. Sie verkehren längst nicht mehr im Überland-, sondern nur noch im Stadtrandverkehr, etwa von Warschau in das nahe gelegene Otwock. Immer noch ist die Rückklappe geöffnet, immer noch hängen in den Fenstern diese Vorhänge in undefinierbarer Farbe. Die Passagiere sehen aus wie Zeitreisende. Vor diesem Hintergrund wird jede Frau schön, auch die zwei oder drei weniger Gesegneten, die es sogar in Polen gibt. Von Zeit zu Zeit verrücken sie leicht die Gardine und lächeln hinunter auf die Fahrer der überholenden Pkws. Und die fahren dann fast in den Straßengraben. Geöffnete Motorklappe und rosa-apricotfarbene Gardine: mehr braucht es nicht für einen irrsinnigen Sex-Appeal.

Anarchie

Immer wieder versichere ich meinen polnischen Freunden, dass wir Deutschen keineswegs die obrigkeitshörigen Musterknaben sind, für die man uns überall hält. Auch bei uns gibt es Anarchisten – und zwar mit Doktorhut! Schon vor dem Abitur fangen sie mit der Lektüre von Proudhon an und lernen, dass Eigentum Diebstahl ist. Nach dem Abitur brechen sie den Kontakt zu Papa und Mama ab und ziehen in ein besetztes Haus in Berlin-

Friedrichshain mit Graffitis im Treppenhaus. Mit vierzig promovieren sie über das Thema »Die poststrukturelle Ambivalenz des Privateigentums oder Systemimmanenz als hypothetisches Paradox«. Das Thema beschäftigt sie bis zu ihrer Rente.

In Polen kann man solche promovierten Anarchie-experten mit der Lupe suchen. Wozu dicke Wälzer studieren, wenn jeder dahergelaufene Klempner die Theorie der Anarchie im kleinen Finger hat? Der polnische Anarchist wohnt im achten Stock eines stinknormalen Wohnblocks, freut sich an seinem mühsam zusammengesparten Privateigentum und geht dreimal am Tag mit seinem Hund Gassi. Denn in Polen ist im Grunde jeder Steuerzahler ein Anarchist.

Diese Eigenschaft verbindet die Polen mit den Italienern. Es gibt allerdings wesentliche Unterschiede. Der italienische Anarchismus ist organisiert. Die Gewerkschaften sind stark und rufen ständig zum Streik auf. In Polen sind die Gewerkschaften schwach. Zum einen regiert ein brutaler Manchester-Kapitalismus, bei dem du rausfliegst, wenn du aufmuckst. Zum anderen rebelliert man lieber auf eigene Faust, statt in einem stickigen Bus zur Demonstration nach Warschau zu tuckern. Im Land der einstigen Solidarność mag dies kaum glaubhaft erscheinen, aber es hat sich eben viel verändert seit 1980.

Italiener stehen zu Hunderttausenden im Gedränge und schreien: »Weg mit der Regierung!« Die polnischen Anarchisten stöhnen ebenfalls über die Regierenden, aber sitzen dabei auf ihren Datschen und grillen Würstchen. Der italienische Anarchismus ist offen, fröhlich und offensiv, im polnischen steckt ein tiefer Widerspruch. Der polnische Anarchist ist nämlich tief verletzt, wenn man ihn als Anarchisten bezeichnet. Er sehnt sich nach Ordnung und verflucht seine Landsleute, die alle Chaoten seien.

In Kurzform würde ich sagen, dass der italienische Anarchismus bewusst und der polnische eher instinktiv, dafür aber auch dreimal radikaler ist. Die Polen sind Anarcho-Anarchisten, die sich nicht einmal zur Gründung einer Anarcho-Organisation zusammenraufen können.

Ein Taxifahrer, der mich einmal abends durch Warschau kutschierte, kam ins Philosophieren über die Mentalität seiner Landsleute.

»Ihr Deutschen, ihr könnt euch unterordnen, bei uns herrscht Anarchie. Jeder macht, worauf er Lust hat. Vor kurzem hatte ich eine Kundin, die wollte, dass ich sie gegen die Einbahnstraße in ihre Siedlung fahre. Ich habe gesagt, nein, das geht nicht, das ist verboten, da steht doch ein Schild. Sie meinte nur: ›Ach, fahren Sie doch durch, es sieht doch gerade niemand.‹ Mag ja sein, sagte ich zu ihr, aber die Tatsache, dass hier keine Polizei steht, heißt doch nicht, dass man es darf. Wenn das alle machen würden!«

Was blieb mir bei so vernünftigen Worten übrig? Ich nickte eifrig.

Wir hielten an einer Ampel. Der Fahrer schaute in den Rückspiegel, sein Gesicht verdüsterte sich.

»Die Polizei ist hinter uns.«

Dann lächelte er und sagte:

»Ach was, die bemerken ja doch nicht, dass meine Rücklichter kaputt sind.«

»Wie, Ihre Rücklichter funktionieren nicht?«, fragte ich erschrocken.

»Seit drei Monaten. Na und? Keine Sorge. Es ist noch nichts passiert.«

»Und wenn die Polizisten nun doch etwas bemerken und Sie Strafe zahlen müssen?«

»Die haben keine Lust auszusteigen. Es regnet doch, sehen Sie nicht?«

Was war nur aus meinem braven, vernünftigen Taxifahrer geworden? Binnen Sekunden hatte er sich in einen üblen Anarchisten verwandelt.

In solchen Momenten schwanke ich, ob man es in Polen mit Doppelmoral, Schizophrenie oder falschen Statistiken zu tun hat. Sehr wahrscheinlich handelt es sich um Letzteres. Die Statistiken lügen ganz einfach. In Polen wohnen nicht 38, sondern 76 Millionen Menschen. Die eine Hälfte davon, nämlich die, die immer so laut über die Anarchisten jammert, ist korrekt und beachtet die Gesetze, die andere Hälfte ist frech, unberechenbar, doch leider komplett unsichtbar (eben Rücklicht kaputt), sodass sie bis heute von der Polizei nicht dingfest gemacht werden konnte. Dabei wäre es doch so einfach. Diese polnischen Polizisten müssten einfach nur mal trotz Regen aus ihrem Wagen aussteigen und den erstbesten Biedermann verhaften. Die Wahrscheinlichkeit ist hoch, dass ihnen ein langgesuchter Anarchist ins Netz ginge.

Arbeit

Schrankenlos bewundern kann ich nur das Verhältnis der Polen zur Arbeit. Obwohl die Wirtschaft boomt und Arbeitszeiten bis zu siebzig Wochenstunden durchaus üblich sind – nicht umsonst gilt Warschau als die Stadt mit der längsten Arbeitszeit in Europa –, wird der Arbeitsplatz immer noch nicht mit einem Glorienschein umgeben, so wie in Deutschland. Arbeit rangiert, trotz zunehmender Materialisierung der Gesellschaft, auf Platz zwei – nämlich hinter dem wichtigsten Wert: der Familie. Dadurch fehlt auch im größten Stress der verbissene Gesichtsausdruck, der mich überall in Deutschland anspringt, vom Taxifahrer am Flughafen über den Hausmeister bis zum Radioredakteur. Ach, wie angenehm! Und welch grausame Umstellung in Deutschland. Unser Problem lautet – und hier gilt protestantische Arbeitsethik ungebrochen wie vor hundert Jahren –, dass sich jeder kleine Angestellte bis zum letzten Blutstropfen mit seinem Job identifiziert. Jede Putzfrau wird zum Chef. Ein sprachliches Zeichen dafür ist das energische »So«, das ich in Deutschland täglich viele hundert Male von Sekretärinnen, Ärzten, Polizisten höre, nämlich immer dann, wenn sie mir mit ernster Dienstmiene wieder irgendetwas erklären, gerne mit dem Kuli auf einem Stück Papier herumfahrend. »So. Da geht's lang. So, ich erkläre Ihnen das jetzt mal!«

Und wehe, man stellt die Kompetenz eines deutschen Angestellten in Frage, und sei es nur, dass man sich bei der Telefonauskunft noch mal vergewissert, ob man richtig gehört hat. Solche Affronts müssen Aggression auslösen, da ein Deutscher ja nichts anderes hat als seine Arbeit. Sobald er das Büro verlässt, sinkt die Laune schlagartig. Er wird zum unbedeutenden Privatmann degradiert; die Zahl der »So's« sinkt auf beinahe Null.

Wie ungewohnt war es für mich in Polen, als ich bei der Kontoeröffnung im Hintergrund der Bank fröhliches Lachen hörte. Wie perplex war ich, als der Klempner plötzlich über seine Familie sprach. Meine spontane Befürchtung war sofort: »Wer solche Scherzchen während der Arbeit macht, kann nicht viel Kompetenz besitzen.«

Und das ist natürlich ein deutscher Fehlschluss. In Polen können sogar weltberühmte Filmregisseure jegliche Kleiderordnung missachten und wie Bibliothekare herumlaufen. Mathematikprofessoren benehmen sich so unarrogant und normal, dass man sie mit Hartz-IV-Empfängern verwechselt. Das geht bis zu dem harmlosen Gesichtsausdruck und der unprätentiösen Art, wie sie sich die Brille zurechtrücken.

Das könnte in Deutschland niemandem passieren. Zu jedem Beruf gehört die entsprechende Miene und die entsprechende Montur. Wenn ein Regisseur nicht das branchenübliche Schwarz trüge, könnte er seinen Antrag bei der NRW-Filmförderung gleich in den Müll werfen. Keiner würde ihn ernst nehmen.

Ich war einmal zur Einweihungsparty einer Warschauer Rechtsanwaltskanzlei eingeladen. Mein Begleiter flüsterte mir zu, dass ich in wenigen Minuten eine der drei besten polnischen Advokatinnen kennenlernen würde. Als wir die Party betraten, musste ich lange raten, ehe ich auf die richtige Person tippte. Die junge Dame benahm sich dermaßen natürlich, ungezwungen, war so undienstlich, normal gekleidet, dass ich regelrecht Angst um ihren Ruf bekam. Was sollten denn die anwesenden Klienten denken, die hier in Zukunft seriöse Beratung bei hochwichtigen Rechtsfragen erwarteten? Meine Befürchtung war unbegründet. Die Klienten küssten der Dame die Hand und unterhielten sich mit ihr über Tennis, Hunde und Streuselkuchen. Als schließlich der Ehemann der Juristin hinzutrat, schmiegte sie sich an ihn wie eine Siebzehnjährige. Welche Distanz zum Erfolg. Es war einfach nur großartig.

Bescheidenheit

An den Kondolenzanzeigen, die beim Tod des weltberühmten Reporters Ryszard Kapuściński in den polnischen Zeitungen zu lesen waren, fiel mir immer wieder auf, dass vor allem seine Bescheidenheit gelobt wurde. Ich fragte mich, ob ich mir das auch in einer deutschen Todesanzeige vorstellen könnte. Die Antwort lautete: nein. Bei uns würden doch wohl eher seine Orden und Preise erwähnt.

Bescheidenheit ist eine polnische Kardinaltugend. Wahr oder geheuchelt – lobe dich nicht, mache dich klein.

Bei meinem ersten Polnischkurs in Krakau bat ich meine Lehrerin Beata, mir ein Kindergedicht zum Auswendiglernen zu geben. Beata, die mich erst seit einer Woche kannte, schaute mich aufmerksam an, lächelte und gab mir ein Gedicht von Jan Brzechwa. Es trug den Titel: *Samochwała*, zu Deutsch: »Die Prahlhänsin«.

Das war ein Wink mit dem Zaunpfahl. Seit ich aber in Polen lebe, habe ich gemerkt, dass nicht nur ich, sondern die meisten westlichen Ausländer für Angeber gehalten werden. Protzig zu wirken ist allerdings auch nicht sehr schwer. Die Polen sind in ihrer Bescheidenheit kaum zu übertreffen. Wer sich und seine Fähigkeiten auch nur ansatzweise rühmt, gilt sofort als »überheblich« und »arrogant«. Das sind die schlimmsten Bezeichnungen für einen Menschen. Als sympathisch gilt hingegen alles, was »normal« ist. Oft muss ich lachen, wenn ich Interviews mit polnischen Stars lese. Während sich die Kollegen im Westen gegenseitig an Exzentrik übertreffen, betont fast jeder Schauspieler oder Sänger in Polen, er sei ein normaler Mensch geblieben und wohne immer noch im sechsten Stock eines abgewrackten Wohnblocks.

Wenn man in Polen nicht als Neureicher angesehen oder gleich mit der Mafia in Verbindung gebracht werden will, muss man arm wie die Masse des Volkes sein. Ein anständiger Mensch hat sich gefälligst an der Grenze zur Sozialhilfe zu bewegen. Ein Finanzberater sagte mir einmal: »Wenn Sie in Polen Millionär werden, sollten Sie es um Himmels willen niemandem zeigen. Kaufen Sie sich einen Gebrauchtwagen, tragen Sie abgewetzte Pullover und ziehen Sie eine zwei Meter hohe Hecke um Ihre Villa. Nicht hinauslehnen!« »Nie wychylać« – so lautet die eiserne Formel.

Ich habe mir das zu Herzen genommen. Über Geld spreche ich nicht mehr, und wenn jemand von mir erfahren will, wie viel ich verdiene, winke ich nur ab und sage:

»Ach, nicht der Rede wert. Wirtschaftskrise, Inflation – und den Rest fressen Mehrwertsteuer und Hausratversicherung. Es reicht gerade noch für die Monatskarte.«

Meine Ferien verbringe ich offiziell im Riesengebirge oder am besten in einer Billigpension im Warschauer Industriegebiet. Um Gottes willen bloß nichts von den Seychellen erzählen!

Auch würde ich niemals öffentlich eingestehen, dass ich Karriere machen will. Man würde es mir als krankhaften Ehrgeiz ankreiden. Ich mache es auf die heimliche Tour. Zuerst bohre ich monatelang am Chef wegen einer Beförderung herum – und erst wenn alles in trockenen Tüchern ist, benachrichtige ich die Kollegen mit müder Stimme, dass ich gestern Abend, als ich gerade in der Wanne gelegen habe, »ein Angebot bekommen habe, das ich nicht ablehnen konnte«.

Ähnlich wie im calvinistischen Holland, wo alle Wohnzimmer von der Straße aus einsehbar sein müssen, blüht auch im postkommunistischen Polen die Überwachung. Anders aber als in Holland oder Amerika haben sich nicht die Armen, sondern die Reichen zu rechtfertigen. Der Neid regiert, und am schlimmsten kocht er hoch, wenn ein ehemaliger Schulfreund plötzlich ein größeres Auto als die anderen besitzt. Dann darf schamlos nach dem Preis gefragt werden. Der Autobesitzer wird in die Enge getrieben, es sei denn, er findet einen Trick, um nicht als Angeber dazustehen. Auch diese Tricks beherrsche ich heute. Man kann mich ungeniert fragen, wie viel ich für die Waschmaschine, die Wohnung oder den Urlaub gezahlt habe. Einer dieser Tricks besteht darin, stets zu betonen, dass man eine Ware im Sonderangebot gekauft hat. Dann nicken die Frager. In der Tat – es wäre ein Verbrechen gewesen, hier nicht zuzuschlagen.

Bis zum heutigen Tag habe ich mir kein Auto gekauft, aber ich übe jetzt schon jeden Morgen vor dem Spiegel, wie ich auf die neugierigen Fragen antworten werde, falls ich mir mal eine Luxuslimousine leisten sollte. Ich höre förmlich die boshaften Fragen:

»Hey, Steffen, nicht übel, der Schlitten! Was hat denn der Spaß gekostet?«

»Ach, weißt du, ich habe ihn günstiger bekommen, weil ich Stammkunde bei dem Händler bin.«

»Und wie viel hast du hingelegt?«

»Sie sind runtergegangen mit dem Preis, weil der Wagen ein paar Kratzer im Lack hat.«

»Und was musstest du dann zahlen?«

»Na ja, es hat sich herausgestellt, dass mein Onkel mit der Buchhalterin des Ladens zusammen studiert hat.«

»Na, bei so vielen Vergünstigungen war das Auto wohl fast umsonst, was?«

»Fast. Sie haben mich aber trotzdem betrogen. Die Kiste ist keine tausend Zloty wert. Der fünfte Gang geht nicht. Tja, was soll man machen. Jetzt ist es zu spät, um es zurückzugeben. Ich habe die Rechnung weggeworfen.«

Auf diesen fiktiven Dialog bin ich stolz. Er zeigt meine perfekte Polonisierung. Für einen Polen gelte ich somit nicht mehr als Angeber, sondern als schlauer Fuchs, der sich eine super Gelegenheit geschnappt und dabei an allen Hebeln gedreht hat – letztlich aber doch von der bösen Welt ausgetrickst wurde und als bedröppeltes Opfer dasteht. Und das ist ausnahmsweise einmal keine Sünde im Land der Bescheidenheit.

Betweener und Wüstenmäuse

Manchmal frage ich mich, wohin eigentlich all die Ausländer entschwunden sind, die Mitte der neunziger Jahre mit mir zusammen nach Polen kamen. Sag mir, wo sind sie geblieben, die etwa zwanzig Deutschen des allerersten Kurses in Krakau und dann die vielen Amerikaner, Franzosen, Russen, die ich im Lauf von dreizehn Warschauer Jahren kennengelernt habe? Oh, da war mancher Enthusiast, etwa die französische Nonne, die in einem Warschauer Waisenhaus arbeitete, oder Heinz aus Bremen, der später in Polen Slawistik studierte. Nachdem er sich von seiner polnischen Freundin getrennt hatte, soll er heute angeblich wieder in Bremen leben. Oder Christian, der heftige Krakau-Liebhaber und Deutschland-Schimpfer: einmal trafen wir uns noch, Jahre nach dem Kurs, als Christian gerade einen halbwegs gutbezahlten Job in Polen suchte. Fand er ihn? Ich glaube nicht.

Einige ruhmreiche Kämpfer gab es freilich doch. Reinhard hielt neun Jahre lang in Warschau aus, Michael mietete jahrelang eine Zweitwohnung, um zwischen Deutschland und Polen zu pendeln – aber sogar diese beiden sind endgültig nach Berlin zurückgesiedelt, ohne auch nur einen Koffer in Warschau zurückzulassen. Warum ist außer Steffi und mir so gut wie niemand dauerhaft in Warschau geblieben?

Liegt es am langen Winter? An den niedrigen Gehältern? An der schweren Sprache?

Ich glaube, das ist es nicht. Ich wüsste keinen Ausländer aus meinen Kursen, der von Polen enttäuscht gewesen wäre. Die meisten, etwa Reinhard und Michael, sind auch heute noch Polenfans und nutzen jede Gelegenheit, um mal wieder Polnisch zu sprechen.

Ich glaube, es gibt zwei ganz simple Gründe, warum die meisten Menschen nach kurzen Jahren des Herumschnupperns in die Heimat zurückkehren.

Zum einen leitet sie der völlig normale Ehrgeiz. Es ist eine Binsenweisheit, dass es in der Fremde viel schwieriger ist, Karriere zu machen. Schon allein die fremde Sprache erschwert den Zugang zu den lukrativsten Jobs. Es muss gar nicht das vertrackte Polnisch sein. Auch auf Französisch oder Italienisch, ja sogar auf Englisch ist es während der ersten fünf Jahre fast unmöglich, eine Managerkonferenz zu leiten, ohne sich mindestens fünf Mal schrecklich zu blamieren. Das kann sich nur leisten, wer bereits als Chef kommt.

Ich kenne tatsächlich nur sehr wenige westliche Ausländer in Polen, die einen polnischen Chef haben. Meistens arbeiten sie für Firmen aus ihren Heimatländern. Um in diesen Firmen Karriere zu machen, mussten sie sich erst in der Heimat hochbuckeln. Man kann sich ja nicht einmal an einer deutschen Auslandsschule hochdienen. Mindestens sechs Jahre in der Heimat sind erforderlich, um verbeamtet zu werden.

Zum anderen verlangen langjährige Auslandsaufenthalte einen spezifischen Charakter. Man muss sich dauerhaft damit abfinden, an der Peripherie der Gesellschaft zu leben. Damit meine ich nicht nur Äußerlichkeiten – etwa die, dass man kein Wahlrecht besitzt, ständig Behörden zwecks Aufenthaltsgenehmigung et cetera aufsuchen muss und auch niemals Staatspräsident werden kann. Es geht eher um Probleme im zwischenmenschlichen Bereich. Oft ist man ziemlich einsam. Vertraute Gebräuche existieren nicht. Deutsche Weihnachtsmärkte mit dem Geruch von Glühwein und Bratwurst? Fehlanzeige.

Dann die fremde Sprache: Weil man seinen fremden Akzent niemals los wird, dreht sich jeder Taxifahrer beim ersten Satz sofort misstrauisch um; bei Elternabenden zählt das Votum eines Ausländers mit Akzent weniger; bei einem Verkehrsunfall gerät es zur Höllentortur, den Polizisten detailliert den Unfallhergang zu schildern. Die Wahrscheinlichkeit, wegen solcher Sprachhürden am Abend deprimiert nach Hause zu kommen, sinkt erst nach vielen Jahren.

Es ist als Ausländer natürlich auch viel schwieriger, unter den Einheimischen Freunde zu finden. Weil man die

Kindheit woanders verlebt hat, ist man nicht mit Angehörigen der eigenen Generation sozialisiert worden. Man kennt nicht ihre Songs, Filme, Idole, Sticker – man kann also mit niemandem den Titelsong von »Wicki« oder »Heidi« schmettern. Polen meiner Altersgruppe lachen zum Beispiel gerne über ihre Pionierjahre in der kommunistischen Jugend oder über den ersten schwarz verdienten Dollar. Ich könnte erzählen, wie ich einige Male versuchsweise den CVJM aufsuchte – aber niemand in Polen kennt den CVJM.

Ich glaube also, man hält nur durch, wenn man dieses Gefühl von Fremdheit regelrecht liebt – und das gelingt nur denjenigen, die grundsätzlich eine Disposition zu Randlagen haben. Am besten war man schon in der Schule der bunte Vogel oder der Klassenkasper oder der Dauerquerulant, der lustlos mit dem Stuhl kippelte, wenn die Fraktionen sich wegen der Klassensprecherwahl zerstritten. Man muss eine exhibitionistische Freude daran haben, ständig und sofort als der Fremde identifiziert zu werden. Für langjährige Expats ist es im Grunde nur noch ein kleiner Schritt hinauf auf die Comedy-Bühne. Sie sind es gewohnt, dass man über sie lacht. Und sie haben ihre Geschichte schon so oft zum Besten gegeben, dass es ihnen nicht mehr schwerfällt, dreißig Minuten lang einen Gag an den anderen zu reihen, etwa über den schlimmsten Sprachlapsus oder den betrügerischsten Taxifahrer.

Wer hingegen – und vor allem Frauen geht es wohl so – schon zusammenzuckt, wenn ein Arbeitskollege morgens auf dem Korridor seinen fremden Akzent nachäfft, sollte schleunigst die Koffer packen. Die Wahrscheinlichkeit ist hoch, dass er sich eine Dauerneurose holt. Ausländer zu sein heißt nun einmal ganz klar, der Depp zu sein.

Ach ja, und es ist natürlich gut, wenn man sein Gastland mag. Es muss aber eine quasi selbstlose Liebe sein. Man sollte die Mentalität der Einheimischen so sehr mögen, dass man ihnen die Nichtbeachtung der eigenen Person immer und immer wieder verzeihen kann. Sie werden dir keinen Rosenstrauß überreichen, wenn du deinen ersten Satz grammatikalisch richtig gebildet hast. Die Wahrscheinlichkeit ist sogar hoch, dass sie es nicht einmal bemerken. Bei mir fand dieser Moment in einer Warschauer Straßenbahn statt. Ein kleiner Junge fragte mich nach der Uhrzeit.

»Za dziesięć jedenasta«, sagte ich, nach einer siedendheißen Sekunde, in der ich kurz die wichtigsten Regeln durchging, die man beim Sagen der Uhrzeit beachten muss (keine leichte Übung auf Polnisch. Man sagt nicht »zehn vor elf«, sondern wörtlich: »nach zehn elf«). Und was geschah? Der kleine Junge warf mir ein kurzes »Danke« hin, drehte sich um und stieg an der nächsten Haltestelle aus. Ein Glück. So bekam er nicht mit, dass ich dort ganz hinten in der Straßenbahn, wo mich niemand sah, ein Freudentänzchen vollführte.

All das gilt natürlich nur, wenn man überhaupt die Absicht hat, sich ein bisschen näher auf das fremde Land einzulassen. Ich kenne genug Leute in Polen, die von Anfang an nichts dergleichen im Schilde führten. Es sind entweder Wochenendpendler oder aber berufsmäßige Globetrotter, die es halb gegen ihren Willen nach Warschau verschlagen hat, wo sie nun fünf Jahre in Botschaft, Goethe-Institut oder sonstwo aushalten müssen. Sie haben nicht das geringste Interesse an Polen. Häufig haben sie auch schon so viele Auslandsaufenthalte hinter sich, sei es in Indonesien oder Uruguay, dass es ihnen kaum übelzunehmen ist, wenn sie nun keine Kraft mehr für eine weitere Sprache aufbringen können, und dann auch noch das diabolische Polnisch.

Mir selber sind solche Leute charaktermäßig ein Rätsel. Wie kann man es aushalten, ein Leben in der Fremde zu führen, ohne auch nur den Versuch der Assimilation zu machen? Warum machen sie den Job dann überhaupt? Für Geld? Brauchen sie noch weniger Heimatwärme als der Klassenkasper? Sind sie eiseskalte Beobachter, die das Leben im Gastland aus satellitenähnlicher Distanz betrachten können, ohne sich jemals einmischen zu wollen?

Vielleicht ist ihr Dasein aber gar nicht so seltsam, wie es mir immer vorkommt. Vielleicht erleichtert ihnen die grundsätzliche Verweigerung jeglicher Assimilation sogar das Leben. Sie fühlen sich nicht etwa nur an der Peripherie der Gesellschaft wohl, sondern sind wie Wüstenmäuse, die ihr Dasein genügsam an dürrer Vegetation fristen, so wie britische Kolonialbeamte einst in Indien. Sie verkehren nur mit ihresgleichen, schicken ihre Kinder auf die deutsche Schule, gucken deutsches Fernsehen und könnten nicht einmal sagen, wer in diesem Jahr polnischer Fußballmeister geworden ist. Nur in seltenen Fällen können sie ihre Erfahrungen aus all den Ländern anschaulich erzählen. Meist sind sie zu müden Skeptikern geworden, denen nichts Menschliches fremd und kein Thema mehr wichtig ist.

Zahlenmäßig bilden sie aber eine sehr kleine Gruppe. Die meisten Migranten pendeln ihr Leben lang nur zwischen zwei statt zehn Ländern, etwa der Türkei und Deutschland oder, wie in meinem Fall, zwischen Polen und Deutschland. Statt totalem Relativismus droht uns das ewige Hin- und Hergerissensein. Wir sind die klassischen Betweener. Heute finden wir unser Gastland besser, morgen doch wieder unser Heimatland. Heute beschließen wir wütend, unsere Kinder nun doch in einen deutschen Kindergarten zu schicken – morgen fließen wir wieder über vor Liebe zu Polen und schließen kategorisch aus, dass unsere Kinder in einem deutschen Ghetto aufwachsen sollen. Diese Zerrissenheit – wird sie sich auch auf unsere Kinder übertragen? Oder werden sie in einem Europa aufwachsen, das kulturell so zusammengewachsen ist, dass es kaum noch zum dauernden Vergleichen herausfordert?

Börsen und Basare

Wochenendbörsen sind der große Hit in Polen. »Börse« heißt dabei jede Form von Markt – Hauptsache, die Artikel sind neuwertig, aber etwas billiger als im Geschäft. An jedem Wochenende kann man in Warschau wählen zwischen der großen Antikbörse im Stadtteil Koło, der Mineralienbörse an der Wirtschaftshochschule, der Immobilienbörse im Expo-Centrum, der Elektrobörse in Żoliborz, einer Fotobörse, einer Postkartenbörse, einer Brautkleidbörse und zahllosen Autobörsen.

Während die klassischen Basare inzwischen als minderwertig gelten, haftet den Börsen eine gewisse Romantik an. Nicht umsonst finden Börsen, so wie Fernsehshows mit hoher Einschaltquote, nur am Wochenende statt. So assoziiert man sie sowohl mit günstigen Preisen als auch mit Freizeit. Man erledigt hier keine Alltagseinkäufe, sondern genießt das Leben. Eine Kochtopf- oder Bettwäsche-Börse habe ich noch nie gesehen.

Was der jungen Polin ihre Brautkleid-Börse, ist dem jungen Herrn die Computerbörse. In Warschau befindet sie sich am Park Pole Mokotowskie, gleich neben dem Studentenklub »Stodoła«. Bisweilen suche auch ich diesen Ort auf, nämlich immer dann, wenn wieder etwas an meinem Laptop nicht funktioniert. Hinzugelangen ist einfach: Man steigt einfach an der U-Bahn-Station Pole Mokotowskie aus und folgt den Halbstarken mit den schwarzen Herr-der-Ringe-T-Shirts. Während man über ein morastiges Parkgelände stolpert, gesellen sich von allen Seiten immer mehr junge Männer hinzu. Am Tor der Börse herrscht Gedränge. Man hat den Eindruck, auf dem Gelände der TH Aachen zu sein, denn man sieht ausschließlich Männer. Doch halt: Da stehen auch zwei Mädchen in ekligen pinkfarbenen T-Shirts und verteilen Reklamezettel. Bemerkenswert sind noch die kleinen Jungen, höchstens vierzehn Jahre alt, die Schilder um den Hals tragen: »Ankauf von Computerteilen«. Wenn man sie nur anschaut, stürzen sie schon auf einen zu.

»Haben Sie was zu verkaufen?«

Zwischen den Dutzenden von Ständen ist die Atmosphäre bodenständig, kumpelhaft, ehrlich, ohne entbehrlichen Marketingzauber. Hier wird nicht um den Kunden geworben, sondern mit ihm gefachsimpelt. Man sollte sich kurz fassen und genau wissen, was man will. Albernheiten wie »Guten Tag« oder »Auf Wiedersehen« erspare man sich gefälligst. Der ideale Kunde tritt an den Verkäufer heran (beide tragen übrigens sehr häufig das gleiche T-Shirt) und sagt, während er lässig die neuesten Drucker mustert: »Habt ihr Tecra, Pentium 233, Version L, 48 Ram, 3 Nano?«

Nicht jeder kann da jargonmäßig mithalten. Ich zum Beispiel – und so mancher andere Philosophie-Absolvent, der das Fenster aufmacht, wenn der Handyempfang schlecht ist – wäre dankbar für ein wenig mehr Entgegenkommen. Welch bodenlose Beschämung, wenn ich dem Verkäufer meinen defekten Laptop hinhalte und nicht einmal sagen kann, wie viel Speicherkapazität auf der Festplatte ist. Meistens werde ich lakonisch zum nächsten Stand geschickt. Würde mir so etwas auf dem Finanzamt passieren, wäre ich bodenlos empört und würde einen Beschwerdebrief schreiben. Hier aber geht das nicht. Hier bin ich einfach nur der bodenlose Depp, der Computer-Ignorant. Ehe ich aber vor Scham vollständig im Morast versinke, schleiche ich langsam zum Tor zurück und lasse mir von den pinkgekleideten Mädchen alle Reklamezettel geben, die sie im Rucksack haben. Dabei versuche ich, ein Gespräch mit ihnen anzuknüpfen und stelle, nach Betrachtungen über das Wetter, den Herrn der Ringe und noch einmal das Wetter – zaghaft die Frage, ob sie vielleicht einen Stand wüssten, wo man einen Laptop reparieren lassen kann.

»Du, ich hab' leider überhaupt keine Ahnung von Computern!«, sagen sie dann meistens.

»Ach so, klar, ist doch kein Verbrechen«, entgegne ich dann herablassend. Und mir fällt plötzlich auf, dass die Mädchen mit ihren pinkfarbenen Shirts eigentlich ziemlich sexy aussehen.

Busko Zdrój

Busko Zdrój ist ein ganz normaler Kurort im Südosten Polens. Für mich spiegelt der Ort einiges von den Veränderungen wider, die Polen seit dem EU-Beitritt erlebt hat. Zwei Monate nach jenem vielumjubelten 1. Mai 2004 war ich mit einem Überlandbus von Tarnów nach Warschau unterwegs. Man muss wissen, dass solche Busse in Polen ein der Eisenbahn völlig gleichberechtigtes Fortbewegungsmittel sind. So wie es die polnischen Staatsbahnen gibt (kurz: PKP), gibt es auch die staatliche Überland-Bus-Vereinigung (kurz: PKS), so etwa wie in Amerika die Greyhound-Busse.

Ich reiste also nach einem Kabarett-Auftritt in Tarnów, für billiges Geld, mit einem PKS-Bus nach Warschau. In Busko Zdrój hielt der Bus für eine halbstündige Pause am Busbahnhof. Innerhalb kürzester Zeit hatte sich dieser Busbahnhof am Stadtrand sehr verändert; er war hastig ausgebaut worden, und zwar dank eines frisch eingeführten EU-Gesetzes. Seit dem 1. Mai 2004 galt für die polnischen Busfahrer die Brüsseler Regel, dass sie alle viereinhalb Stunden eine halbe Stunde Pause einlegen mussten. Und deswegen machten die Busse der vielbefahrenen Strecke »Krynica-Warschau« neuerdings in Busko Zdrój Halt. Davor hatten sie ihre Pause erst nach sechs Stunden im viel größeren Kielce eingelegt.

Die Bedingungen auf dem rasend schnell vergrößerten Busbahnhof waren nicht gerade luxuriös. Ein neuer Kiosk stand dort, und die Herrentoilette war renoviert worden. Vor der standen nun alle Herren – und auch alle Damen. Wenn man sein Geschäft erledigt und am Kiosk eine Cola gekauft hatte, spazierte man zwischen den Bussen herum. Zu den begierig nach Luft schnappenden Passagieren gesellten sich noch die Kurgäste von Busko Zdrój, die in diesem nationalen Knotenpunkt eine neue Abwechslung entdeckt hatten. Einer von ihnen sprach mich überrascht an. »Ich kenne Sie aus dem Fernsehen – Sie sind doch dieser Deutsche, oder?«

Der etwa siebzigjährige Mann erzählte mir, wie er jeden Tag vom weitab gelegenen Zentrum hierher marschiere, um neue, halbstündige Bekanntschaften mit durchreisenden Damen anzuknüpfen. Auf meine Frage, ob ihm so kurze Begegnungen etwas gäben, antwortete er, in seinem Alter genüge eine halbe Stunde meist vollauf. Längere Bekanntschaften brächten nur Probleme mit sich. Während wir uns unterhielten, näherte sich sehr forsch ein anderer Kurgast-Opa und bat mich um ein Autogramm für seine neue Bekannte.

»Wo ist sie denn?«, fragte ich und sah mich um. Der Rentner wies auf eine ältere Dame, die neben ihrem Bus stand und ein wenig verlegen herüberschaute.

»Sie hat versprochen, mir ihre Adresse zu geben, wenn ich ihr das Autogramm besorge.« Da konnte ich nicht Nein sagen. Sobald sich der Mann mit triumphierendem Gesichtsausdruck entfernt und der Dame ihr Autogramm gezeigt hatte, stürzten andere Reisende herbei, die ebenfalls um Autogramme baten. Im Nu hatte mich ein Pulk von Reisenden und Kurgästen umgeben. Ein hochgewachsener Mann rief über die Köpfe der Umstehenden hinweg, er bäte mich nur aus Langeweile um ein Autogramm, weil er nicht wüsste, was er sonst in dieser halben Stunde machen solle. Eine ältere Frau schwor, sie hätte mich vorgestern im Fernsehen auf zwei Kanälen gleichzeitig gesehen, und wollte wissen, wie ich das gemacht hätte. Bevor ich den Mund aufmachen konnte, präsentierte sie selbst eine Lösung: Zwischen den Drehszenen, so erklärte sie den Umstehenden, müssten selbstverständlich kleine Pausen eingelegt werden. In diesen Pausen bliebe mir genug Zeit, um von einem Studio ins nächste zu eilen.

Die Autogrammwilligen, die keinen Zettel dabei hatten, erstanden am Kiosk die lokalen Postkarten. Ich kritzelte meinen Namen auf Karten, die Busko Zdrój im Winter, im Frühling, im Sommer und im Herbst zeigten. Als die Kioskfrau alle Postkarten verkauft hatte, schloss sie ihren Kiosk ab, trat heraus und rief laut: »Ein Glückstag für Busko Zdrój! Stefan aus M jak Miłość – »L wie Liebe«! Und ist so ein netter normaler Typ geblieben, der mit dem PKS-Bus fährt!«

Das war das Stichwort. Alle wollten nun von mir erfahren, wieso ich mit einem Linienbus fahre und nicht mit einer Limousine. Plötzlich drängte sich ein Mann heran und baute sich vor mir auf, um mich genau zu mustern. »Entschuldigung!«, sagte er. »Ich bin Tierarzt aus Warschau. Ich habe keinen Fernseher. Und deswegen kenne ich Sie nicht. Warum wollen diese Leute alle ein Autogramm von Ihnen haben? Sind Sie wirklich Deutscher?« Ein Halbwüchsiger in Dreadlocks bestätigte es ihm ungeduldig. Dann bat er mich um ein Autogramm. »Aber nicht für mich, sondern für meine Oma«.

Endlich war die halbstündige Pause vorbei; wir stiegen wieder in unseren Bus. In letzter Sekunde drängte sich der Tierarzt an mich heran:

»Sie sind tatsächlich Deutscher und machen Kabarett auf Polnisch? Ich habe beschlossen, dass ich Sie kennenlernen muss. Ich lasse meinen Bus allein weiterfahren und steige zu Ihnen um. Ich kann genauso gut auch morgen in Krynica ankommen.«

Er setzte sich zu mir nach hinten in die letzte Bank, holte eine kleine Flasche Sliwowitz aus der Jackentasche und bot mir einen Schluck an. Wir tranken, wie man auf Polnisch sagt, »z gwinta« (kommt aus dem Deutschen: »aus dem Gewinde«, also direkt aus der Flasche). Als die Flasche leer war, holte er, als wäre es die größte Selbstverständlichkeit, eine viel größere Sliwowitz-Flasche aus seinem Reiseköfferchen und tankte die kleine Flasche wieder auf. Die zweite Runde begann. Zwei ältere Damen und ein junger Mann schlossen sich uns an. Die Flasche kreiste, wir tranken zu fünft. Der Tierarzt sagte zufrieden: »So, und jetzt erzählen Sie uns mal in aller Ruhe, wie es Sie eigentlich nach Polen verschlagen hat.«

Alle hörten aufmerksam zu.

Die Zeit verging wie im Flug. Sliwowitz ist eine ostpolnische Spezialität aus Łącko (gesprochen: Wonsko) und enthält siebzig Prozent Alkohol. Der Tierarzt tankte unverdrossen nach. Wir bemerkten nicht einmal unseren kurzen Zwischenstop an einem der schönsten polnischen Busbahnhöfe – dem von Kielce, mit einer aus den siebziger Jahren stammenden Dachkonstruktion, die an eine preußische Pickelhaube erinnert. Abends trafen wir in Warschau ein, am großen PKS-Busbahnhof. Der Tierarzt, der zuletzt ausführlich seine Verachtung gegenüber Friedrich Nietzsche bekundet hatte, verabschiedete sich von mir und verschwand dann im Bahnhofsgebäude. Er wollte auf einer Bank schlafen, um gleich am nächsten Morgen den ersten Bus zurück nach Krynica zu nehmen.

Seither war ich nicht mehr in Busko Zdrój. Keine Ahnung, ob die Stadt die sich bietenden Investitionsmöglichkeiten genutzt und einen anständigen Busbahnhof gebaut hat. Lohnen würde es sich allemal. Findige Köpfe, die hier auch nur einen Grill aufstellen, werden es schnell zu einem Vermögen bringen. Eine Dixi-Toilette würde auch schon reichen.

Mit dem Wissen um die beiden fundamentalen Abkürzungen PKS (Bus) und PKP (Bahn) ausgerüstet, wird man nicht mehr in die Falle tappen, die einem deutschen Polen-Urlauber namens Marco zum Verderben wurde. Wohl versehen mit einem Büchlein namens »Deutsch-Polnische-Minidialoge« schlenderte er durch Warschau und fragte die Passanten nach dem Bahnhof.

»Gdzie jest dworzec?«

Statt aber die in seinem Büchlein angegebenen Antwortmöglichkeiten zu benutzen, links (»lewo«), rechts (»prawo«) oder geradeaus (»prosto«), stellten ihm sämtliche Polen nur immer wieder die Gegenfrage: »PKS oder PKP?« Marco explodierte fast vor Wut. Irgendwann reichte es ihm. Er schmiss die Mini-Dialoge entnervt in den Mülleimer.

Der Kielcer Busbahnhof wurde, wie erwähnt, in den siebziger Jahren erbaut. Diese Jahre gelten in Polen bis heute als die glücklichste Zeit der insgesamt fünfundvierzig kommunistischen Jahre (1944–1989). Parteisekretär war, nach den finsteren Vorgängern Bierut und Gomułka, der sympathische Edward Gierek, und man nennt die zweite Hälfte der siebziger Jahre ihm zu Ehren »die Zeit des späten Gierek«. Er nahm riesige Kredite im Westen auf, die Polen bis heute abzahlt, und versprach seinem Volk, aus Polen die »achte Volkswirtschaft der Welt« zu machen. Tatsächlich gab es einige Großinvestitionen, etwa die Warschauer Stadtautobahn und die Autobahn von Warschau in Giereks Heimatstadt Sosnowiec. Die Solidarność-Bewegung wäre nicht möglich gewesen ohne seine relativ liberale Amtsführung. Er wurde dann auch von General Jaruzelski sehr schnell abgesetzt. Bei der Beerdigung 2003 folgten Tausende seinem Sarg.

Chicago und London

Die deutsche Anti-Amerika-Hysterie hat dazu geführt, dass ich sehr oft gefragt werde, wie es eigentlich zu erklären sei, dass die polnischen Regierungen – egal welcher Couleur – einen so unbedingt loyalen Amerika-Kurs fahren und zum Beispiel Truppen in den Irak entsendet haben.

Dazu fallen mir gleich mehrere Antworten ein.

Polen fühlen sich Amerika näher als jedem Land in Europa, weil sie dort einen ähnlich starken Freiheitsdrang spüren. Die amerikanische »Liberty« mag mehr den Anstrich von Selfmade-Man und Western-Cowboy haben, die polnische »Wolność« (Freiheit) mehr den Reiz der Anarchie – gemeinsam ist ihnen die Aversion gegen überlieferte Privilegien und komplizierte Ideologien. Symbol für diese tiefe Verwandtschaft ist der, neben Józef Piłsudski und Lech Wałęsa, berühmteste polnische Freiheitskämpfer Tadeusz Kościuszko (1746–1816). In Deutschland kennt ihn niemand, in Amerika fast jeder. Er war Adjutant von George Washington, half bei der Erlangung der Unabhängigkeit mit, fuhr dann beschwingt nach Polen und führte 1794 den Aufstand gegen die Russen an – leider total erfolglos. In den USA gibt es heute wahrscheinlich mehr Kościuszko-Denkmäler als in Polen selbst. Außerdem sind im Staat New York zwei Brücken und eine Straße nach ihm benannt, ein ganzer Park ist ihm in Chicago gewidmet – und in Australien gibt es sogar einen Mount Kościuszko. Wäre sein Name etwas aussprechlicher gewesen, hätte man vielleicht sogar eine Stadt nach ihm benannt.

Auch historisch sind die beiden Länder natürlich eng miteinander verflochten. Millionen Polen sind im Laufe der letzten hundert Jahre nach Amerika und Australien ausgewandert, und zwar – darin unterscheiden sie sich von Deutschen, Iren, Italienern – bis in die achtziger Jahre des 20. Jahrhunderts hinein. Schätzungen reichen heute bis zu acht Millionen polnischstämmiger Amerikaner allein in der zweiten Generation. Die letzte Emigrationswelle schwappte in die Polen-Zentren Greenpoint (Brooklyn, New York City) und Chicago nach Ausrufung des Kriegsrechts 1981. Heute gibt es keinen Polen, der nicht einen Onkel in Amerika oder eine Großtante in Australien hätte. Davon, wie frisch diese Amerika-Connections sind, konnte ich mich selber bei einem Polnisch-Sommer-Sprachkurs in Krakau an der Jagiellonen-Universität überzeugen. Mehr als die Hälfte der Kursteilnehmer waren junge Amerikaner, die drei Wochen lang die Sprache ihrer Eltern und Großeltern lernen wollten.

Es gibt in Amerika große Exil-Polen-Organisationen, mit vielen tausend Mitgliedern, die sich kein Präsidentschafts-Kandidat zum Feind machen möchte. Bekanntester amerikanischer Pole ist Zbigniew Brzeziński, der ehemalige Sicherheitsberater von Jimmy Carter, eine Art polnischer Helmut Schmidt. Wenn er sein jährliches Interview zur Weltlage gibt, spitzen polnische Politiker die Ohren.

Der amerikanische Einfluss auf die polnische Mentalität ist in vielen Bereichen des Alltags spürbar.

Es fängt damit an, dass viele Eltern ihren Kindern Englisch-Privatstunden geben lassen, mit einem auch finanziellen Ehrgeiz, der im Nabel-Schau-Deutschland unbekannt ist.

Computertastaturen haben in Polen englische und keine polnischen Buchstaben. Die spezifischen polnischen Buchstaben (ł, ż, ś, ó, ź, ę, ą) müssen beim Schreiben mit »Alt« kombiniert werden. Wäre das in Deutschland vorstellbar? Unsere geliebten Umlaute erschienen überhaupt nicht auf der Tastatur? Würden wir uns nicht vorkommen wie ein kolonisiertes Volk?

Amerikanische Kinofilme werden generell in der Originalsprache gezeigt, dazu gibt es Untertitel.

Polen gehört im EU-Vergleich zu den Ländern mit einer sehr hohen Zahl amerikanischer Restaurants. In Warschau, direkt neben dem Zentralbahnhof, im Gebäude des Marriott-Hotels, gibt es so eine Sportsbar. Alles dort sieht wie in Texas aus. Die Kellnerinnen tragen kurze, bunte Röcke, unter der Decke hängen Fernseher mit Baseballübertragungen. Abends wimmelt es nur so von amerikanischen Managern, die die Übernahme der nächsten polnischen Bank feiern.

Nach dem EU-Beitritt Polens im Jahr 2004 ist der Mythos USA in Polen blasser geworden. Mehr als eine Million Polen sind innerhalb der letzten Jahre nach England und Irland ausgewandert. London hat die Rolle Chicagos übernommen. Erstens liegt es näher, zweitens braucht man kein Visum und kann sich so die Demütigung ersparen, vor der amerikanischen Botschaft in Warschau morgens ab sechs Uhr Schlange stehen zu müssen. Interessant ist die Frage, ob sich in England im Lauf der nächsten Jahre eine ähnlich starke polnische Community entwickeln wird wie in Amerika. Ich hoffe es, vor allem aus beruflichem Interesse. Denn dann könnte ich eines Tages vielleicht in London und Manchester auftreten. Carnegie- und Albert-Hall: Das wäre eine schöne Tour. Welch beneidenswertes Privileg genießen wir polnischen Künstler doch, dass wir auf sämtlichen Bühnen der Welt unser Publikum haben und überall in polnischer Sprache auftreten können – während man ja als Deutscher nicht einmal nach Österreich eingeladen wird. Der legendäre Kabarettist Jan Pietrzak erzählte mir einmal, dass er gerade von einer Tournee aus Amerika zurückgekommen sei. Am schönsten habe er es in Anchorage gefunden. Im Publikum hätten 350 Leute gesessen, alles Polen. Sie seien mit ihren Privatmaschinen aus ganz Alaska herbeigeflogen.

Für die Carnegie-Hall hat es bei mir bislang noch nicht gereicht, aber immerhin hatte ich schon einmal einen Auftritt in meiner Heimatstadt Wuppertal, vor 250 Polen, und selbstverständlich auf Polnisch. Der Saal war fünfhundert Meter von meiner alten Grundschule entfernt, ein alter Klassenkamerad saß im Publikum, verstand kein Wort und langweilte sich zwei Stunden lang tödlich.

Fernseh-Dubbing

Im polnischen Fernsehen wird eine merkwürdige Form der Synchronisierung gepflegt. Alle Filme laufen in der jeweiligen Originalsprache, allerdings leiser gestellt. Ein polnischer Sprecher spricht die übersetzten Dialoge hinein, mit monotoner Stimme, auch die Frauenrollen. Alle Polen schwören auf diese Methode und sind angewidert vom deutschen oder italienischen Synchronisieren.

»Bei uns hört man John Wayne doch wenigstens im Original! Und diesen Sprecher beachtet man nach einiger

Zeit gar nicht mehr. Man glaubt, Wayne würde eine Mischung aus Englisch und Polnisch sprechen.« Ich fürchte allerdings, diese Mischung kann nur goutieren, wer sich von Kindheit an sie gewöhnt hat. Es gibt offensichtlich ein paar Sachen, etwa Fernsehgewohnheiten, Fußballvereine, Lieblingsgerichte, Wurst, Brot und auch Kirchenlieder, die man als Kind kennenlernen muss. Der volljährige Ausländer, auch der assimilationsfreudigste, findet dazu keinen Zugang mehr.

Chopin

Der Łazienki-Park (sprich: Waschenki, wörtlich: »Bäder-Park«) ist der berühmteste Park Polens und liegt am Rand des Warschauer Zentrums. Früher war er nur dem König vorbehalten, wovon noch heute weiße Paläste und stolze Schwäne zeugen. Es gibt dort riesige Wiesen (die nach ungeschriebenem Gesetz von keinem Polen betreten werden), frei herumlaufende Pfauen und handzahme Eichhörnchen. Ich habe ein paar Jahre gebraucht, bevor ich begriff, dass man am besten nicht am Wochenende herkommen sollte, sondern unter der Woche, wenn es nur wenige Besucher gibt. Am besten, es steht ein Sommergewitter bevor. Kein Blatt bewegt sich in den alten Bäumen, die Pfauen kreischen unruhig, die Eichhörnchen verschwinden im Gebüsch, der russische Geiger hinter der Hecke spielt immer schneller. Zeit für ein letztes Eis; über der Trabantenstadt Ursynów mit ihren grauenvollen Hochhäusern tobt schon der Sturm. Dann der erste Donner, man flüchtet schnell zum Ausgang. An der Bushaltestelle vor dem Park hat sich bereits eine Menschentraube gebildet.

Und doch gibt es einen gewichtigen Grund, auch sonntags im Łazienki-Park spazieren zu gehen. Unter dem wild-expressionistischen Chopin-Denkmal finden um zwölf und um sechzehn Uhr Klavierkonzerte statt, ausschließlich mit Werken von Chopin. Die Atmosphäre ist einzigartig, diese Konzerte sind wie eine Zeitreise. Alles – Bäume, Denkmal, Zuschauer – scheint von der Patina vergangener Zeiten überzogen zu sein. Nicht so sehr von der

Klavierspielende Japanerin am Chopin-Denkmal im Warschauer Łazienki-Park. Über Chopin beugt sich die Trauerweide, das Symbol Masowiens.

Zeit Chopins als vielmehr von der Zwischenkriegszeit oder den glücklicheren Momenten des Kommunismus. Sämtliche Bänke werden schon Stunden vorher von älteren Damen mit großen Hüten eingenommen; melancholische Studentinnen sitzen auf dem Rasen, den Blick versunken auf das Wasserbecken gerichtet, in dem sich mal wieder kein Wasser befindet. Es gibt einen Conférencier, der das Publikum begrüßt und die heutigen Werke auf Polnisch und bisweilen sogar auf Französisch ansagt. Oft steht Ksawery Jasieński am Mikrofon, der legendäre Radio-Mann, der auch die Stationen der Warschauer U-Bahn ansagt. Mit der Zurückhaltung eines japanischen Zen-Meisters beschränkt er seine sonore Stimme auf die allernötigsten Sätze. Danach zieht er sich rasch in den Schatten der Bäume zurück.

Die Pianisten sind keine berühmten Solisten, doch gerade deshalb wird der Hörer hier nicht selten angenehm überrascht. Das beste Chopin-Konzert, das ich je gehört habe, fand nicht beim internationalen Chopin-Wettbewerb in der Nationalphilharmonie, sondern unter diesem Denkmal statt. Ein gar nicht mehr so junger Bulgare saß am Flügel und bürstete die altbekannten Mazurken und Polonaisen völlig gegen den Strich. Im Hintergrund plusterten sich die Pfauen, die alten Boxen neben dem Springbrunnen knarzten ungläubig, die melancholischen Studentinnen erhoben fragend den Blick, und sogar der Eismann senkte seine Stimme zu einem Flüstern: »Wie viele Kugeln wollen Sie?«

Demokratie

Niemand in Polen hat einen schlechteren Ruf als die Politiker im Allgemeinen und die Abgeordneten des Sejm-Parlaments im Besonderen. Selbst Jan Ullrich oder Doktor Peter Hartz würden mehr gebrauchte Autos verkaufen als sie alle zusammen, immerhin 460 Damen und Herren. Daher will ich hier einmal eine Ehrenrettung wagen. Die Abgeordneten sind krakeelende Rüpel, die kein ordentliches Polnisch können; sie sind Streithähne, die keinen Kompromiss finden können; sie sind geldgierige Taugenichtse, die nicht einmal eine Metzgerei leiten könnten – alles richtig. Und doch sind sie meiner Beobachtung nach unschuldige Opfer des brutalen Systems, nämlich der ach so hochgepriesenen Demokratie.

Oft ist in Polen die resignierte, selbstkritische Meinung zu hören, die Abgeordneten seien leider nichts anderes als ein getreues Abbild des Volkes, das sie gewählt hat. Gemäß dieser Theorie haben die Abgeordneten die gleichen Charakterzüge wie andere Polen auch. Sie sind gastfreundlich, besitzen einen hochentwickelten Sinn fürs Absurde, lieben ihre Familie, sind aber eben auch anarchisch, trotzig, skeptisch, abergläubisch und anderes mehr. Bevor der Bürger also seine Abgeordneten der Korruption beschuldige, solle er doch gefälligst erst einmal in den Spiegel blicken.

Mir persönlich kommt diese Theorie allzu simpel vor. Wenn ich mal wieder eine turbulente Fernsehübertragung aus dem Sejm sehe, habe ich den Eindruck, dass das, was man dort sieht, kaum etwas mit derjenigen polnischen Realität zu tun hat, die ich von der Straße kenne. Die Abgeordneten müssten dann nämlich sehr höflich und eher zurückhaltend sein.

Vielmehr vermute ich, dass die Ursache der Misere in der Demokratie selber zu suchen ist. Ihr steifes Korsett zwingt die armen Abgeordneten zu Verrenkungen, die sich nicht mit den polnischen Grundeigenschaften vereinbaren lassen. Sie werden zu künstlichen Geschöpfen, zu Marsmännchen im eigenen Volk.

Zum einen verlangt die Demokratie eine Art der Selbstdarstellung, die den meisten Polen fremd ist. Wer in den Medien Erfolg haben will, muss auch vor tausend Zuhörern locker und natürlich bleiben. Das polnische Schulsystem erzieht die Menschen aber dazu, vor Fremden eine Maske zu tragen. Man schaue sich einmal eine polnische Abiturfeier an – alles wirkt wie Deutschland um 1960, angefangen bei der braven schwarz-weißen Einheitskleidung. Im öffentlichen Leben sind Polen daher oft zurückhaltend, geradezu steif. Erst im privaten Kreis zeigen sie ihren wahren Charakter. Woher sollte also ein frisch gewählter Abgeordneter Show-Talent haben? Nicht alle können sich Imageberater leisten, wie Enfant-Terrible und Ex-Kolchosendirektor Andrzej Lepper. Also versuchen Jungpolitiker, den Mangel an Natürlichkeit durch künstliche Offenheit zu ersetzen. Das wirkt aufgesetzt und bisweilen aggressiv.

Eine andere polnische Erztugend ist die Bescheidenheit. Eigenlob wird streng geahndet, man gilt sofort als »bufon«, als eingebildeter Fatzke. Auch direkte, öffentliche Kritik wird nicht geschätzt, weil sie unhöflich ist. Was verlangt jedoch die Demokratie von den Abgeordneten? Dass sie andere Parteien ständig klein- und die eigenen Leistungen großreden.

Ein weiterer demokratieuntauglicher Faktor ist die polnische Skepsis. Polen praktizieren keinen Hurra-Optimismus. Man vergleiche diesbezüglich die Reaktionen in Polen und der Ukraine auf die Nachricht, dass das eigene Land Mit-Organisator der EM 2012 sein wird. In Kiew wurde auf den Straßen getanzt, in Warschau klopften die Leute ungläubig auf ihr Radio: »Das kann nur eine Ente sein!«

Demokratie aber verlangt Daueroptimismus, laute Parolen und gespielte Zuversicht. Auf polnischen Parteitagen wird deshalb redlich, aber vergeblich versucht, amerikanische Flaggenmeere und Standing-Ovations nachzuahmen. Das wirkt auf mich so fehl am Platz wie ein aus dem Häuschen geratener amerikanischer Gospelchor – »Amen!« – in einer getragenen polnischen Messe.

Schließlich haben Polen Probleme mit der Kommunikation untereinander. Die Demokratie fordert rücksichtslose Offenheit, Polen schätzen aber die Diskretion.

Das wirkt sich auf die Beziehung der Politiker zu den Medien aus. Der Informationsfluss ist mehr als dürftig. Es gibt keine regelmäßigen Pressekonferenzen oder Präsidentenansprachen. Journalisten werden von den Politikern als freche Meute angesehen, die gierig über die Korridore des heiligen Sejm schwärmt. Immer wieder versuchen Sejm-Marschälle, Maulkorb-Erlasse gegen einzelne Zeitungen, Radiosender oder Fernsehanstalten durchzudrücken. So kommt es zu Fehden zwischen einzelnen Journalisten und Politikern, die in eine endlose Folge von öffentlichen Beleidigungen ausarten.

Kein Wunder also, dass Übertragungen aus dem Sejm

beim Volk nur Widerwillen hervorrufen. Dabei sollte eigentlich jedem klar sein, dass die Abgeordneten nur Sklaven politischer Umgangsformen sind, die ihnen im Grunde selbst widerstreben. Die Demokratie zwingt ihnen Rollen auf, auf die sie niemand vorbereitet hat. Sie macht sie, die Höflichen, Bescheidenen, zu Schafen im Wolfspelz. Ich bin überzeugt, dass manch ein notorischer Parlamentsrabauke zu Hause in Wahrheit ein ruhiger, humorvoller, verantwortungsvoller Familienvater ist, der samstags mit den Kindern in den Zoo geht.

Die Politiker hatten nie die Chance, demokratische Fähigkeiten zu entwickeln, da Schule und Gesellschaft sie ihnen nicht vorgelebt haben. Entweder man ändert etwas an der polnischen Demokratie oder man verbessert das polnische Bildungssystem.

Wie könnte eine solche Verbesserung aussehen? An den Schulen sollten vermehrt Rhetorikwettbewerbe stattfinden, die es da und dort bereits gibt. Entscheidend ist aber das Verhalten der Lehrer. Sie sollten zeigen, wie man maßvoll kritisieren und geduldig Kritik annehmen kann. Schüler sollten unbedingt häufiger gelobt als getadelt und dazu angehalten werden, ihren Erfolg auch zu bejubeln statt ängstlich unter den Teppich zu kehren.

Den Dativ im Visier

Bei meinem zweiten Polnischkurs in Krakau lernte ich Jörg kennen, einen Slawistikabsolventen aus Süddeutschland. Er war in einer höheren Gruppe als ich, da er recht gut Polnisch sprach – meiner Meinung nach keine Kunst, wenn man seinen Magister in Slawistik gemacht hat. Monika, meine und auch seine Lehrerin – ein unglaublich elegantes, anmutiges Wesen –, sah diesen einfachen Kausalzusammenhang allerdings nicht und vergötterte ihn. Das deprimierte mich. Ich habe in meinem Leben so manchen Sprachkurs gemacht, und immer war es dasselbe: Wer am meisten Fremdsprachentalent hat, ist automatisch der Liebling der Lehrerin. Charakter spielt überhaupt keine Rolle.

Jörg schrieb gerade an seiner Dissertation. Ursprünglicher Titel der Arbeit: Der Dativ im Polnischen. Sein Professor hatte daraufhin ernste Zweifel angemeldet. Das Thema sei zu umfangreich. Jörg musste es enger fassen. Der endgültige Titel lautete: »Der Dativ in den polnischen Dialekten der Region um Rzeszów herum«.

Seine Sommerferien verbrachte Jörg also in Rzeszów und Umgebung, zog über die Dörfer und nahm Gespräche mit alten Bäuerinnen auf. Wenn sie eine archaische Dativform benutzten, etwa »ojco« statt »ojcu« (korrekter Dativ von »ojciec«, Vater), schrieb er sofort eine euphorische Mail an seinen Doktorvater. Nach Krakau war er nicht in erster Linie wegen des Sprachkurses gekommen, sondern vielmehr, um in Bibliotheken und Buchhandlungen nach Fachliteratur für seine Dissertation zu stöbern.

Einmal begleitete ich ihn auf seiner Buchrecherche. Wir bummelten durch die engen Gässchen der Krakauer Altstadt. Plötzlich blieb Jörg wie angewurzelt vor einem kleinen Antiquariat stehen. Auf dem Bürgersteig standen Kisten mit Schundromanen für tausend Zloty.

»Schau mal!«, rief er begeistert. »Ein Roman über den *celownik* – den Dativ!«

Er nahm ein abgegriffenes Buch aus der Kiste und schaute es neugierig an.

»Ein Spionageroman über den Dativ. Verdammt, wer hätte das gedacht! Mein Professor wird sich wundern.«

Jörg verschwand im Geschäft, um das Buch zu bezahlen. Ich war nicht im Geringsten verdutzt. Seit meinem ersten Sprachkurs wusste ich ja bereits, dass das Polnische sieben Fälle hat und eine Sprache für Selbstmörder ist. Wen wunderte es also, dass man hierzulande sogar Spionageromane über den dritten Fall schrieb?

Als Jörg aus dem Geschäft kam, präsentierte er mir stolz seine Beute. Der Umschlag zeigte einen Detektiv mit Sonnenbrille und Pistole. Das Buch hieß: *Na celowniku. Powieść szpiegowska*. In bester Laune spazierten wir zurück zu unserem Studentenwohnheim.

Erst Jahre später begriff ich das Missverständnis. Das polnische Wort *celownik* hat zwei komplett verschiedene Bedeutungen: »Dativ« und – »Fadenkreuz«. Der Roman hieß: »Im Fadenkreuz«. Hat er etwa diesen Spionage-Blödsinn in seiner Doktorarbeit analysiert? Ich weiß es nicht. Seit langem besitze ich kein Lebenszeichen mehr von ihm. Vielleicht forscht er ja schon an seiner Habilitation – über den Akkusativ in der Gegend von Lublin?

Übrigens:

Der monomanischste Roman aller Zeiten wurde natürlich von einem Polen geschrieben. Er hat den Titel »Pałer« (Power) und besteht aus über 20 000 Wörtern, die alle mit dem Buchstaben »P« anfangen. Hier der erste Satz: »Pewnego październikowego poranka pan Piłsudski przeprowadzał pod Puławami planowy przegląd pułków piechoty. Padało.« (»An einem Oktobermorgen führte Herr Piłsudski bei Puławy die planmäßige Inspektion der Infanterie-Bataillone durch. Es regnete.«)

66

Der Autor, Robert Szecówka-Robs, eigentlich Architekt und Zeichner, ist für diese linguistische Meisterleistung ins Guinness-Buch der Rekorde aufgenommen worden. Wie ich mich beim jährlichen Polonia-Maifest 2007 in Hamburg persönlich überzeugen konnte, erfreut er sich bester Gesundheit und arbeitet bereits an einem Fortsetzungsroman. Es gebe, so versicherte er mir, noch sehr viele polnische Wörter mit »P«, die ihm bislang entgangen seien.

False Friends

1. konkurs – heißt »Wettbewerb«
   Das deutsche Wort »Konkurs« heißt auf Polnisch »plajta« (von »Pleite«)
2. klamoty – ist nicht etwa das umgangssprachliche Wort für »Kleidungsstücke«, sondern bezeichnet allen möglichen Krimskrams, etwa die »klamoty« auf dem Schreibtisch
3. gimnazjum – heißt nicht genau »Gymnasium«, sondern bezeichnet die in Deutschland gar nicht existierende Schulform zwischen Grundschule und »Liceum«, also die Schuljahre 7, 8 und 9. (Das polnische Schulsystem ist in 6 + 3 + 3 gegliedert). Das deutsche »Gymnasium« entspricht dem polnischen »Liceum«, wobei man wiederum nicht ein »Lyzeum« im Sinn von Mädchenschule assoziieren darf
4. Pensja – heißt nicht etwa »Pension«, sondern »Monatsgehalt«. Die deutsche »Pension« (Familienhotel) heißt auf Polnisch »Pensjonat«. Die zweite deutsche Bedeutung von »Pension« (Bezüge eines Rentners) heißt auf Polnisch »emerytura«

5. Renta – heißt nicht »Rente«, sondern »Frührente«. Das deutsche »Rente« heißt auf Polnisch »emerytura« (also so wie »pensja«; es gibt in Polen keine Unterschiede in der Wortwahl zwischen Beamten und Arbeitern)
6. Frajer – heißt nicht »Freier«, sondern »Einfaltspinsel«
7. Alfons – ist kein Männername, sondern heißt »Zuhälter«
8. Post – heißt »Fastenzeit«

Das deutsche Element

Des Öfteren offenbaren mir Polen, wie sehr sie doch Deutschland mögen. Häufig üben sie dabei Kritik an ihrem eigenen Land. Am schärfsten brachte diese Unzufriedenheit ein Arzt zum Ausdruck. Er war felsenfest davon überzeugt, dass er im früheren Leben Deutscher gewesen sei und als Strafe für ein schlimmes Vergehen als Pole wiedergeboren wurde. Oh, wie sehr sehnte er sich nach seinem früheren Leben!

So etwas wird mir natürlich nur hinter verschlossenen Türen erzählt, flüsternd oder in der Anonymität des Speisewagens. Trotzdem bin ich nach diesen Erfahrungen überzeugt, dass die polnische Seele eine deutsche Beimischung hat. Der italienische Anteil der polnischen Mentalität wurde schon häufig bemerkt; auch über den russischen besteht kein Zweifel. Den deutschen Anteil hingegen wagt keiner laut zu benennen – ich würde ihn kurz und bündig als Sehnsucht nach Ordnung beschreiben.

Oft haben mir polnische Bekannte gestanden, dass sich auf deutschen Autobahnen sofort ihr Fahrverhalten ändere, sie langsamer und umsichtiger fahren. Warum? Zweifellos auch deswegen, weil sie Angst vor der berüchtigten, bestechungsresistenten deutschen Polizei haben. Es gibt aber noch einen anderen Grund. Jeder Pole, der zum ersten Mal nach Deutschland kommt, ist felsenfest davon überzeugt, dass die Deutschen sich streng an die Straßenverkehrsordnung halten. Offiziell lacht er über so viel Einfalt, doch klammheimlich gefällt es ihm. Sobald er nun die deutsche Grenze überquert, spürt er ganz plötzlich ein Gefühl des Vertrauens zu den anderen Fahrern. Die polnischen Raser-Regeln sind aufgehoben, auch die Wut auf Verkehrsrowdys ist weggeblasen. Hey, hier kann man auch mal länger auf der Lkw-Spur tuckern, ohne gleich für schwul gehalten zu werden! Er wird lockerer und steigt gelegentlich sogar mal vorsichtig auf die Bremse. In Polen würde er sich blöd dabei vorkommen, als Einziger die Verkehrsregeln zu beachten. Hier kann er tief Luft holen und seinen deutschen Seelenanteil baumeln lassen.

Zuweilen kann dieser deutsche Anteil allerdings obsessive Formen annehmen. Als ich noch Deutsch unterrichtete, hatte ich Privatschüler, die nicht nur großes Interesse an der deutschen Sprache mitbrachten, sondern mir auch durch ihr Verhalten demonstrieren wollten, dass sie mit den üblichen Klischees über Polen nichts zu tun hatten. Sie kamen stets überpünktlich, schrieben alles pedantisch mit und bezahlten sogar für ausgefallene Stunden. Sie waren enttäuscht, wenn ich ihnen zu erklären versuchte, dass sie das Land ihrer Träume zu sehr idealisierten. Wie bitte? Ein echter Deutscher würde nie für eine ausgefallene Stunde zahlen? Das kann nicht wahr sein.

Ich selber bin zugegebenermaßen in das entgegengesetzte Extrem verfallen. Ich versuche ständig, den Polen herauszukehren. Ich freue mich jedes Mal, wenn mir jemand sagt, dass ich eine slawische Seele habe, und sei es nur die Putzfrau vom Zimmerservice im Hotel, die damit die Unordnung in meinem Zimmer meint. Ich könnte ihr natürlich erklären, dass nicht nur Slawen unordentlich sind, aber wozu sollte ich das tun? Ich freue mich einfach nur.

Die deutsch-polnischen Beziehungen

Wenn ich an die »deutsch-polnischen Beziehungen« denke, bemühe ich mich, weder an kluge Leitartikel noch an verkrampfte Fernsehdiskussionen zu denken, sondern an den Eurocity Berlin-Warschau. Dieser Zug, der drei Mal täglich die beiden Hauptstädte verbindet (in sechs Stunden Fahrzeit), ist wie eine Tangente zwischen den zwei Staaten. Hier wimmelt es von Betweenern, Polen und Deutschen, die seit Jahren im jeweils anderen Land leben, ständig hin und her fahren und auf die Frage nach ihrer Staatsangehörigkeit im Reisepass nachgucken müssen. Ich darf mich stolz zu dieser Community dazuzählen, und wenn ich mich in den Speisewagen WARS begebe, kann ich sicher sein, einen Berliner oder Warschauer Bekannten zu treffen, etwa Adam Krzemiński, Deutschland-Experten der Zeitschrift »Polityka«, der stets am Einzeltisch gleich links sitzt und stets das Nummer-eins-Buch der SPIEGEL-Bestseller-Liste studiert.

Sehr interessant war die Begegnung mit einem Kulturattaché der deutschen Botschaft. Während wir eine saure Mehlsuppe (»Żurek«) löffelten und die grüne Ebene zwischen Posen und Konin an uns vorbeigleiten ließen, erzählte er, dass er zuletzt fünf Jahre lang in Paris gearbeitet habe, jetzt aber seit drei Jahren in Warschau sei. Am Anfang habe alles fremd gewirkt, angefangen bei der abstrus schwierigen Sprache. Allmählich sei ihm aber aufgegangen, dass die Polen uns Deutschen in Wirklichkeit viel näher stünden als die Franzosen. Es fange an beim Biertrinken, das in Frankreich verpönt sei, und gehe damit weiter, dass es im Polnischen ebenfalls ein Wort für ›Gemütlichkeit‹ gebe, die wir Deutsche doch immer als ein ganz spezielles Produkt der deutschen Seele ansähen: »przytulne«.

Die Heimat des Betweeners: Im WARS-Speisewagen zwischen Warschau und Berlin

Sogar die Geographie Polens sei der deutschen so ähnlich wie die keines anderen europäischen Landes: Im Norden das Meer, im Süden die Berge, im Osten die Hauptstadt. Und der höchste Berg Polens, die Rysy (»Meeraugspitze«, 2499 m), sei nur um ein kleines bisschen niedriger als die Zugspitze (2962 m).

Von da an habe auch ich manche überraschende Gemeinsamkeiten bemerkt:

1. Polen und Deutschland besitzen die gleiche Anzahl an Bundesländern beziehungsweise Wojewodschaften (Verwaltungsbezirke), nämlich sechzehn.

2. Beide Staaten haben einen reicheren Westen und einen ärmeren Osten.

3. Beide Staaten haben jeweils drei staatliche Fernsehprogramme, zwei überregionale und ein regionales.

4. Beide Staaten plagen sich mit der endgültigen Abwicklung des Kohlebergbaus. Die polnischen Kumpel haben Warschau deswegen schon einmal halb demoliert; in Deutschland warte ich noch auf diesen Tag.

5. Das Verblüffendste für denjenigen, der Polnisch besser kennenlernt, ist aber die Ähnlichkeit zwischen den Sprachen. Zweifellos wirkt Polnisch im ersten Moment total fremd. Auf den zweiten Blick gibt es aber eine Menge Lehnwörter aus dem Deutschen:

Bruderszaft – Bruderschaft trinken
Szajs – Scheiß (für minderwertige Produkte)
Krajzega – Kreissäge
Dach – Dach
Szyberdach – Schiebedach
Fajrant – Feierabend
Sztorm – Sturm

Sztambuch – Stammbuch
Hochsztapler – Hochstapler
Szrot – Schrott
Frajda – Freude
Gancegal – ganz egal
Wihajster – wie heißt er (im Sinn von: »dingsda«)
Szlus – Schluss
Schlafrok – Bademantel
Majstersztyk – Meisterstück
Pantoflarz – Pantoffelheld
Rajcować – reizen
Kapować – kapieren

Polnisch-slawische Lehnwörter im Deutschen:
Gurke – Ogórek
Grenze – Granica
Säbel – szabla
Peitsche – pejcz
Penuntzen – Pieniedzy

Diskretion oder Geheimniskrämerei?

In Polen können wir Deutsche lernen, was das heißt: Diskretion.

Mir wurde die Lektion zuteil, als ich einmal vor einer Warschauer Theaterkasse in der Schlange stand. Es ging nicht voran. Vor mir stand eine ältere Dame, die nun schon etwa zehn Minuten brauchte, um ihre Karte zu kaufen. Es war ihr völlig gleichgültig, dass die Schlange hinter ihr immer länger wurde. Rücksichtslos schüttete sie der Kassiererin ihr Herz aus. Sie erzählte von ihrer Tochter, die in der Schule eine sehr begabte Schauspielerin gewesen sei, dann aber einen Betrüger aus Südafrika geheiratet habe, worauf sie in einer Psychotherapie gelandet sei, und so weiter. Ihr starker deutscher Akzent verriet, dass es sich um eine Landsmännin von mir handelte. Ich sah mich vorsichtig um, ob die anderen Wartenden mich bereits in Zusammenhang mit der Schwatztante brachten. Eine Polin hätte sich jedenfalls in der Öffentlichkeit nie so verhalten. Innerhalb von 20 Sekunden hätte sie ihre Karte gekauft und dabei nur das Nötigste gesprochen: »Wie viel kostet das? Danke, auf Wiedersehen.« Sie würde nie auf den Gedanken kommen, einem Fremden ihr Leben zu erzählen.

In Deutschland habe ich das seither immer wieder beobachtet: Schuhverkäufer schütten dem Kunden ihr Herz aus, Taxifahrer wollen sich verbrüdern. Besonders unangenehm wurde es mir in einem alternativen Hamburger Musikladen. Ich fand eine CD, die ich schon lange gesucht hatte, ging zur Kasse und wollte sie bezahlen. Der nicht mehr jugendliche, aber immer noch höchst alternative Verkäufer fing sofort eine leutselige Unterhaltung an.

»Na, was haben wir uns denn da ausgesucht? Ach, Randy Newman, gut, guter Mann! Aber was ist das denn? 19 Euro wollen wir dafür haben? Das ist ja Ausbeutung!« Ich musste eine halbe Stunde über Gott und Randy Newman schwafeln, ehe der Mann mich die CD bezahlen ließ.

Die Kehrseite der polnischen Diskretion ist eine manchmal unverständliche Geheimniskrämerei.

Das fängt ganz harmlos bei Telefongesprächen an. Nehmen wir an, ein Bekannter möchte eine Verabredung absagen. In Polen würde kaum jemand einen konkreten Grund für die Absage angeben. Man benutzt allgemeine

74

Phrasen wie: »Ich bin sehr beschäftigt« oder »Ich habe ein paar dringende Dinge zu erledigen« oder »Ich muss noch in die Stadt«. Ich bin dann immer ein bisschen beleidigt, weil es sich für mich so anhört, als hätte der andere einfach keine Lust auf das Treffen, ja hätte noch nicht einmal Lust, sich eine konkrete Ausrede auszudenken. Wenn hingegen ich es bin, der das Treffen absagt, versuche ich wenigstens kurz zu erklären, warum ich verhindert bin.

»Weißt du, mein Bruder ist gerade krank, ich muss für ihn Medikamente besorgen, aber es geht ihm schon besser.« Zugegeben – mancher Pole mag sich dann fühlen wie ich an der Theaterkasse . . . Ist dieses Gründe-Angeben etwa ein spezifisch deutscher Exhibitionismus, eine Variante unseres ewig schlechten Gewissens?

Die polnische Vorliebe für Geheimnisse lässt sich auch ablesen am gehäuften Gebrauch solcher Wendungen wie: »ehrlich gesagt«, »ich muss gestehen« oder »ich gebe offen zu, dass . . .«. Muss man daraus nicht schließen, dass es ganz offensichtlich mit der Ehrlichkeit in diesem Land nicht so weit her ist? Warum betonen es die Leute sonst so ausdrücklich, dass sie jetzt einmal ausnahmsweise die Wahrheit sagen?

Vielleicht ist das zu hart. Drücken wir es freundlicher aus: In Polen lernen die Menschen von klein auf, diplomatisch miteinander umzugehen, und bei Diplomaten gehört Diskretion zum Beruf. Bisweilen artet sie eben in Geheimniskrämerei aus.

Eines Tages erzählte mir ein Bekannter unter dem Siegel der Verschwiegenheit, dass er eine eigene Firma angemeldet habe. Ein paar Stunden später gestand mir ein anderer Bekannter während einer langen Autofahrt, dass er von Zeit zu Zeit den ultrakatholischen Sender Radio Maryja höre. Ein Dritter nahm mich am Abend jenes Tages beiseite, um mir offen zu sagen, dass er die Comedy-Show, in der ich auftrete, nicht ausstehen könne.

Alle drei »Geständnisse« kamen mir wie Bagatellen vor. In Deutschland hätte wohl kaum jemand mit einem dieser drei Themen Probleme gehabt. Ein Grund mehr, den Motiven meiner Bekannten auf den Grund zu gehen. Aus nichts lernt man so viel über ein Land wie aus seinen Tabus.

Beim Ersten bestand das Geheimnis in der Anmeldung einer eigenen Firma. Warum hielt er diese Tatsache geheim? Er war Angestellter einer Filmfirma und hatte Angst, dass ihn seine Kollegen um das zusätzliche Business beneiden würden. Mit der charakteristischen polnischen Bescheidenheit täuschte er lieber vor, ein unterbezahlter Angestellter als ein prosperierender Kleinunternehmer zu sein.

Der Zweite wollte nicht groß herumposaunen, dass er Radio Maryja hörte, weil er den schlechten Ruf des Senders nur allzu genau kannte. Insgeheim hegte er aber einen gehörigen Trotz und war überzeugt, dass die Medien ein falsches Bild des Chefs von Radio Maryja, Pater Rydzyk, zeichnen. Allerdings war der Trotz offensichtlich nicht groß genug, um öffentlich mit ihm anzuecken.

Der Dritte beschloss, das in Polen übliche Kritikverbot zu durchbrechen und mir einmal gründlich die Meinung zu sagen. Er hielt dies für einen Beweis seiner Freundschaft. Ausschließen ließ sich aber auch nicht, dass er mir unter dem Vorwand der Vertraulichkeit eins auswischen wollte.

Wie man sieht: An Fallstricken hapert es in Polen nicht. Man muss nicht nur genau wissen, wann ein Geheimnis bewahrt werden muss und wann und wem man es offenbaren darf – sondern muss vor allem auch wissen, was überhaupt ein Geheimnis *ist*. Wir Deutschen sind da vielleicht bisweilen etwas geradeheraus, besonders in privaten Dingen.

»Du siehst aber fertig aus heute!«

»Ach, weißt du: habe schon zwei Wochen keinen Sex mehr mit meiner Frau gehabt.«

Polen sind da viel gewiefter, jeder ein kleiner Diplomat. Und genau wie Diplomaten umschwebt die Polen für mich bisweilen eine Aura des Geheimnisvollen. Kein Wunder, dass Hitlers Chiffrierungsmaschine Enigma ausgerechnet von polnischen Mathematikern decodiert wurde. Für Polen ist die deutsche Diskretion eben ein Klacks.

Donald

Als ich 1993 an meinem ersten Polnisch-Sprachkurs in Krakau teilnahm, wohnte ich im Studentenwohnheim Bratniak in der Ulica Jabłonowskich. Auf den Mauern des Gebäudes las ich mein erstes polnisches Graffiti: »Kaczor Donald też był Polakiem«.

Was sollte das bedeuten? Ich schaute im Wörterbuch nach. Zunächst einmal erfuhr ich zu meiner Verwunderung, dass »Polak« nichts anderes als »der Pole« heißt. Und ich hatte gedacht, Polack sei ein Schimpfwort! Der Wörterbuchabgleich ergab dann: »Kaczor Donald war ebenfalls Pole«. Hm, aber wer war denn bitteschön dieser Kaczor Donald? Komischer Name. Ich fragte meine Lehrerin

Beata. Sie erklärte mir, dass es sich um Donald Duck handle, der im Polnischen konsequent-muttersprachlich »Erpel Donald« genannt werde.

Na gut, Beata, aber worum geht es in diesem Graffiti? Halten sich die Polen für Pechvögel à la Donald Duck?

Diese Interpretation hielt Beata für möglich, allerdings auch für ein bisschen banal. Sie hatte eine tiefer schürfende Lesart parat: Das Graffiti stamme wahrscheinlich aus dem Jahr 1990, als bei den Präsidentschaftswahlen ein gewisser Stan Tymiński aus Kanada in die zweite Runde einzog. Niemand kannte ihn so recht, niemand wusste, ob er überhaupt ein echter Pole war, und natürlich verlor er haushoch gegen Lech Wałęsa. Wenn also ein Kanadier als Pole auftritt, dann kann auch Erpel Donald als Pole durchgehen.

Beatas Interpretation klang schlüssig, wurde aber alsbald von meinem zweiten Polnischlehrer Krzysztof angefochten, seines Zeichens Philosophiedozent. Er war der Meinung, das Graffiti mache sich über einen bestimmten polnischen Charakterzug lustig, nämlich die polnische Manie, hinter jedem berühmten Menschen einen polnischen Stammbaum zu finden. Wer also genau hinguckt, könnte auch hinter Erpel Donald eine polnische Urgroßmutter entdecken, eine Hausgans aus Lublin vielleicht.

An diese dritte Möglichkeit habe ich mich später oft erinnert, zum Beispiel während des US-Präsidenten-Wahlkampfes im Jahr 2004, als der demokratische Kandidat John Kerry eine Postkarte aus der polnischen Kleinstadt Głogówek vom Bürgermeister und seinen Stadträten bekam. »Sehr geehrter Herr John, in einem alten Taufregister haben wir entdeckt, dass Ihre Großtante aus Głogówek stammt. Wir freuen uns, dass einer von uns es geschafft hat.«

Und als im Frühjahr 2007 von einem französischen TGV-Zug der Geschwindigkeitsweltrekord auf über 550 km/h angehoben wurde, hieß es in Polen allenthalben: »Habt ihr schon von dem neuen Rekord gehört? Der Lokführer war Pole!«

Heute, nach vielen eigenen Erfahrungen mit der polnischen Mentalität, würde ich sagen, dass das Graffiti zu allen drei Interpretationen berechtigte. Donald-Pechvogel,

»Erpel Donald war auch . . .«: Mein erstes polnisches Graffiti – vierzehn Jahre später, Oktober 2007

Donald-Hochstapler, Donald-Urpole: Mehr oder weniger sehen sich die Polen tatsächlich so.

Übrigens sind die Krakauer Studentenwohnheime ziemlich renovierungsbedürftig. Als ich über zehn Jahre nach meinem ersten Kurs wieder mal an den gelbgetünchten Mauern vorbeispazierte, provozierte das alte Graffiti in ungeminderter Leuchtkraft. Nur mit einer kleinen Radikalisierung: Das Wort »Pole« war übermalt worden. Nun blieb nur noch übrig »Erpel Donald war auch . . .«. Und die Sache wurde wirklich rätselhaft. Ja, was war er denn? – Doch hier muss ich passen. Die Interpretation verlangt höhere Einweihungsgrade, mindestens aber noch einmal zehn Jahre Polen-Aufenthalt.

Dramatik

Eines Tages lernte ich im Zug von Kattowitz nach Warschau den ehemaligen polnischen Außenminister Dariusz Rosati kennen. Wir saßen im Speisewagen WARS bei Schinkenrührei, während der Ex-Minister mir einen wesentlichen Charakterzug seiner Landsleute erklärte.

»Wir Polen mögen Dramatik und jede Art von außergewöhnlichen Ereignissen. Ihr Deutschen mögt lieber den Alltag, wir dagegen fühlen uns am wohlsten, wenn es hoch hergeht, zum Beispiel bei einem zünftigen Aufstand. Im Frieden wird es uns sehr bald langweilig.«

Damit war auf den Punkt gebracht, was ich seit geraumer Zeit beobachtet hatte, aber noch nicht formulieren konnte. Wenn im Dezember Schneestürme über Warschau tobten, kam es zu merkwürdigen Reaktionen. Obwohl nämlich der Straßenverkehr völlig lahmgelegt war, Polizei und Abschleppwagen sich hupend eine Gasse bahnen mussten, sah man allenthalben nur fröhliche Gesichter. Die Warschauer freuten sich offensichtlich diebisch, dass etwas Aufregendes passiert war. Tatsächlich: in einer Situation, wo für den Deutschen die Welt untergeht, ist ein Pole in seinem Element. Endlich mal Abwechslung im grauen Winteralltag! Und obendrein wird noch eine hieb- und stichfeste Ausrede mitgeliefert, warum man sich zur Arbeit verspätet – wunderbar! In Deutschland muss es schon eine Fußball-Weltmeisterschaft sein, damit die Massen auf der Straße tanzen – in Polen reicht ein Hagelschauer.

Wer diesen Appetit auf Dramatisches zu bedienen weiß, wird auch Erfolg in der Politik haben. Auf virtuose Weise praktizieren das die Gebrüder Kaczyński. Keine Woche vergeht, in der nicht eine dramatische Pressekonferenz abgehalten wird, in der es jedes Mal um das Wohl und Wehe der Nation geht. Und sei es nur die Änderung des Lektürekanons an den Schulen.

Auch die Reihe der polnischen Aufstände beweist es, mindestens sechs waren es im Lauf von zweihundert Jahren, der letzte Aufstand liegt gerade einmal dreißig Jahre zurück. Nach Gründung der Solidarność 1980 fanden sich in Polen innerhalb eines Monats zehn Millionen Menschen, die in die neue Gewerkschaft einzutreten bereit waren – völlig unbekümmert in Bezug auf die Konsequenzen.

In Zeiten, wo der welthistorische Sturmwind zur schwachen Brise abebbt, müssen Ersatz-Incentives her, zum Beispiel das Fernsehen. Der Fernsehkonsum in Polen liegt auf europäischem Spitzenniveau, und führend in der Beliebtheit sind Serien aller Art, darunter mindestens zwanzig in

Polen produzierte. Die erfolgreichste TV-Serie heißt »M jak Miłość« (L wie Liebe). Sie läuft seit 2000 zweimal pro Woche, montags und dienstags zur Prime-Time, und da ich zufälligerweise selber in einigen hundert Folgen mitgespielt habe, weiß ich inzwischen, wie man einen dramatischen Cliffhanger konstruiert.

Die letzte Minute der Folge bricht an. Das junge Ehepaar sitzt in der Küche. Plötzlich sagt die Ehefrau gleichgültig.

»Marek, hat da nicht jemand an der Tür geklopft?«

»Ich seh mal nach, Hanka. Es wird Mama sein.«

Marek steht auf und öffnet die Tür. Entsetzt hält er inne.

»Du hier . . . ich dachte, es wäre Mama . . . Was machst du hier?«

»Wer ist denn da, Marek?«, ruft seine Frau aus der Küche.

»Du glaubst es nicht, Hanka . . .«

Eine Nahaufnahme zeigt den Zuschauern die Angst in Mareks Augen. Seine Frau blickt neugierig zur Tür. Und jetzt . . . schwillt die Musik an, das Bild wird schwarz . . . Folge zu Ende! Und zehn Millionen Zuschauer müssen eine ganze Woche lang auf die nächste Folge warten.

Die Vorliebe für dramatische Übertreibung wird in Polen auch bei Telefongesprächen spürbar. Ich kann mich noch gut an die Verunsicherung erinnern, die ein Bekannter bei mir auslöste. Seine Nachrichten auf dem Anrufbeantworter hörten sich ausschließlich so an, als ginge es um Leben und Tod. »Hallo, hier Tomek, ruf mich bitte zurück, es ist wirklich dringend!«

Durch den dramatischen Tonfall alarmiert, rief ich immer sofort zurück, sogar nach Mitternacht. Erst nach einer

Weile gewöhnte ich es mir ab. Es stellte sich nämlich jedes Mal heraus, dass Tomek entweder schon tief schlief oder ganz vergessen hatte, was er eigentlich von mir wollte. Als ich ihm vorwarf, dass er mit seiner Panikmache übertreibe, verteidigte er sich.

»Ohne ein bisschen Dramatik ruft dich doch in diesem Land niemand zurück.«

Und damit hatte er recht.

Ehre

Achtung, Ausländer! Jetzt geht es um die polnische Ehre. Und wer es noch nicht von Thomas Mann wusste – aus dem unverändert gültigen Kapitel über den polnischen Ohrfeigen-Streit gegen Ende des »Zauberbergs« – dem sei gesagt, dass »Gott, Ehre, Vaterland« auch heute noch Begriffe sind, mit denen in Polen nicht zu spaßen ist.

Den kommunistischen Jahrzehnten zum Trotz ist die Adelstradition in dieser Hinsicht noch nicht ausgestorben. Duelle sind noch immer an der Tagesordnung, wenn auch in anderer Form. Die Waffe ist heute das Auto, und das Feld der Ehre – die schlaglochübersäte polnische Straße.

Nichtsahnender Ausländer, ich flehe dich an, begehe nie den Fehler, ein polnisches Auto zu überholen! Besonders, wenn dein eigener Wagen kleiner ist. Denn dann fließt Blut, dann gibt es kein Zurück mehr. Hier ist Schluss mit der berühmten polnischen Gastfreundschaft, mit der sympathischen Bescheidenheit, hier hört der absurde polnische Humor – ja, schlagartig auf. Deine Überheblichkeit wird als Duellforderung verstanden, und weil du die Löcher auf den Straßen nicht so gut kennst wie der Einheimische, endest du im Graben und später als Zahl auf einem »Schwarzen Punkt«.

Du willst wissen, was das ist, ein »Schwarzer Punkt«? Das sind besonders unfallgefährdete Abschnitte, an denen Schilder die Opfer auflisten, die es hier im letzten Jahr gegeben hat. »12 Tote, 36 Verletzte«. Wer an einem solchen Schild nicht abbremst, wird wohl nie begreifen, dass Polen in den EU-Statistiken für Sicherheit im Straßenverkehr konstant auf den letzten Plätzen rangiert (5444 Todesopfer hat der polnische Straßenverkehr im Jahr 2005 verschlungen; zum Vergleich: in Deutschland, bei mehr als doppelt so großer Bevölkerung, waren es 2005 etwa genau so viele: 5361). Leider sind bei dieser modernen Form des Duells keine Ärzte mehr anwesend. Jeder polnische Wahnwitz-Fahrer sollte eigentlich einen Sanitäter-Sekundanten auf dem Beifahrersitz mitführen. Und da das unrealistisch ist, sollte zumindest an jedem polnischen Zebrastreifenübergang ein Notarzt stationiert sein. Als Fußgänger ist man nämlich auf Gedeih und Verderben der Gnade des nächsten vorbeifahrenden Autos ausgeliefert. Mein Appell: Geben Sie sich von vornherein geschlagen. Erwarten Sie nie, dass ein polnischer Autofahrer bei Ihrem Anblick anhält. Gönnen Sie ihm den Triumph, dass sich am Zebrastreifen ganze Trauben wartender Fußgänger bilden; manche befinden sich bereits in einer Art Trancezustand. Bleibt unerwarteterweise doch mal ein Auto stehen, hat es meist ein ausländisches Kennzeichen. Und dann muss es schon sehr lange warten, ehe die ungläubigen Fußgänger sich endlich zitternden Schrittes auf die Straße wagen.

Doch nun vom mörderischen Thema »Ehre und Autofahren« zu einem vordergründig harmloseren Thema: »Ehre und Geschenke«. Auch hier gibt es in Polen Aspekte, die beachtet sein wollen – jedenfalls wenn man die äußerst heikle Eskalation vermeiden will, in die ich geriet.

Eines Tages fuhr ich mit Bekannten nach Żelazowa Wola, dem Geburtsort Chopins. Nach einer Weile hielten wir kurz an einer Tankstelle. Einer von uns, Tomek, wollte sich eine Cola kaufen; ich bat ihn, mir auch eine mitzubringen. Nach einer Weile kam er zurück und gab mir die Cola. Ich fragte ihn:

»Was hat sie denn gekostet?«

»Drei Zloty fünfzig.«

Ich zückte mein Portemonnaie, um ihm das Geld zu erstatten, was Tomek allerdings mit dem klassischen polnischen Satz zurückwies.

»Weg damit. Sei nicht albern.« (»Nie wygłupiaj się. Oszalałeś?«)

Eine halbe Stunde lang diskutierte ich mit ihm, doch er weigerte sich beharrlich, das Geld anzunehmen. Schließlich sagte er versöhnlich:

»Okay, das nächste Mal bist du halt dran mit einer Cola.«

Ich verstand seine Anspielung sofort. Tomek gab mir zu verstehen, dass ein schlauer und geiziger Deutscher ihn soeben um eine Flasche Cola gebeten hatte, weil er von Anfang an wusste, dass der stolze Pole von ihm kein Geld nehmen würde. Na warte!

Am nächsten Tag ging ich einkaufen. Dann verabredete ich mich mit Tomek.

»Hallo, hier ist was für dich, für die gestrige Cola.«

Ich gab ihm eine Dose mit einem Energy-Drink. Sie war dreimal teurer als die Cola gewesen.

Zwei Tage später bekam ich von Tomek eine Flasche Wein. Er muss locker über dreißig Zloty dafür bezahlt haben.

Ich geriet in Panik. Eine endlose Kette von Geschenken und Gegengeschenken spulte sich vor meinem geistigen Auge ab. Heute kauft Tomek mir Wein, morgen bekommt er von mir Champagner, dann erhalte ich einen Kasten Bier, danach er wieder eine Kiste Wein.

Ich beschloss, die Sache abzukürzen. Ich sprach mit meiner Freundin, rief meine Eltern an, plünderte mein Sparkonto und verabredete mich mit Tomek bei mir vor dem Haus.

»Hey, dein Wein gestern war hervorragend. Danke nochmal. Jetzt bin also ich wieder an der Reihe. Nimm bitte von mir diesen neuen Geländewagen, der da drüben geparkt ist. Im Kofferraum habe ich hundert Flaschen Moselwein verstaut. Auf dem Fahrersitz liegt eine Deutschlandkarte, darauf habe ich Wuppertal markiert. Meine Eltern warten dort auf dich, sie überschreiben dir unseren Schrebergarten, den sie nicht mehr brauchen. Auf dem Beifahrersitz sitzt meine Freundin, damit du dich nicht verfährst. Sie kennt sich sehr gut auf den deutschen Autobahnen aus und wird dich auch sonst bis ans Ende deines Lebens begleiten. Gute Fahrt!«

Seitdem hat sich jede Spur von Tomek verloren. Weil ich aber das polnische Ehrgefühl kenne, fürchte ich ein bisschen, dass dieser Wahnsinnige nicht nach Wuppertal, sondern schnurstracks nach Kielce zu seinen Eltern gefahren ist, um eine kleine Gegengabe in die Wege zu leiten, nämlich die Schenkung eines Tausend-Hektar-Grundstücks an mich. Was mache ich dann? Soll ich ablehnen? Nee, dafür langt meine Kraft nicht. Ich werde resigniert aufgeben und das Geschenk annehmen. Was bleibt einem denn übrig mit diesen ehrenhaften Polen? Jawohl, Tomek, du hast gewonnen. Die deutsche Ehre ist nichts wert im Vergleich zur polnischen. Komm zurück! Tooooomek! Du hast gewonnen! Ich gebe mich geschlagen.

Fatalismus

An anderer Stelle habe ich mich über das ewige Jammern der Polen beklagt – nun ist es Zeit zuzugeben, dass es tatsächlich auch ein paar Gründe dafür gibt.

Löcher in den Straßen, korrupte Politiker, geringe Löhne, und das alles seit Hunderten von Jahren – kein Wunder, dass jedes polnische Kind in einer Atmosphäre des Fatalismus aufwächst. Ein Pole ohne fatalistische Einstellung würde wohl kaum in einigermaßen psychischer Gesundheit sein siebtes Lebensjahr überstehen. Um die Ursachen dieser Eigenschaft beneide ich die Polen nicht, den Fatalismus an sich aber bewundere ich. Ein Fatalist ist ein Mensch mit einem großen Sinn für Humor. Er ist auch viel flexibler als ein Idealist, weil er in keinerlei Ideologie verliebt ist.

Eines Tages war ich gezwungen, einen lange vorher geplanten Kabarettauftritt in Białystok abzusagen. Ich rief den Veranstalter an und legte ausführlich Rechenschaft ab von den außergewöhnlichen, höchst privaten Umständen der Absage. Zu meiner Verwunderung nahm er es gelassen hin und machte mir keine Szene. Natürlich gab er zunächst seiner Verzweiflung Ausdruck.

»Aber, Herr Stefan, die Eintrittskarten sind verkauft, die Bühne ist bezahlt, das Hotelzimmer gebucht!« Dann aber sprach er seufzend das erlösende Wort, dessen magische Kraft es den Polen sogar erlaubt, sich mit einer SARS-Epidemie abzufinden.

»Truuuuudno!«

Das heißt wörtlich »schwierig«, wird aber immer benutzt, wenn man einsieht, dass irgendein Faktum nicht mehr zu ändern ist. »Tut mir leid, Ihre Lieferung ist noch nicht eingetroffen.« – »Trudno!« Ich wüsste im Deutschen kein entsprechendes Wort, allenfalls ein langgedehntes »na Peeech«.

Ich will gar nicht wissen, wie ein deutscher Veranstalter auf so einen Anruf reagiert hätte. Ganz sicher wäre die Welt für ihn zusammengebrochen, und nach dem Auflegen hätte er mit grausamem Ritsch-Ratsch meine Adresse aus seinem Notizbuch herausgerissen.

Ein halbes Jahr später erfuhr ich, wie die Geschichte in Białystok geendet hatte.

»Trudno«, sagte der Manager nach dem Telefonat mit mir zu seiner Sekretärin. »Ich hatte von Anfang an ein schlechtes Gefühl. Gosia, ruf vier andere Kabarettisten an und frage sie, ob sie übermorgen frei sind.« Mit langsamen Schritten verließ er das Büro, begab sich in Richtung Getränkeautomat, warf eine Münze ein und schlürfte einen Kaffee.

Die Sekretärin rief aus dem Büro herüber.

»Und wenn keiner von ihnen Zeit hat, Chef?«

»Trudno . . . Dann nimm halt wieder Kinga vom Puppentheater, sie kann uns »Stefek Burczymucha« zeigen, und wir sagen den Leuten, die schon Karten gekauft haben, dass von Anfang an das Puppentheater geplant war und nicht dieser blöde Deutsche aus Warschau.«

Und so kam es dann auch: Die Veranstaltung wurde keineswegs abgesagt, vielmehr das einstündige Puppentheater »Stefek Burczymucha« gezeigt (etwa: »Der kleine Stefan, die Knurrfliege«). Stefek ist ein Großmaul, das sich angeblich vor niemandem fürchtet, dann aber vor einer Feldmaus Reißaus nimmt.

Woher ich das alles weiß? Der Manager selbst hat es mir erzählt. Ein halbes Jahr später rief er mich nämlich an und lud mich erneut zu einem Auftritt ein. Ich war verwundert, begriff dann aber: Ein Fatalist zeichnet sich auch dadurch aus, dass er nicht nachtragend ist. Warum sollte man andere Menschen dafür haftbar machen, dass auf dieser Welt so viel Unglück geschieht? Auftritte werden zu allen Zeiten abgesagt werden – TRUDNO!

Ich achte und respektiere Fatalisten.

Apropos »Herr Stefan«: Man redet sich im Polnischen mit »Pan« (Herr) oder »Pani« (Frau) und dem Vornamen an. Niemand sagt zu mir »Pan Möller«, auch nicht der Chef, sondern stets: »Pan Steffen«. Hier ist eine interkulturelle Falle versteckt. Wenn ein Deutscher einen Polen auf bestgemeinte, höflichste Weise mit »Herrn Kowalski« anredet, wirkt es auf den Polen kühl und distanziert. Hinzu kommt noch, dass es für die Anrede im Polnischen den siebenten Fall gibt, den Vokativ. Hierbei wird an den Namen ein »-ie« angehängt. Man sagt also genau genommen zu mir: »Panie Steffenie!« Mir gefällt diese Anrede-Sitte heute besser. Man muss sich bei neuen Bekannten immer nur den Vornamen merken. Außerdem werden auch schwierige Gespräche mit unangenehmen Leuten etwas persönlicher, wenn man sie immer wieder mit dem Vornamen anreden kann. »Herr Janie, nun machen Sie mal halblang!«

Fluktuation

Typisch für den jungen polnischen Kapitalismus ist die starke Fluktuation in fast allen Bereichen der Arbeitswelt. Überall ist zu spüren, dass die Leute keine langfristige Perspektive sehen, womit sie ihre Brötchen verdienen sollen. Greifen wir als Beispiele für diese Rein-Raus-Mentalität drei beliebige Berufe heraus. Zum einen wäre da der Job des Premierministers zu nennen. In Deutschland regierten zwischen 1974 und 2005 drei Kanzler. Zur gleichen Zeit gab es in Polen dreizehn Premierminister. In Italien waren es zwanzig (was der nächste Beweis dafür ist, dass die Mentalität der Polen zwischen der italienischen und der deutschen angesiedelt ist).

Ein zweiter Beruf, der die Fluktuation sehr deutlich vor Augen führt, ist der der Kellnerin. Jedes Mal, wenn ich mein Lieblingsrestaurant besuche, wette ich mit meinen Freunden, wie viele neue Mädchen man dieses Mal wieder orientierungslos zwischen den Tischen herumschwirren sieht.

Verkäufer sind das dritte Beispiel. In Deutschland arbeiten sie durchschnittlich zwanzig Jahre lang im selben Geschäft. Ich konnte mich davon jüngst in Wuppertal wieder überzeugen, als ich die Buchhandlung meines Vertrauens aufsuchte. »Herr Schmidt« und »Frau Grüneich«, die sich seit meiner frühen Gymnasialzeit jeden Tag acht Stunden lang sehen, siezten sich übrigens immer noch. Die Last ihrer fünfundzwanzigjährigen Erfahrung spürt man ihnen heute auf Schritt und Tritt an. Es muss schon viel geschehen, ehe sie einen Kunden mal nach seinem Wunsch fragen. Sie sind mit wichtigeren Dingen beschäftigt: zum Beispiel damit, im Hinterzimmer die Kaffeemaschine zu reparieren.

Ganz anders in Polen. Ein polnischer Verkäufer ist meist ein blutiges Greenhorn, hat den Job erst vor wenigen Wochen angetreten, kann sich nicht an das Passwort im Computer erinnern, überschlägt sich dafür aber vor Diensteifer. Keine Arroganz, kein Links-Liegenlassen. Es sei denn, man hat Pech und begegnet einem altgedienten Verkäufer, also einem, der schon seit sechs Monaten im Business ist. Der ist in Gedanken schon ganz weit weg, beim nächsten Job. Man sieht ihn eine Woche später wieder: als Flugbegleiter in der Maschine nach Dubai.

Allerdings gibt es in Polen eine Spezies von Verkäufern, die mir noch mehr Angst macht als selbst die schlimmste deutsche Kaffeetucke. Ich würde diese Spezies als *überqualifizierte Geisteswissenschaftler* bezeichnen. Man begegnet ihr nur noch gelegentlich, in Zeitungskiosks oder einsamen Haushaltswarenläden. Diese Herrschaften haben Philosophie oder Psychologie studiert, ziehen es nach ihrem Studium aber vor, als Verkäufer in einem Geschäft anzuheuern, statt eine unterbezahlte Assistentenstelle an der Uni anzunehmen. Meine Furcht vor ihnen geht auf ein Erlebnis zurück, das ich kurz nach meiner Ankunft in Polen hatte. Damals konnte ich gerade mal ein paar Brocken Polnisch und war mit dem Renovieren meiner Wohnung beschäftigt. Ich brauchte eine Feile und fand im Wörterbuch das polnische Wort für Feile: »*pilnik*«. Dann ging ich in die Stadt und suchte das nächste Geschäft für Werkzeuge auf. Hinter dem Ladentisch saß ein mitteljunger, leptosomer Verkäufer, der in seine Lektüre vertieft war. Es war allerdings kein Kreuzworträtsel, das er las, sondern ein dickes Buch, »Emotionale Intelligenz« von Daniel Goleman, und zwar im englischen Original.

»Dzień dobry, Sie wünschen?«

»Ich hätte gerne, ähm, eine . . .« Leider konnte ich mich plötzlich nicht mehr erinnern, was »Feile« auf Polnisch hieß. Wo eben noch die neue Vokabel platziert worden war, gähnte jetzt ein schwarzes Loch in meinem Kopf.

»Ja bitte?«

»Äh . . . bitte . . . eine *piwnik.*«

»Wie bitte?«

»Haben Sie . . . äh, *piwo* . . . nein . . . *piknik* . . .«

»Do you speak English?«

»Nun ja, ich spreche ein bisschen Englisch, aber ich würde lieber Polnisch sprechen, weil ich vor kurzem einen teuren Polnischkurs in Krakau an der Jagiellonen-Universität gemacht habe.«

Statt mich hocherfreut anzulächeln, erwiderte der Verkäufer gleichgültig:

»Aha, verstehe. Ihr Englisch ist wahrscheinlich noch schlechter als Ihr Polnisch, stimmt's?«

Ich schluckte und nickte langsam. Das war im sonst so überaus höflichen Polen eine bittere Minute. Ich zerbrach mir auf der Suche nach dem ominösen Wort für »Feile« noch zwei Minuten lang vergeblich den Kopf, wankte dann aus dem Laden und kaufte das Ding schließlich woanders.

Seit jenem Tag sind einige Jährchen vergangen. Jedes Mal, wenn ich an dem Werkzeuggeschäft vorbeigehe, blicke ich durch das Schaufenster. Entgegen der in Polen allgemein verbreiteten Fluktuation sitzt mein kluger Geisteswissenschaftler beharrlich weiter hinter seiner Ladentheke und studiert kluge Schmöker.

Ich bin ihm auch nicht mehr böse. Zwei Sachen hat mich diese peinliche Geschichte gelehrt: Trage im Ausland stets ein kleines Notizblöcklein bei dir, in das du neue Wörter sofort einträgst. Und zweitens: Emotionale Intelligenz ist nicht erlernbar, auch nicht mit Hilfe des dicksten Schmökers. Entweder man hat sie im Blut oder – trudno.

Frau im Bus

In all den Jahren in Polen bin ich mit meinem harten deutschen Akzent nur ein einziges Mal unsanft angeeckt. Es war in Warschau, im Bus 107. Eine junge Frau mit Kinderwagen stieg ein. Besser gesagt, sie quälte sich damit, den Kinderwagen in den Bus zu hieven.

Ich konnte ihr leider nicht behilflich sein, weil ich mich damals gerade auf das Allgemeine Polnische Diktat vorbereitete – ein alljährlich in Kattowitz stattfindendes TV-Event, an dem Tausende Menschen teilnehmen und zusammen mit Prominenten ihre Rechtschreibefähigkeiten unter Beweis stellen. Ich hatte die Absicht, als erster Ausländer in der tausendjährigen polnischen Geschichte nicht nur teilzunehmen, sondern auch zu gewinnen und musste darum seltene Wörter wie »Weißkopfreiher« oder den masurischen Ortsnamen »Ruciane Nida« üben. Das Heft mit den exotischen Wörtern lag auf meinen Knien, und wenn ich aufgestanden wäre, um der Frau zu helfen, hätte ich den Verlust meines Sitzplatzes riskiert. Ohne Sitzplatz wiederum bin ich nicht in der Lage, schwierige polnische Wörter auswendig zu lernen. Mir wird dann immer gleich schlecht. Es blieb mir also nichts anderes übrig, als mich mit der Frau passiv zu solidarisieren.

Der Bus fuhr los, schwankte aber heftig. Die Mutter schien zu befürchten, dass ihr Kind gleich aus dem Wagen fallen könnte und hielt ihn übertrieben ängstlich fest. Weil der Platz neben mir frei geblieben war, sagte ich höflich zu ihr:

»Bitte setzen Sie sich doch.«

»Wie bitte?«

Als Ausländer bin ich daran gewöhnt, dass man mich wegen meiner fremden Aussprache nicht auf Anhieb versteht. Ich wiederholte deshalb geduldig.

»Ich sagte, Sie können sich gerne neben mich setzen. Den Kinderwagen können Sie ja an der Haltestange da festschnallen. Im Grunde genommen steht er aber sowieso stabil.«

»Sie kommen nicht aus Warschau, oder?«

»Stimmt. Aber Sie könnten trotzdem Ihren Wagen an der Haltestange festschnallen.«

»An welcher Stange?«

»An der da.«

»Das heißt *poręcz* (Geländer), nicht Stange.«

»*Poręcz* (Geländer)? Das Wort kannte ich nicht. Vielen Dank!«

Ich notierte das neue Wort sogleich in mein Heft. Die Frau setzte sich neben mich und musterte mein Heft mit verächtlichem Blick. Als ich fertig geschrieben hatte, sagte ich gutgelaunt zu ihr:

»Tolles Wort, *poręcz*.«

Da fuhr sie regelrecht aus der Haut.

»Sagen Sie, wollen Sie etwas von mir? Sie sehen doch, dass ich schon ein Kind habe! Ihr kommt alle ohne Geld in die Hauptstadt und denkt, auf so eine Tour könnt ihr euch mal eben eine Wohnung besorgen. Einfach eine alleinerziehende Mutter im Bus anmachen, und das war's! Ich kenne diesen Trick aber leider schon. Mein Ex-Mann kam auch aus Schlesien. Er hatte genau den gleichen Akzent wie Sie, und er hat mich auch im Bus angesprochen. Ich heirate aber nie mehr einen Schlesier. Euch müssen die Frauen zu Füßen liegen, gefügig sein, immer für euch da sein, euch alles hinterhertragen, euch manchmal necken und immerzu kochen, kochen, kochen – nie wieder!«

Die Tirade der Frau gefiel mir. Eins ihrer Wörter, das Wort für »gefügig sein«, hatte ich so gut wie noch nie gehört. Um das Diktat zu gewinnen, musste ich es unbedingt in mein aktives Vokabular aufnehmen.

»Entschuldigung, könnten Sie nochmal wiederholen, was Sie gerade gesagt haben, aber langsam? Wie war das, *gefügig sein* und dann *necken* . . .? Ich muss das aufschreiben.«

»Und wozu bitte?«

»Ich will im November am Allgemeinen Diktat in Kattowitz teilnehmen.«

»Kattowitz? Dachte ich mir's doch. Ein Schlesier.«

»Nein, das ist ein Missverständnis, ich . . .«

»Entschuldigung, aber ich muss jetzt aussteigen.«

»Ich helfe Ihnen mit dem Kinderwagen!«

»Jaja, jetzt wollen Sie mir helfen, und nach der Hochzeit dann April, April! Ich kenne euch Schlesier.«

Sie zerrte ihren Kinderwagen alleine aus dem Bus. Ich sprang zur Tür und rief hinaus:

»*Gefügig sein* . . . wie war das noch? Bitte helfen Sie mir, ich flehe Sie an!«

»Ich helfe nie mehr einem Schlesier!«

»Aber das ist ein Missverständnis. Ich bin kein Schlesier, ich bin Deutscher!«

»Jaja, das sagen die Schlesier immer, wenn sie's gerade brauchen!«

Und dann schloss sich die Tür.

Seit diesem Tag solidarisiere ich mich nicht mehr mit alleinstehenden Müttern, sondern nur noch mit Schlesiern. Diese Menschen werden schlimm schikaniert in Warschau, es ist eine Schande.

Trotz des fehlenden Wortes für »gefügig sein« gelang es mir übrigens einige Monate später, beim Diktat in Kattowitz den ersten Platz zu belegen, direkt vor meinem guten Freund und Kollegen aus der Europa-Talkshow, dem Engländer Kevin Aiston. Ja gut, ich gebe es zu, wir traten beide in der Kategorie »Ausländer« an. Aber Kevin hatte wesentlich mehr Fehler als ich, nämlich 297, ich nur 256.

Ach so: Außer uns beiden gab es in der Kategorie Ausländer niemanden.

Die kürzesten polnischen Wörter

Es gibt im Polnischen, sehr im Unterschied zum Deutschen, viele Wörter, die nur aus einem einzigen Buchstaben bestehen. Das sind meist Präpositionen, wie zum Beispiel »w« (in). Es gibt aber auch zwei ultrakurze Ausrufe, die man auf Deutsch unbedingt einführen sollte. Keine polnischen Wörter fehlen mir im Deutschen mehr als diese beiden:

E! – »E! So ein Quatsch! Glaube ich nie und nimmer! Vergiss es!«

O! – »Ich hätte gerne die Marmelade dort auf dem Regal. Nein, nicht die, sondern die daneben. O, bingo!«

Sechs kurze Wörter auf »O«, die einen sinnvollen Ausruf
ergeben
»O! No bo po co to?«
Zu Deutsch: Oh! Na, wozu das denn?

Das längste polnische Wort
»Konstantynopolitańczykowianeczka« –
die kleine Konstantinopolitanerin

Das wichtigste polnische Lied
Es handelt sich um ein Geburtstagslied, das auch zu jeder
anderen Gelegenheit gesungen wird, die auch nur im
Entferntesten mit jeglicher Form der Gratulation zu tun
hat – etwa bei der Beförderung eines Arbeitskollegen:

»Sto lat, sto lat
Niech żyje żyje nam!
Sto lat, sto lat
Niech żyje żyje nam!
Jeszcze raz, jeszcze raz
Niech żyje żyje nam,
Niech żyje nam!«

»Hundert Jahre, hundert Jahre
Soll er/sie uns leben, leben!
Hundert Jahre, hundert Jahre
Soll er/sie uns leben, leben!
Noch einmal, noch einmal
Soll er/sie uns leben,
soll er/sie uns leben!«

Freiheit

Ich brauche kein Marlboro-Country, kein Death Valley, kein Mexiko. Warum an idiotischen Preisausschreiben teilnehmen, wenn die Freiheit doch so nahe liegt? Es genügt mir, bei Frankfurt die Oder zu überqueren und fünf Stunden später mit meinem geliebten Eurocity in Warschau anzukommen – und schon spüre ich den Sog der großen Freiheit. Das fängt bereits im Zug an. In den polnischen Waggons gibt es noch Abteile mit Vorhängen, hinter denen man sich mit einem guten oder auch schlechten Buch verschanzen kann. Tschüss, Großraumwagen.

Bei der Ankunft in Warschau haben sogar die ewig defekten Rolltreppen am Zentralbahnhof ihren ganz eigenen Charme. Während ich meinen schweren Koffer die Stufen hochschleppe, keuche ich vor mich hin:

»Endlich fühle ich mich nicht mehr von perfektem Komfort umzingelt!« Es ist doch so: Der Perfektionismus gehört zu den Dingen, denen Deutschland seine Sterilität zu verdanken hat. In Polen fühlt sich der Einzelne stärker, weil der Staat schwächer ist.

Freiheit – das bedeutet auch, zu jeder Tages- und Nachtzeit einkaufen zu können. Einen einheitlichen Ladenschluss gibt es nicht; in den großen Einkaufszentren liegt er meist bei komfortablen 22 Uhr. Wer noch länger arbeitet, kann sich in einem 24-Stunden-Laden versorgen, der allenfalls an Weihnachten für einige Stunden schließt. Der unfestliche Gang zur Tankstelle am Sonntagmorgen bleibt einem in Polen jedenfalls erspart. Auch die leidige Mittagspause ist unbekannt. Theoretisch kann man von morgens bis abends Lärm machen; Nachbarn sind in Polen so gleichgültig, wie man es sich in Deutschland nur erträumen kann. Dafür nehme ich auch gerne in Kauf, dass man mich im Treppenhaus nicht grüßt. Viele meiner Nachbarn vermeiden tatsächlich auch nach zehn Jahren noch den Augenkontakt.

Polnische Freiheit bedeutet aber vor allem Freiheit im Kopf, will heißen: Die Abwesenheit des deutschen Dogmatismus. Oh, nein, für Verfechter reiner Lehren ist Polen ungeeignet. Es gibt nur wenige Sekten: Beschwingte Mormonen-Missionare oder graumäusige Zeugen Jehovas haben ein schweres Leben. Verbissene Diskussionen in den Fußgängerzonen, penetrante Besserwisserei vor der Haustür – das passt nicht zu Polen. Die polnische Spielart des religiösen Fanatismus ist das berüchtigte »Radio Maryja« – und hier handelt es sich bei näherem Hinsehen um eine Randerscheinung im Seniorenmilieu.

In Polen lässt sich freier atmen – und das ist Balsam für Besucher aus Deutschland, wo es bekanntlich nur so wimmelt von unterschiedlichsten Ideologien.

Zum Beispiel für meine Mutter. Drei Sachen findet sie in Polen toll: zum ersten das Wort »Kajzerki« – für Kaiserbrötchen. Zum zweiten will sie beobachtet haben, dass polnische Männer in den besten Mannesjahren viel besser aussehen als ihre deutschen Altersgenossen, weil sie seltener Glatze tragen. Zum dritten wirft sie in meiner Warschauer Wohnung gerne Sachen in den Mülleimer.

Eines Abends saßen wir zum Beispiel in der Küche und aßen Joghurts. Anschließend klaubte meine Mutter energisch die Becher vom Tisch, öffnete die Tür unter dem Spülstein, wo der Mülleimer steht und sagte dann mit versonnenem Zögern: »Die Becher sind aus Plastik und die Deckel aus Metall. Zu Hause müsste ich das jetzt getrennt wegwerfen. Und bei dir werfe ich alles in denselben Eimer, so wie früher!«

Wenn man mich in Polen fragt, ob die Deutschen sich seit Goebbels' Zeiten geändert haben, verneine ich heftig und erwähne als Beispiel unserer manischen Ideologiebesessenheit eben die Mülltrennung. Jeder Deutsche hat auf diesem Gebiet seine eigene Krankengeschichte. Meine geht so: In Berlin bewohnte ich als Student ein WG-Zimmer. Unter uns wohnte ein evangelischer Pfarrer. Eigentlich ein netter, lockerer Typ − der sich aber in einen Scharfrichter verwandelte, wenn es um die vier Mülleimer auf dem Hof ging. Als er einmal beobachtete, wie ich auf dem Hof eine Plastikflasche in die falsche Tonne warf, öffnete er das Fenster und hielt mir einen zehnminütigen Vortrag. Irgendwann habe ich den Müll nur noch nachts hinausgetragen. Der Pfarrer ließ jedoch nicht locker und forschte bei den anderen Nachbarn nach, ob sie es gewesen wären, die die Milchpackung in die Glastonne geworfen hätten. Schließlich klingelte er eines Morgens um acht bei mir und drückte mir stumm zwei Joghurtbecher in die Hand, die er aus der Papiertonne gefischt hatte. Seither kriege ich auf deutschen Bahnhöfen regelmäßig Tobsuchtsanfälle, wenn ich die vierfarbigen Müllkuben sehe: Verpackung, Papier, Glas. Ich stopfe grundsätzlich alles in »Restmüll« − kleine Fernrache an meinem Pfarrer.

Ein ebenfalls weitverbreiteter Fanatismus in Deutschland ist die Lehre vom gesunden Essen. Bio-Läden, Öko-Initiativen gibt es in Polen durchaus, aber ohne die dazugehörige Verbissenheit. Das ist äußerst angenehm. Wenn ein Ignorant wie ich nicht im trauten Bioladen, sondern im neonbeleuchteten Supermarkt einkauft, zieht er sich nicht automatisch die Verachtung seiner Freunde zu, so wie in Berlin.

»Wie, du hast Butter für siebzig Cent gekauft? Du machst dich vorsätzlich kaputt. Butter kann nur gut sein, wenn sie mindestens zwei Euro kostet!«

Und noch eine kleine Beichte: In der Heimat wurde mir eine derart panische Angst vor Fastfood eingeimpft, dass mir Lokale dieses Typs wie ein Werk des Teufels vorkamen. In Polen, wo dank polnischer Ideologie-Immunität das dichteste Netz an Fastfood-Lokalen in Europa entstanden ist, vergesse ich meine Neurose regelmäßig. Kürzlich habe ich mich in Warschau erst in letzter Sekunde dabei ertappt, wie ich ein Fastfood-Restaurant betrat – und keine rote Lampe aufleuchtete. Wo waren meine Hemmungen geblieben? Nach fünfminütigem Durchatmen bestellte ich dann tatsächlich einen Hamburger. Und bei dem Gedanken an meine Berliner Freunde gleich noch einen.

Künstler, Globalisierungsgegner und Prenzlauer-Berg-Bewohner sind weitere Vertreter deutscher Ideologien. Ihr Lieblingswort lautet: Spießer. Ihre Hauptmaxime im Leben: bloß nicht wie ein Spießer aussehen. Mit einem Krawattenträger wird gar nicht erst geredet. Wer seine Hose bügelt, ist ein Vertreter des Großkapitalismus. Wenn in eine WG ein Mann einzieht, der sich ironiefrei eine Britney-Spears-CD kauft und sie ins rustikale Eichenregal stellt, darf er in Kürze mit einer WG-Vollversammlung rechnen, die ihn verachtungsvoll rauswirft. In Polen würde man ihn ebenfalls belächeln, aber höflicherweise hinter seinem Rücken – einmal davon abgesehen, dass WGs ohnehin selten sind.

Und nun mein Lieblingsbeispiel für ein etwas nerviges, insgesamt aber hochsympathisches Symptom der polnischen Freiheit. Nehmen wir an, jemand hat vor kurzem ein Restaurant eröffnet. Mit Liebe und Sorgfalt hat er jedes Detail der Ausstattung gestaltet. In seinem Restaurant herrscht nun afrikanisches Ambiente, bis hin zu den senegalesisch-wüstenbraunen Kacheln auf der Toilette. Leider hat er eine entscheidende Kleinigkeit vergessen: ein paar CDs mit der passenden Musik zu brennen. Leichtfertig überlässt er die Musikberieselung seinem Personal. Dieses schert sich den Teufel um das Ambiente und die dazugehörige Philosophie und legt *The Best of Bon Jovi* oder *Madonna* auf, oder noch häufiger: das Radio dudelt. Ich glaube, ich habe noch nie in einem polnischen China-Restaurant chinesische Bambus-Harfen gehört, dafür aber alle fünfzehn Minuten die Nachrichten.

Keine Rose ohne Dornen. Was mich an der polnischen Freiheit rasend macht, ist die unglaubliche Planlosigkeit, mit der das Land kreuz und quer verbaut wird. Lasche, korrupte Bauaufsichtsbehörden lassen chaotische Siedlungen entstehen, wo jeder sein Dach hellblau und die Garage dunkellila anmalen kann; es sieht fürchterlich aus. Auf meinen Bahnfahrten durch Polen raufe ich mir regelmäßig meinen ungegelten Haarwuchs. Aber dann ist es wie auf der kaputten Rolltreppe am Bahnhof: Ich atme tief durch und schreie laut: »Bitte, wenn das der Preis der Freiheit ist – baut eure Häuser, wie ihr wollt, verunstaltet eure wunderbaren Landschaften.«

Dafür werde ich hier zumindest von niemandem zu seiner Ideologie bekehrt, keiner warnt mich vor dem Ruin meiner Gesundheit, keiner macht mich verantwortlich für den Weltuntergang.

Gastfreundschaft

Bevor ich nach Polen ging, war ich ein Musterbeispiel deutscher Gastfreundschaft. Das kann mein Freund Klaus aus Wuppertal bestätigen, der mich regelmäßig in Berlin besuchte. Wenn er nach seiner sechsstündigen Anreise bei mir die Treppe heraufkam, begrüßte ich ihn an der Wohnungstür und sagte: »Schön, dass du gekommen bist, Klaus. Ich selber muss leider gleich los, ich bin zum Kino verabredet. Du weißt ja, wo der Kühlschrank ist. Nur eine Bitte: Trink nicht wieder das ganze Bier aus. Wenn du pennen willst, hol dir den Schlafsack, er liegt irgendwo im Schrank, müsste mal gelüftet werden. Hast du keine Isomatte? Aber der Teppich ist völlig okay zum Schlafen. Ah ja, wenn du telefonieren willst, schreib bitte die Minuten auf. Okay? Und lass beim Telefonieren nicht das Licht brennen.«

Klaus kam immer wieder gerne. Was wäre auch seine Alternative gewesen? Außer mir kannte er in Berlin nur noch Sven Stelzenbauer. Und der nahm für einmal Duschen fünfzig Pfennig. Bei mir konnte er's umsonst.

In Polen habe ich dann erfahren, dass meine Art von Gastfreundschaft nicht bei allen so gut ankam wie bei Klaus. Das wurde mir bewusst, als mich ein Bekannter namens Marek in meiner Warschauer Wohnung besuchte. Nachdem wir uns in der Küche schon zwei Stunden lang gemütlich unterhalten hatten, nahm Marek das Glas mit den Salzstangen in die Hand und sah mich nachdenklich an.

»Drei Salzstangen ... Sag mal, Steffen – erwartest du heute noch jemanden?«

Heute ist mir das alles ein bisschen unangenehm. Ich versichere deshalb, dass ich in punkto Gastfreundschaft ein anderer Mensch geworden bin. Beim Begrüßen im Flur küsse ich Frauen dreimal auf die Wange, Männern nehme ich ihre Mäntel ab. Bevor ich meine Gäste ins Wohnzimmer bitte, frage ich sie, ob sie Kaffee oder Tee trinken. Deutsche Besucher verwundert das im Allgemeinen sehr: Einer fragte einmal, wie viel der Tee denn kosten solle.

Wenn ich Besuch von Polen bekomme, serviere ich außer Tee noch Kuchen. Deutschen braucht man ja glücklicherweise nichts zum Essen vorzusetzen. Sie kommen nie hungrig, da sie gar nicht damit rechnen, überhaupt etwas angeboten zu bekommen.

Zur polnischen Gastfreundschaft gehört ein Ritual, das man kennen sollte. Unbedarft, wie ich am Anfang war, fragte ich meine Gäste immer:

»Seid ihr hungrig? Habt ihr vielleicht Lust auf ein Stück Kuchen?«

Die Antwort lautete stets: »Nein, danke.«

Ich wunderte mich zwar, dachte mir aber weiter nichts dabei und aß den Kuchen alleine auf. Woher sollte ich es auch besser wissen? In Deutschland bedeutet Ja schließlich Ja und Nein heißt Nein. Heute graust mir beim Gedanken daran, wie viele Gäste meine Wohnung ausgehungert und beleidigt verlassen haben.

Einen Polen muss man nämlich dreimal bitten, ehe er etwas zu Essen annimmt. Bei der ersten Aufforderung kann er gar nicht anders als »nein« sagen. Es wäre für ihn eine grobe Unbescheidenheit, gleich »ja bitte« zu sagen und noch gierig den Teller hinzuhalten. Auch beim zweiten Mal muss er der Form halber ablehnen, denn wenn er einwilligen würde, hieße das ja, dass seine Weigerung von vorhin pure Koketterie war. Erst wenn der Gastgeber einen dritten Anlauf unternimmt und im harten Kasernenton befiehlt, verdammt noch mal ein Kuchenstück anzunehmen, bequemt sich der Gast mit gespieltem Widerwillen dazu.

»Naaaa guuuut, giiiiib heeeeeer.« Und isst mir blitzesschnell den ganzen Kühlschrank leer.

Bei ganz besonders wohlerzogenen Gästen, die auch dann noch abwinken, muss man einen Trick anwenden. Unter lautem Jammern tut man so, als würde man den selbstgebackenen, ach unter Schweiß und Tränen selbstgebackenen Kuchen resigniert wieder abräumen – das erweicht dann auch den härtesten Polen. Nun sieht es nicht mehr danach aus, dass er aus Hunger isst, sondern er tut es aus Barmherzigkeit.

Bei so viel Einfühlung in die polnische Tradition wird man es mir nachsehen, wenn meine deutsche Erziehung ab und zu doch noch mal durchschlägt und ich mir mit meinen Gästen einen kleinen Witz erlaube. Wenn sie nämlich wieder zu Hause angekommen sind, rufe ich sie an und sage:

»Weißt du, ich glaube, du solltest nicht mehr kommen. Nach deinem Besuch habe ich gemerkt, dass mir Geld fehlt.«

»Wie bitte? Du glaubst doch wohl nicht, dass ich es gestohlen habe?«

»Nein nein, keine Sorge, ich weiß genau, dass du das

Geld nicht genommen hast, ich habe es ja später gefunden. Aber weißt du, ein unangenehmer Nachgeschmack bleibt trotzdem zurück.«

Geschichte

In meiner ersten Warschauer Mietwohnung stand ein alter Schwarzweiß-Fernseher. Bei meinen Bemühungen, in die polnische Sprache einzudringen, leistete er hervorragende Dienste. Manchmal fiel nämlich das Bild aus, und dann konnte ich mich ganz auf den Ton konzentrieren. Einmal sah ich – beziehungsweise hörte ich – eine hochinteressante Quizsendung. Überraschend war nicht nur, wie viele Fragen zur Geschichte gestellt wurden, sondern auch, dass es dabei vor allem um Polen im Mittelalter und in der Renaissance ging. Auffällig, wie gut sich die Kandidaten hier auskannten. Ich gewann den Eindruck, dass jeder Pole mal eben fünf Könige und zehn Mätressen aus dem Handgelenk schütteln kann. Nach dem 19. Jahrhundert wurde hingegen kein einziges Mal gefragt.

Erst später erfuhr ich, warum das Mittelalter bei den Polen so beliebt ist. Im 16. Jahrhundert war Polen doch tatsächlich der flächenmäßig größte Staat Europas – während es im 19. Jahrhundert zwischen seinen Nachbarn aufgeteilt und komplett von der Landkarte verschwunden war. Langsam begriff ich, warum so viele Straßen und Schulen nach Gestalten benannt sind, die mindestens fünfhundert Jahre tot sind, etwa nach Kasimir dem Großen, Königin Jadwiga, Jan Kochanowski oder Stefan Batory.

Mir persönlich ist keine deutsche Schule bekannt, die

einen Namenspatron aus derart fernliegenden Zeiten hätte. Überhaupt dürfte es kümmerlich bestellt sein um deutsches Geschichtswissen über die Zeit vor – na, sagen wir mal, Friedrich dem Großen. Wie viele deutsche Persönlichkeiten von vor 1700 fallen mir denn ein? Moment mal – Karl der Große, Gutenberg und Luther, ach ja, und noch Heinrich der Vierte, wegen Canossa.

Warum sind wir Deutschen im Vergleich zu den Polen solche Geschichtsmuffel? Zum einen schämen wir uns unserer Geschichte – führte sie doch »geradewegs« ins schwarze Loch der Nazi-Zeit. Ein Pole hingegen hat grundsätzlich ein positives Verhältnis zur Geschichte seines Landes, gerade weil sie über weite Strecken so unglücklich verlaufen ist und in den Warschauer Aufstand und die Solidarność-Bewegung mündete. Man sieht dieses positive Verhältnis schon daran, dass Polen völlig unproblematisch das Possessiv-Pronomen »unser« benutzen. »Unsere Außenpolitik im 16. Jahrhundert war eine Katastrophe.« Ein Deutscher dagegen spricht – nicht nur, wenn von den Weltkriegen die Rede ist – lieber von »den deutschen Gräueltaten«. Polen sehen sich als Opfer, Deutsche eher als Täter. Tja, und mit Tätern kann man sich nun einmal nicht besonders gut identifizieren.

Der zweite Grund für deutsches Geschichtsdesinteresse ist sicherlich die starke Regionalisierung Deutschlands und der damit einhergehende Mangel an Nationalbewusstsein. Ein Pole kann zu Recht von der »polnischen Außenpolitik im 13. Jahrhundert« sprechen. Ein Deutscher dagegen müsste von der bayerischen, österreichischen oder westfälischen Geschichte sprechen. Polen war lange vor Deutschland eine geschlossene, homogene Nation, was man noch heute daran erkennen kann, dass es nur wenige lokale Dialekte gibt. Die polnische Geschichtskontinuität ist für uns Deutsche beeindruckend. Polen setzen den Beginn ihrer Geschichte im Jahr 966 an, mit der Taufe von Fürst Mieszko I. Geschichte wird als eine tausendjährige Linie empfunden, und der derzeitige Präsident Lech Kaczyński würde sich ausgesprochen freuen, wenn man ihn in einer Reihe mit Józef Piłsudski oder gar dem Türken-Sieger Jan Sobieski sähe. Wir Deutschen können das nur neidisch bestaunen. Wenn wir von der »Stunde Null« sprechen, meinen wir das Jahr 1945. Und Angela Merkel würde sich ein bisschen aufregen, wenn man sie als Nachfolgerin Hitlers bezeichnen würde.

Die Geschichte der Slawen aber, so lernen die polnischen Kinder in der Schule, reicht noch viel weiter zurück, nämlich bis in die Eisenzeit. So unternimmt denn auch jede Klasse einen Ausflug in die aus dem 8. Jahrhundert v. Chr. stammende Ur-Slawen-Siedlung Biskupin. Es handelt sich um eine Pfahlbausiedlung, die sich in Groß-Polen befindet, einer Region zwischen Posen und Gnesen, die als die Wiege der polnischen Nation angesehen wird. Kann man sich in Deutschland vorstellen, dass eine bayerische Grundschulklasse einen Ausflug ins nordrhein-westfälische Neandertal unternimmt?

Kein Wunder, dass man in Polen Geschichte generell eher als ein Hollywood-Epos voll tapferer Ritter, blutiger Schlachten und hinterhältiger Intrigen empfindet, so wie es auf den Gemälden des Krakauer Historienmalers Jan Matejko zum Ausdruck kommt.

Sicherlich, auch in der polnischen Geschichte gibt es »Schandflecke«, etwa die polnischen Statthalter Moskaus während des Kommunismus, also die Parteisekretäre Bierut, Gomólka, Gierek und Jaruzelski.

Insgesamt lässt sich das Geschichtsbewusstsein der Polen aber als relativ unproblematisch charakterisieren. Sie selbst sagen über sich: »Im Mittelalter waren wir einer der größten und glänzendsten Staaten Europas, und in der Neuzeit waren wir das Opfer unserer Nachbarn Deutschland, Österreich, Schweden, Russland.«

Viele Polen wundern sich, wenn ich sie um diese Mischung aus Glanz und Martyrium beneide.

»Darüber habe ich noch nie nachgedacht«, höre ich dann.

Tja, so locker sieht man das, wenn es einem gutgeht.

Gesprächsthema Nummer eins

Seit einigen Jahren ist das Lieblingsgesprächsthema in Polen der Wohnungs- oder Hauskauf. Wie an den rasend gestiegenen Preisen abzulesen ist, handelt es sich um eine regelrechte Hysterie. Dahinter steckt eine gänzlich andere Wohn-Philosophie als in Deutschland. Weil niemand Lust zu mieten hat, ähnlich wie in England, bemühen sich auch Leute, die mit minimalem Einkommen ausgestattet sind, um den möglichst raschen Kauf einer eigenen Wohnung. Die Abneigung gegen das Mieten hat sehr vernünftige finanzielle Gründe, hat aber auch mit dem mangelnden Mieterschutz zu tun. Vor allem junge Ehepaare fühlen sich regelrecht verpflichtet zum Wohnungskauf, besuchen an jedem Wochenende Immobilienbörsen und lesen im Bus die entsprechenden Zeitschriften. Auch wer schon im Besitz einer Wohnung ist, studiert mittwochs gerne die Immobilienbeilage der »Gazeta Wyborcza«. So erfährt er, um wie viel Prozent der Wert seiner Wohnung in der letzten

Woche wieder gestiegen ist. Der Quadratmeterpreis lag in Warschau Ende 2007 bei circa 3000 Euro, gute Wohnungen kosten inzwischen aber deutlich mehr. Die Preise liegen damit auf Berliner Niveau – mit dem kleinen Unterschied, dass das polnische Durchschnittseinkommen bei circa 600 Euro pro Monat liegt und das deutsche bei ungefähr 2000 Euro. Viele Berufsgruppen, wie Krankenschwestern, Lehrer, Beamte, verdienen sogar maximal nur 400 Euro. Immer wieder frage ich mich staunend, wie diese Leute eine Wohnung finanzieren können. Antwort: Durch Familienanleihen und langjährige Kredite.

Apropos »Gesprächsthema«: Das Thema »Fußball« interessiert in Polen nur die wenigsten Leute, besonders Frauen ekeln sich regelrecht davor. Die erste polnische Liga (»Ekstraklasa«) hat keinen Sex-Appeal. In die Stadien verirren sich allenfalls ein paar tausend Besucher, bei den Spitzenklubs Legia Warschau und Wisła Krakau sind es maximal zwanzigtausend Fans. Wenn Sport, dann Skispringen (Adam Małysz) oder Volleyball.

Grandes dames

Und jetzt mal zur Abwechslung eine gute Nachricht über die polnische Sprache: Es gibt im Polnischen NÄMLICH DOCH eine ganze Reihe von Wörtern, die man NICHT in allen sieben Fällen durchdekliniert. Und ihre Zahl steigt ständig – handelt es sich doch um linguistische Kinder der Globalisierung, sprich: um staatenlos flottierende Fremdwörter. Zugegeben: Sie werden NOCH nicht dekliniert, weil sie keine klassischen polnischen Endungen haben. So erging es etwa noch um 1930 dem Wort »Radio«. Wenige

Jahrzehnte genügten allerdings, und es bürgerte sich auch für dieses Wort das leidige Deklinieren ein. So heißt es heute im Genitiv »Radia«. Und wenn man sagen will: »Ich habe es im Radio gehört«, heißt das: »słyszałem to w radiu«.

Ich möchte die nachfolgende Liste nichtdeklinierbarer Wörter, die meines Wissens eine polonistische Weltpremiere darstellt, zwei Frauen widmen, die mich immer wieder neu entzücken – rein linguistisch und nur auf Polnisch.

Die eine ist Angela Merkel, die andere Danuta Hübner, die langjährige polnische EU-Kommissarin. Beide besitzen im Polnischen eine höchst bemerkenswerte Deklinationsresistenz. Während man die Vornamen »Angela« und »Danuta« ganz normal durchdeklinieren kann, geht das mit den Nachnamen »Merkel« und »Hübner« nicht, jedenfalls nicht, wenn sie von Frauen getragen werden. Sie sind so herrlich germanisch, dass der polnische Deklinationskrake keinen Endvokal hat, an den er sich festkrallen könnte. Wenn dazu auch noch die beiden Titel »kanclerz« und »komisarz« kommen, wird mein Entzücken komplett, da auch diese beiden Wörter im Polnischen nicht dekliniert werden können, wenn sie sich auf Frauen beziehen. Nehmen wir als Beispiel den vierten Fall, Akkusativ, etwa im Satz: »Ich habe gestern Kanzlerin Merkel und Kommissarin Hübner gesehen«. Das heißt also auf Polnisch unverändert: »Widziałem wczoraj kanclerz Merkel i komisarz Hübner«. Welcher Grundrespekt für die feminine Welt ist doch der polnischen Sprache angeboren. Und welche Labsal für den Ausländer quillt aus diesem Respekt.

Hier meine Liste von weiteren Substantiven, die nicht dekliniert werden müssen. Wiederum bitte ich um Vervollständigungen: info@steffen.pl

Blond, Borneo, Cool, Graffiti, Hobby, Iglu, Impresario, Jury, Kiwi, Paparazzi, Patio, Salami, Show, Spaghetti, Super, Tabu, Tiramisu, Trendy, Trio, Video

Das folgende Gedicht kann auch jeder nachsprechen, der genervt ist von polnischen Zischlauten. Man muss, um alles zu verstehen, lediglich fünf kleine Wörtchen kennen:

I = und, Na = auf, W = in, Dla = für, Tam = dort

Blond kanclerz Merkel i cool komisarz Hübner
Na patio w iglu – trendy hobby.
Spaghetti, salami i tiramisu.
Dla Paparazzi-Trio super video
Merkel: »O no. Paparazzi.«
Hübner: »Ok., let's go Borneo. Tam paparazzi tabu,
Tam kiwi super trendy!«

Herzlichkeit

Sie ist für mich vielleicht die wichtigste polnische Eigenschaft: die polnische Herzlichkeit. Sicher, ich möchte auch andere Seiten nicht missen, etwa den Sinn fürs Absurde oder den Hang zur Romantik. Während man aber selbst in Polen einen absurden Scherz oder einen romantischen Augenaufschlag nicht jeden Tag frei Haus geliefert kriegt, kann man die polnische Herzlichkeit gleich morgens im Laden an der Ecke tanken. Mir ging es so mit Pan Edmund, bei dem ich jahrelang meine Brötchen kaufte. Kaum wurde er meiner gewahr, unterbrach er die Bedienung anderer Kunden und rief laut: »Herzlich willkommen, Pan Helmut! Wir grüßen unseren Gast aus dem Deutschen Reich!«

Tausend Mal erklärte ich ihm, dass sich etwas verändert habe im Deutschen Reich, zumindest aber so viel, dass wir nun nicht mehr alle »Helmut« hießen. Vergebens. Am nächsten Morgen war ich wieder »Pan Helmut«. So lange, bis ich Pan Edmund nicht mehr verbesserte, sondern mich einfach nur noch herzlich willkommen geheißen fühlte.

Kommt man übrigens bei Edmund abends ins Geschäft, wenn er schon halb das Gitter heruntergefahren hat, sagt er zunächst mürrisch: »Feierabend, gibt nichts mehr.« Während in Deutschland das Gespräch damit beendet wäre, fängt es in Polen erst an. Um Himmels willen nicht entmutigt nach Hause gehen, sondern hartnäckig bleiben und auf die polnische Gutmütigkeit vertrauen. Man bittet nochmal freundlich um Einlass und erzählt dazu eine traurige Geschichte, zum Beispiel von einer kranken Mutter oder einer unbezahlbaren Stromrechnung – so lange, bis Pan Edmund erwidert:

»Na guuuut . . . Kriechen Sie drunter durch und holen Sie Ihr Ketchup. Aber schnell!«

Mit großer Dankbarkeit denke ich an einen Mensa-Koch der polnisch-deutschen Viadrina-Uni in Frankfurt/Oder zurück. Die Lichter waren bereits ausgeknipst, die Teller sauber aufgestapelt, die Kassen geleert – doch weil er mir glaubte, dass ich heute noch nichts gegessen hatte, gab er mir aus einem versteckten Topf doch noch einen Schlag Griesbrei mit Zucker. Natürlich mit ironischem Grinsen, weil man ja nicht sentimental ist und kein Interesse hat, als »guter Mensch« zu gelten.

Und jetzt kommt die Überraschung: Diese Herzlichkeit ist völlig unabhängig vom individuellen Charakter. Jeder hat sie im kleinen Finger, von Pan Edmund bis zum Hausmeister.

Dies gilt auch für polnische Polizisten, Busfahrer und Finanzbeamte: Sie treten nicht auf wie Willi Wichtig, sind keine Sadisten, keine Automaten und können auch mal fünf gerade sein lassen. Der Grund: Sie definieren sich nicht über ihre Arbeit, sondern über ihre Familie. So bewahren sie sich ihre Normalität. Hat man schon einmal einen deutschen ICE-Schaffner gesehen, der einem wildfremden Passagier ein Foto seiner Kinder gezeigt hätte? Ich bezweifle es. In Polen ist es möglich. Hier gibt es keine Berliner U-Bahn-Kontrolleure, die vor Enttäuschung knurren, weil ich eine gültige Fahrkarte habe, mich dann aber, Gott sei dank, doch noch wegen meines zerfledderten Ausweises drankriegen.

Ein Deutscher wird von seiner Uniform, seinem Kittel oder seinem Dienstschreibtisch bis zur Unkenntlichkeit verändert. Das ist vielleicht nicht die allerneueste Erkenntnis, aber nach wie vor wahr. Es wurde mir im Nachtzug Warschau-Brüssel bewiesen, und zwar ausgerechnet von einer ziemlich ironischen Schweizerin. Als unser Zug in Hannover hielt, schauten wir durchs Waggonfenster auf den Bahnsteig und beobachteten den deutschen Schaffner.

»Siehst du, er hat einen anderen Gang als der Pole«, raunte mir Isabell ins Ohr. Und tatsächlich: Während der polnische Schaffner, den wir bis zur Grenze beobachtet hatten, flink und unscheinbar an den Waggons entlanggeeilt war, hatte sein deutscher Kollege einen behäbigen, breitwatschelnden Dienstgang und eine finstere Miene, mit der er freche Passagiere zur Raison brachte.

»Man kann sich lebhaft das Unglück dieses Menschen vorstellen, wenn er abends die Uniform ausziehen muss und in seine Stammkneipe geht. Da fühlt er sich doch als eine Null, zumindest bis zum dritten Bier.«

Mir kam das ein bisschen wie ein Zitat aus Heinrich Manns »Untertan« vor – aber verflixt, sie hatte recht.

Gut, ich will nicht übertreiben mit der polnischen Herzlichkeit. Polen sind keine Italiener. Sie brauchen ein paar Minuten, ehe sie auftauen. Zuerst einmal müssen sie gehörig herumnörgeln.

»Wir sind arm, die Politiker sind korrupt, die Züge sind verschmutzt, der polnische Fußball hat seine besten Zeiten lange hinter sich« – das ist das Pflichtprogramm, von dem man sich nicht abschrecken lassen sollte. Irgendwann hört es auf, und dann verstummt ein Pole und wartet auf den ersten Satz einer normalen Konversation. Ja, die polnische Herzlichkeit ist subkutan. Man muss erst an der Oberfläche kratzen, ehe sie zum Vorschein kommt. Fremden gegenüber sind Polen meist viel vorsichtiger und schüchterner als Deutsche. Wer aber diesen ersten Schritt tut, wird (mitunter überreichlich) belohnt: die Eisschollen brechen im Sekundentakt.

Dutzende Male habe ich diesen Gang der Dinge als Moderator auf deutsch-polnischen Firmenjubiläen beobachtet: Zunächst gibt es eine ultrasteife Ansprache des polnischen Filialleiters, mit einer untertänigen Begrüßung der Gäste aus dem deutschen Mutterwerk. Danach wird am Cheftisch bei Bier und Häppchen eine höfliche Konversation gepflegt – und irgendwann, wenn die Deutschen aufhören, über Lieferanten und Fachmessen zu sprechen, bricht das Eis – manchmal sogar noch vor Mitternacht. Ein allgemeines Tanzen hebt an. Die deutschen Gäste sitzen schockerstarrt auf ihren Plastikstühlen – oh, nein! Tanzen! – und sehen voller Entsetzen, dass der polnische Direktor seine Krawatte in die Ecke feuert und zusammen mit der Chefsekretärin auf den Tisch springt.

Meine Empfehlung an alle deutschen Autofahrer: Wer von einem polnischen Verkehrspolizisten angehalten wird, sollte in die Herzlichkeitsoffensive gehen, statt stumm, brav und deutsch das Portemonnaie zu zücken. Einfach ein paar Minuten herumreden, einfach nur herumlabern, über alles Mögliche – außer über Geld oder gar Paragraphen. Nicht in Rechthaberei abgleiten! Es bringt nicht das Geringste, auf einen unfreundlichen Polen gleichermaßen zu reagieren; es weckt nur unnötig seinen Stolz. Man sollte sich strikt darauf verlassen, dass früher oder später der Mensch im Polizisten zum Vorschein kommen wird. Also weiterreden, ruhigen Gewissens auch über Privates, im Idealfall über die eigenen Kinder. Und irgendwann wird es passieren, dass der Pole grinst, sich kurz zu seinem Kollegen im Streifenwagen umdreht – und einfach »Weiter!« winkt.

Diese Warnung gilt auch für Geschäfts-Treffen. Unbedingt die deutsche Sachlichkeit zu Hause lassen! Erst einmal Atmosphäre aufbauen, gut essen, die polnischen Frauen loben, den polnischen Wodka loben, über Politik, Fußball, den deutschen Papst reden – aber bitte nicht sofort über Business! Immer wieder beobachte ich diese Disharmonie bei deutsch-polnischen Meetings. Die Polen reden über alles Mögliche – die Deutschen gucken auf die Uhr. Stets sind es schließlich die Deutschen, die entnervt sagen: »So, jetzt aber mal zur Sache . . .«

Herzlichkeit statt Sachlichkeit, Emotionen statt Argumente!

Wobei ich direkt warnen muss: Herzlichkeit kann auch kostspielig werden. Wer sich in Polen eine Zigarette oder ein Bonbon aus der Packung nimmt, ist nach ungeschriebenem Gesetz verpflichtet, allen Umstehenden davon anzubieten. Westliche Ausländer sind daran zu erkennen, dass sie, kaum haben sie ihren Genussgegenstand im Mund, die Packung sang- und klanglos wieder in der Hosentasche verschwinden lassen. Nicht gut!

Hitler und Hausmeister

Viele Leute wollen von mir wissen, ob einem Deutschen in Polen Feindseligkeit entgegenschlage. Sie sagen, dass sie Scheu hätten, in ein Land zu reisen, das wie kein anderes im Zweiten Weltkrieg terrorisiert wurde. Ich kann diese Scheu sehr gut verstehen, es ging mir nicht anders. Ich muss sogar gestehen, dass sich mein Vorwissen über Polen an jenem Tag im Jahr 1993, als ich erstmals nach Krakau fuhr, auf zwei Auto-Klau-Witze sowie die Kenntnis der KZ-Namen Auschwitz, Sobibor, Majdanek und Stutthof beschränkte.

Dieser erste Tag brachte auch gleich schon die erste Konfrontation mit der deutschen Geschichte.

Im Studentenheim »Bratniak«, wo die etwa zwanzig Teilnehmer unseres Polnisch-Sprachkurses untergebracht waren, bezog ich mein Zimmer zusammen mit einem Kieler VWL-Studenten namens Bernd Panzer. Nachdem ich zu meinem Verdruss erfahren hatte, dass er schon einigermaßen gut Polnisch sprach, schlug ich vor, in die Altstadt zu spazieren und das Krakauer Nachtleben zu begutachten. Bei eventuellen Bekanntschaften konnte Bernd uns mit seinen Kenntnissen ja dolmetschen! Gutmütig erklärte er sich dazu bereit, und wir verließen das Studentenheim. Als ich Panzer gerade fragte, ob er sich mit seinem Nachnamen eine große Zukunft in Polen ausrechne, bogen wir auf den Marktplatz ein. Plötzlich blieb ich wie vom Blitz getroffen stehen. An einem der mittelalterlichen Häuser sah ich ein rostiges, altes Straßenschild.

»Bernd!«, rang ich nach Luft. »Guck mal, da oben! Unglaublich!«

Das Schild hing in etwa drei Meter Höhe: »Adolf-Hitler-Platz«.

»Nein, das gibt's doch nicht!«, grinste Bernd auf seine norddeutsche trockene Art.

»Bernd, die Polen haben das Schild fünfzig Jahre lang übersehen!«

»Übersehen, meinst du?«

»Na, guck doch, es hängt verdammt hoch.«

Wir machten die Probe aufs Exempel, blieben einige Minuten unter dem Schild stehen und beobachteten die Gesichter der Passanten. Tatsächlich, es war so, niemand blickte nach oben. Langsam wurde uns klar, welch historische Mission uns das Schicksal zugedacht hatte. Fünfzig Jahre nach Kriegsende durften wir, zwei unbescholtene Nachgeborene, die letzten Symbole der deutschen Okkupation entfernen und damit ein weithin vernehmliches Zeichen für die polnische Bevölkerung setzen: »Wir Deutschen haben uns geändert!«

Aufgewühlt durchschritten wir das große Tor der Tuchhallen und gelangten auf die andere Seite des Marktplatzes. In eifriger Zwiesprache erwogen wir, wie die Sache am besten an die große Glocke zu hängen sei: Presse mobilisieren, Staatspräsident Wałęsa anrufen . . .

Da plötzlich zeigte Bernd auf drei schwarze Lastwagen, die vor der Marienkirche geparkt waren.

»Wurden die auch vergessen?«

Ich blickte in dieselbe Richtung. Nein, das ging zu weit. Diese Lastwagen mit Original-SS-Kennzeichen waren hier nicht vergessen worden. Hier wurde ein Film gedreht! Und tatsächlich: Durch die hohen gotischen Fenster der Kirche sah man riesige Scheinwerfer, die das Innere der Kirche ausleuchteten. Das Portal war mit einer weiß-roten Leine abgesperrt. Ein Wachmann wimmelte nächtliche Schaulustige ab und erklärte immer wieder, was hier gespielt wurde. Hollywood war nach Krakau gekommen, Steven Spielberg höchstpersönlich drehte einen Film namens »Schindlers Liste«. Wir waren genau an dem Tag angekommen, an dem Spielbergs Bühnenbildner den Krakauer Markt so verwandelt hatten, wie er vor fünfzig Jahren ausgesehen hatte.

Neben der Kirche stand ein zerbeulter Bus, in dem eine Gruppe Statisten saß. Sie trugen abgerissene Kleidung aus der Kriegszeit, tranken Tee – aus Wegwerf-Plastikbechern. Einmal lachten sie sogar laut. Spürte ich Erleichterung, dass alles nur Fiktion war? Ich weiß es nicht mehr. Eine hundertprozentige Fiktion war es ja eigentlich nicht. Sie spielten nach, was einmal wirklich geschehen war. Ich weiß aber wohl noch, dass ich Lust bekam, ebenfalls mal eine Statistenrolle zu übernehmen. Dieser Traum erfüllte sich sogar, wenn auch erst acht Jahre später. In Roman Polańskis oscargekröntem Film »Pianist« spielte ich einen deutschen Kriegsgefangenen, der . . . Aber halt! Stopp! Am Ende habe ich ihn ja gar nicht gespielt. Doch das erzähle ich in »Stalingrad«.

Man darf also mit Fug und Recht behaupten, dass meine historisch-gruseligen Befürchtungen sich sofort am ersten Tag bestätigten. Und so ist es nun mal in Polen. Wo immer wir deutschen Touristen hinkommen – überall werden wir mit der deutschen Geschichte konfrontiert: in Form von Kreuzen, Gedenktafeln, ewigen Lampen, Ruinen. Wer mir in meinem ersten Warschauer Jahr prophezeit hätte, dass ich eines Tages als Kabarettist durch Polen touren würde, wäre von mir fassungslos angeschaut worden.

»Wie bitte? In diesem Land soll ich am Mikrophon stehen und Witze erzählen?«

Was also war es, das mich den Schock der ersten Monate allmählich hat vergessen lassen? Es war die Diskretion der Polen. Was sich nämlich überhaupt nicht bestätigte, war die Vermutung, dass man uns Deutsche auf Schritt und Tritt spüren ließe, was unsere Großväter angerichtet haben. Tatsächlich wurde mir in all den polnischen Jahren niemals vorgeworfen, dass ich dem Land der Täter entstamme. Zu meiner Verwunderung war es sogar häufig umgekehrt. Gerade von alten Leuten wurde ich sehr oft regelrecht getröstet.

»Glauben Sie mir, die Russen waren viel schlimmer als die Deutschen!«

Ein besonders nett gemeinter Tröstungsversuch war der folgende.

Nach dem ersten Polnisch-Sprachkurs in Krakau kehrte ich nach Berlin zurück und beendete mein Studium. Im Jahr 1994 siedelte ich endgültig nach Warschau über. Ein Jahr lang arbeitete ich als Deutschlehrer im ältesten Gymnasium der Stadt, dem 1874 gegründeten Królowa-Jadwiga-Lyceum. Nach ein paar Tagen kam der Hausmeister auf mich zu, ein älterer Herr um die siebzig. Er klopfte mir auf die Schulter und sagte auf Deutsch:

»Guten Tag!«

»Guten Tag«, antwortete ich erfreut.

»Freut mich sehr, dass Sie bei uns arbeiten. Dann kann ich mich ja ab und zu mit jemandem auf Deutsch unterhalten.«

»Ja gerne! Wo haben Sie denn so gut Deutsch gelernt?«

»Ich habe in Deutschland gearbeitet.«

»Ah, verstehe. In der DDR!«

»Nein, früher, ich war damals fünfzehn Jahre alt.«

Ich kapierte nicht sofort, was mit »früher« gemeint war.

Dann fiel der Groschen. Der Herr war Zwangsarbeiter gewesen. Ich stammelte: »Das tut mir leid . . .«

»Das braucht Ihnen nicht leidzutun. Es war die beste Zeit meines Lebens! Ich habe auf einem Bauernhof in Bayern gearbeitet. Die Familie, bei der ich wohnte, behandelte mich wie ihren eigenen Sohn, ich bekam immer genug zu essen. In Polen wäre ich verhungert!«

»Aha, äh, sieh mal einer an . . .« Ich wusste wirklich nicht, wie ich reagieren sollte. Vielleicht mit einem beschwingten: ›Sehen Sie mal! War doch nicht alles so schlimm!‹???

»Also: Kommen Sie bitte manchmal bei mir vorbei, dann sprechen wir ein bisschen Deutsch, gut?«

»Ge. . . gerne.«

Mit schlechtem Gewissen gestehe ich, dass ich mich kein einziges Mal bei dem Mann habe blicken lassen. Er war rührend, aber ich wusste einfach nicht, worüber ich mich mit ihm unterhalten sollte. Über die gute alte Zeit?

Doch ich sage es noch einmal: auch die vielen älteren Polen, die nichts Gutes über die deutsche Okkupation zu erzählen hätten, erwähnten ihre Leiden nicht. Diskretion, Höflichkeit und Abneigung gegen direkte Konfrontation sind typisch polnisch, dazu kommt noch ein großes »Glück« für uns Deutsche: Nach den Nazi-Besatzern kamen die Sowjets – und blieben zehnmal so lange, nämlich bis 1990. Sie sind diejenigen, an die man heute in Polen voller Hass denkt, während die Deutschen den meisten Leuten nur noch aus polnischen Propaganda-Filmen der sechziger Jahre präsent sind. Wie etwa aus der berühmten Spionage-Serie »Stawka większa niż życie«, in der sich ein unverwundbarer polnischer Agent unter dem Decknamen »Kapitan Kloss« in die Wehrmacht einschmuggelt und äußerst effektive Sabotage betreibt.

Als Beweis für meine Behauptung kann übrigens mein damaliger Zimmernachbar Bernd Panzer dienen. Entgegen meinen Befürchtungen hat ihn sein Nachname in keinster Weise daran gehindert, in Polen sein Glück zu finden. Er machte in Krakau seinen Doktor, kaufte sich eine schöne Wohnung in der Altstadt und heiratete eine

Lebendige Geschichte: Gedenktafel für Opfer der deutschen Okkupation in Warschau.

nette Polin namens Agnieszka, die heute ebenfalls Panzer heißt. Ich war sein Trauzeuge.

Über meine Begegnungen mit der deutschen Nazi-Vergangenheit ließen sich noch viele Geschichten erzählen. Hier nur zwei; zunächst die einer alten Dame aus Olsztyn/ Allenstein. Sie schickt mir zwei Mal im Jahr ein dickes Paket Bonbons, weil ich sie an die erste Liebe ihres Lebens erinnere, einen deutschen Wehrmachtsoffizier, in den sie sich mit dreizehn Jahren verliebt hatte. Drei Jahre später sah sie ihn wieder, auf dem Rückzug aus Russland. Mit seiner zusammengeschmolzenen Einheit schanzte er Gräben vor dem Dorf. »Wir sterben auf dieser Wiese für den Führer! Und jetzt versteck dich, sie kommen!« Sie fand später seine nackte Leiche und nahm seine Fotos an sich, die über die Wiese flatterten. Als sie mich das erste Mal im polnischen Fernsehen sah, meinte sie, eine Ähnlichkeit zu jenem Offizier festzustellen. Deswegen die Bonbons.

Meine frappierendste Begegnung mit der deutschen Vergangenheit fand allerdings in Warschau statt, am Platz der Vereinten Nationen. Ich wartete an der dortigen Haltestelle auf den Bus in Richtung Zentrum. Plötzlich löste sich aus dem Pulk der Wartenden ein alter Mann und kam auf mich zu. Ich bemerkte gerade noch, dass er seltsam schwarzgefärbte Haare hatte, da sprach er mich auch schon auf Polnisch an.

»Przepraszam, kenne ich Sie nicht aus dem Fernsehen?«

»Dzien dobry.«

»Dzien dobry, Herr Steffen! Ich grüße Sie ganz herzlich! Ich bin ebenfalls Deutscher!«

Ich wechselte ins Deutsche.

»Na wunderbar, dann sprechen wir doch Deutsch! Guten Tag!«

»Lepiej nie«, wehrte der alte Mann auf Polnisch ab. »Ich habe alles vergessen, ich spreche seit sechzig Jahren nur noch Polnisch.«

Ich war etwas irritiert, ließ mir aber nichts anmerken und sprach wieder Polnisch.

»Ach, das finde ich ja toll! Ich quäle mich nun auch schon bald zehn Jahre. Eine schwere Sprache, nicht wahr?«

Der alte Mann sah mich zögernd an.

»Ich war bei der Wehrmacht.«

»Äh, wie bitte? Aha . . . äh . . . Und wie kommt es, dass Sie hiergeblieben sind? Haben unsere Jungs Sie hier vergessen?«

»Ich bin Deserteur.«

Er machte eine bedeutungsvolle Pause und beobachtete meine Reaktion. Niemals in meinem ganzen Leben habe ich mich stärker um ein Pokerface bemüht als in diesem Gespräch. Dann fuhr er mit offensichtlicher Erleichterung fort. »Ich war achtzehn Jahre alt. Zusammen mit einem Freund waren wir bei der Verteidigung von Breslau dabei, 1945, und als es nur noch ein paar Tage bis zur Eroberung durch die Russen waren, hat ein alter SS-Mann zu uns gesagt: ›Haut ab, wir sterben alle.‹ Und da sind wir hierher, ins zerstörte Warschau und haben uns in den Trümmern versteckt.«

Ich starrte den alten Mann ungläubig an.

»Ja, dann habe ich eine gute Nachricht für Sie: Der Krieg ist vorbei. Sie können zurück!«

Er lächelte minimal.

»Nein, ich kann nicht zurück ins Reich. Es geht nicht. Die Schande ist zu groß. Ich bin ein Deserteur.«

Nun war ich aber wirklich sprachlos. Stotternd fragte ich, ob ich etwas für ihn tun könne. Auf diese Frage hatte er ganz offensichtlich gewartet. Lebhaft streckte er mir die Hand hin. »Ich würde Ihnen gerne die Hand schütteln und Ihnen einfach nur danken für all das, was Sie durch Ihre Fernsehauftritte für uns Deutsche in Warschau getan haben!«

»Ja, gibt's denn noch mehr von Ihrer Sorte?«

»Nein, mein Kumpel ist tot.«

Langsam wurde mir das alles ein bisschen zu grotesk. Widerstandslos ließ ich mir von dem alten Mann die Hand schütteln. Freudestrahlend reckte er sie hoch in die Warschauer Luft.

»Diese Hand werde ich bis an mein Lebensende nicht mehr waschen!«

Unsicher fixierte ich die Wartenden an der Bushaltestelle. Sie schienen zum Glück nichts von unserem deutschdeutschen Stelldichein bemerkt zu haben.

»Na, dann alles Gute. Ich muss jetzt leider weiter.«

»Do widzenia, Herr Steffen. Alles alles Gute!«

Er winkte mir hinterher. Statt aber weiter auf den Bus zu warten, hetzte ich von dannen.

Die sechs wichtigsten polnischen Wörter für den Touristen

Danke – Dziękuję (Dschenkuje)

Bitte – Proszę (Prosche)

Guten Tag – Dzień dobry (Dschen dobre)

Auf Wiedersehen – Do widzenia (Do widsenja)

Entschuldigung – Przepraszam (Pscheprascham)

Zum Wohl – Na zdrowie (Na strowi-e)

Improvisation

Polen sind Meister der Improvisation. Man könnte es auch andersherum sagen: Ohne Improvisation läuft in Polen gar nichts. Geplant wird nämlich nicht besonders gerne. Es gilt das eherne Gesetz: Alles auf den letzten Drücker.

Hunderte Male habe ich Klagen meiner Studenten über die Leitung des Linguistik-Instituts gehört, weil zum Beispiel das Vorlesungsverzeichnis erst in der zweiten Woche des neuen Semesters feststand. Wenn ich versicherte, dass deutsche Professoren ihre Veranstaltungen für das nächste Semester noch in der Mitte des letzten Semesters annoncieren müssen, wurde ungläubig geseufzt. Ein polnischer Professor würde nur große Augen machen, wenn sein Vorgesetzter Ähnliches von ihm verlangen würde.

Genauso wie an der Uni ist es auf Baustellen. Worin liegt der Unterschied zwischen einer Berliner und einer Warschauer Baustelle? In Berlin steht ein Schild: »Ende der Bauarbeiten: 17. September 2007«. Auch in Warschau steht ein Schild; aber dort ist zu lesen: »Beginn der Bauarbeiten: 17. September 2007«. Ende? Völlig offen.

Diese aus deutscher Sicht verkehrte Welt gilt auch auf den Warschauer U-Bahn-Stationen. Während auf den Bahnsteigen weltweit die Zeit bis zur Ankunft des nächsten Zugs angezeigt wird, kann man von der Warschauer Anzeigetafel lediglich erfahren, wie viel Minuten seit der Abfahrt des letzten Zuges verstrichen sind. Selbstredend darf aus dieser Information keinerlei Schluss auf die zu erwartende Ankunft des nächsten Zuges gezogen werden.

Verlage geben keine Vorankündigungskataloge heraus. Niemand kann im Herbst vorhersagen, was im Frühjahr auf dem polnischen Buchmarkt geschehen wird. Doch halt! Warum müssen Bücher eigentlich nur im Frühjahr und im Herbst herausgegeben werden? Das ist deutsches Denken. Bücher erscheinen in Polen zu jeder Saison, nämlich immer dann, wenn ein Verlag gerade Lust darauf hat. Mangels Koordination der Verlage untereinander gibt es in den Buchhandlungen auch kein Gesamtverzeichnis lieferbarer Bücher in polnischer Sprache, allenfalls einzelner Grossisten.

Meister der Improvisation ist das polnische Staatsfernsehen. Änderungen in letzter Minute sind an der Tagesordnung. Auch deshalb ist die (in den Privatsendern längst obsolete) Institution des Ansagers trotz aller Reform-Konzepte noch nicht abgeschafft worden. Es muss halt immer einer bereitstehen, der wegen einer unvorhergesehenen Änderung mal eben vor die Kamera tritt und es den Leuten erklärt.

Es gibt allerdings zwei Situationen, in denen Polen hervorragend planen können. Das sind zum einen Hochzeiten, zu denen die Einladungen mindestens anderthalb Jahre vor dem Termin ins Haus flattern. Und zum anderen sind es Billigflüge. Ich sehe es, wenn ich am Warschauer Flughafen bin. Im Terminal »Etiuda«, von dem die Billigflieger starten, stehen Trauben von Passagieren, die teilweise schon vor einem halben Jahr ihr Ticket gebucht haben.

Es gibt sie also auch in Polen, die Langzeitplaner. Auf solche Menschen bin ich neidisch. Ich gehöre nicht zu ihnen. Mir sind im Leben fast alle guten Gelegenheiten entgangen, weil ich entweder zu unschlüssig war oder ganz einfach die Anmeldefrist verpasst habe, sei es bei den Sportkursen an der Uni oder beim Zeichnen für neue, vielversprechende Börsenpapiere.

Heißt das nicht, dass ich polnischer bin als so mancher Pole? Ja, und deshalb sage ich mir zum Trost: Planen hat keinen Charme, und Improvisieren ist sexy. Wer improvisieren kann, ist spontan und flexibel.

Und wehe, du kannst es nicht! Dann giltst du sofort als lebensuntauglich. In Polen gibt es die Redensart vom »goldenen polnischen Händchen«. Damit ist die Haupteigenschaft jener Millionen von Immigranten in Deutschland und England gemeint, die behäbigen deutschen Anti-Improvisateuren, sprich: den Klempnern und Elektrikern, die Arbeit wegnehmen. Während der deutsche Handwerker ratlos die Hände ringt, biegt der Pole derweil aus Draht, alter Schuhsohle und Apfelschalen einen neuen Abfluss für die Wanne zurecht.

Berliner Freunde hatten übers Wochenende polnische Gäste, und die Wohnzimmertür quietschte schon seit drei Wochen schrecklich. Abends war alles behoben. Die Polen lächelten zufrieden.

»Ja, habt ihr euch die Mühe gemacht und Schmieröl gekauft?«, fragten die Gastgeber.

»Quatsch. Butter!«

Für Polen sind die deutschen Männer, die bei jedem Mist einen Handwerker rufen, gar keine richtigen Männer.

Die Devise lautet: einfach selber mal kurz Hand anlegen!

Natürlich kann ich da nicht zurückstehen und bin heute ebenfalls ein Meister der Improvisation.

Eines Tages rief mich der Chef einer Kulturfabrik in Hinterpommern an.

»Könnten Sie am 24. bei uns auftreten?«

»Moment mal«, sagte ich, »meinen Sie 2007 oder 2008?«

»Ist das Ihr Ernst? 2007 natürlich.«

»Na gut, dann schaue ich mal im Kalender, ob ich nächsten Monat am Vierundzwanzigsten Zeit habe.«

»Wieso nächsten Monat? Im April, Herr Steffen! Übermorgen!«

Was soll man machen. Zwei Tage später stand ich auf der Bühne. Und in der Umkleidekabine habe ich den quietschenden Kleiderhaken repariert.

Mit Butter.

Individualismus

In Polen ist man überzeugt, dass wir Deutschen eine typische Kollektiv-Nation sind, nach dem Prinzip »Führer befiehl – wir folgen«. Die Polen selbst halten sich dagegen für extreme Individualisten, worüber sie heftig klagen – aber klammheimlich stolz darauf sind. Meine Proteste, dass die Deutschen in Wahrheit die schlimmeren Individualisten seien – sichtbar an der Single-Kultur der Großstädte –, verhallen ungehört.

Die leidenschaftlichste Selbstkritik des polnischen Individualismus, die ich je gehört habe, stammt von Jan Nowak-Jeziorański, dem legendären Kurier, der während der deutschen Okkupation Nachrichten aus dem Warschauer Widerstand zur Londoner Exilregierung schmuggelte und später in München für Radio Freies Europa arbeitete.

»Ich habe Angst vor dem Übermaß an Individualismus in Polen, davor, dass jeder Pole ein Minister ohne Geschäftsbereich ist. Wir haben nichts dazugelernt! Schon einmal haben wir unsere Unabhängigkeit verloren, weil unsere Adligen keine Steuern für die Verteidigung ihres Landes zahlen wollten. Unser Charakter macht mir Angst, weil er Freiheit zu Anarchie pervertiert, und Anarchie führt zum Zusammenbruch des Staates.« (Zitiert von J. Kurski in der Gazeta Wyborcza vom 20.01.2006.)

Der Zusammenbruch des Staates steht Polen zwar in mittelferner Zukunft wohl kaum bevor, doch die tägliche Dosis an Individualismus genügt in der Tat, um das Leben zu erschweren. In Polen etwas Größeres als eine Hochzeit zu planen ist eine undankbare Aufgabe.

Das beste Beispiel ist der seit Jahrzehnten verschleppte Autobahnbau. Hier herrscht die Haltung vor: »Natürlich, wir brauchen Autobahnen, aber bitte sehr, nicht vor meiner Tür.« Während in Polen die gesamten neunziger Jahre hindurch diskutiert wurde, ob man die Diskussionen vielleicht endlich mal abschließen sollte, haben die tschechischen Nachbarn phantastische Autobahnen gebaut, obwohl sie in einer ähnlich schwierigen politischen und finanziellen Situation wie Polen steckten.

Neulich habe ich erfahren, dass die zehn größten Berliner Diskotheken einige Male im Jahr eine gemeinsame Aktion durchführen. Man kann eine Sammeleintrittskarte erwerben, die für alle Clubs gilt, auch für die Shuttlebusse, die zwischen den Clubs pendeln. Außerdem ist in der Karte ein Freigetränk enthalten. Unmöglich, sich eine solche konzertierte Aktion in Polen vorzustellen. Da müsste es ja erstens einen Initiator geben, der die Kollegen der anderen Clubs anruft – was den übrigen Managern das

Geständnis abverlangen würde, dass es nicht ihre eigene Idee war. Zweitens würde allgemeines Misstrauen gegen den Initiator ausbrechen.

»Hier gibt es sicherlich einen Haken. Er versichert uns zwar, dass die Aktion in unserem gemeinsamen Interesse sei – in Wirklichkeit ist wahrscheinlich der Besitzer der Shuttlebusse ein Cousin von ihm, und sie teilen sich den Gewinn. Danke, ohne mich!«

In diesem Land ist es schwierig, Absprachen zu treffen, und noch schwieriger, die eigene Eitelkeit dem Allgemeinwohl unterzuordnen.

Wenn man sich im Winterurlaub für die Tatra oder die Beskiden einen Skipass kauft, ist noch lange nicht gesagt, dass er auch tatsächlich überall im jeweiligen Skigebiet gilt. Wie etwa in Korbielów. Man hat sich eine teure Skilift-Tageskarte gekauft, und hundert Meter weiter erfährt man plötzlich, dass die Karte nicht für den besten Lift weit und breit gilt, weil der einem Bauern gehört, der keine Lust hatte, dem Zusammenschluss der Liftbesitzer beizutreten. Nur für diesen einen Lift muss man dann eine Extrakarte kaufen.

Mein Lieblingsbeispiel für schrankenlosen Individualismus ist und bleibt aber die Anarcho-Architektur auf dem Land. Auch wenn ein Bebauungsplan vorliegt, werden tausend Ausnahmen genehmigt; es herrscht de facto vollkommene Willkür. Der eine kauft sich grüne Dachziegel, der andere blaue. Einer verputzt seinen Rohbau, dem Nächsten ist der Putz egal. Wieder ein anderer errichtet neben der Scheune einen zwanzig Meter hohen Turm für seinen kleinen Sohn, damit der besser mit dem Luftgewehr auf die Schwalben schießen kann.

So werden viele Dörfer zu einem Sammelsurium von

Provisorien, weil keiner Lust hat, sich mit dem Nachbarn abzusprechen – und keine übergeordnete Behörde den Finger draufhält.

Fast die gleiche Willkür trifft man auch in der Stadt an. In der Nähe meiner Wohnung befindet sich eine Reihe von acht Garagen. Es gibt dort keine zwei Garagentore, die die gleiche Farbe hätten. Türkisblau neben braun – und dann orange und so weiter. Meine Besucher aus Deutschland finden das witzig, doch ich habe manchmal einfach genug von dem ganzen Individualismus.

In solchen Situationen hört man förmlich, wie die Spatzen von den Bäumen »liberum veto« zwitschern, die unselige Formel, an der im Jahr 1772 die erste Republik zerbrach. In jenem Sejm, der radikalsten Demokratie, die es je gab, hatte jeder kleine Landedelmann das Recht, sein Veto einzulegen – und damit war dann alles hinfällig. Mehrheitsbeschlüsse gab es nicht. Der Staat war so nicht mehr in der Lage, russischen, preußischen und österreichischen Territorialansprüchen entgegenzutreten. Der König wurde hoffnungslos geschwächt, Polen aufgeteilt.

Anspielungen auf die EU-Gipfel-Streitereien des Jahres 2007 und die isolierte Haltung Polens gegenüber den übrigen sechsundzwanzig Mitgliedsstaaten sind hier rein zufällig. Diesmal waren es die Brüsseler Spatzen, die höhnisch nachzwitscherten: »Quadratwurzel oder Tod«.

Bleibt mir aber noch von der angenehmen Seite des polnischen Individualismus zu reden. Vielleicht überwiegt sie sogar sämtliche seiner Schattenseiten. Ich meine die herrliche polnische Toleranz, die man von mir aus auch Gleichgültigkeit nennen kann. In einer Nation, wo jeder seinen eigenen Problemen nachsinnt, gibt es keine Oberlehrer,

Im Land der Querdenker.

keine Weltverbesserer, keine Denunzianten. Die Polen lassen mich wurschteln, wie ich will. Ich kann in der Mittagspause mit dem Staubsauger herumfuhrwerken, ohne dass die Nachbarn die Polizei benachrichtigen. Ich kann meinen Balkon rot streichen, ohne dass eine außerordentliche Mieterversammlung einberufen wird. Ich kann sogar mein Auto rückwärts gegen die Einbahnstraße parken, ohne dass ein Taxifahrer mir meinen Seitenspiegel verbiegt.

All die heftigen Aggressionen, die man täglich in Deutschland erlebt, weil sich alle für alles verantwortlich fühlen, gibt es in Polen nicht. Und das finde ich als Individuum jetzt einfach mal total angenehm.

Doktor Jekyll und Mister Hyde

Heute weiß ich, dass Polen nicht nur geographisch, sondern auch mental genau zwischen Finnland und Italien liegt. Die Polen sind die Italiener des Nordens.

Diese Kompromissformel liest sich schnell, doch ihre Formulierung hat mich Blut, Schweiß und Tränen gekostet.

Am Anfang war nämlich nur Finnland. Ich kann mich noch genau an das ungute Gefühl erinnern, das mich überkam, wenn ich in Warschau morgens in eine Straßenbahn einstieg. Egal, wie voll die Bahn war, immer herrschte völlige Stille. Alle starrten aus dem Fenster oder auf den Boden und hielten krampfhaft ihre Portemonnaies und Handys fest. Niemand sprach. Sogar pubertäre Schüler saßen brav auf ihren Plätzen und blätterten schweigend in ihren Heften.

Ich war enttäuscht. Natürlich hatte ich in einer polnischen Straßenbahn kein neapolitanisches Volksfest erwartet, doch auch keine Ansammlung von trübsinnigen Autisten. Ich überlegte, ob die Stille vielleicht der frühen Stunde zuzuschreiben war – gut möglich, dass ich unter ein Völkchen von Morgenmuffeln geraten war! Wie ich aber leider bald feststellen musste, herrschte diese Stille nicht nur morgens und nicht nur in der Straßenbahn, sondern auch mittags, abends und an allen öffentlichen Orten, in Ämtern, Bussen, Zügen. Überall benahmen sich die

Polen distanziert, ja geradezu misstrauisch. Am schlimmsten spürte man es bei Telefongesprächen. Die Kälte dampfte aus dem Hörer wie Trockeneis, egal ob ich es mit der Auskunft oder einem Minizoo-Händler zu tun hatte.

Meine Sympathie für Polen stand auf dem Spiel. In dieser Atmosphäre, so war ich mir sicher, würde ich es keine zwei Monate aushalten.

Den »Kinnhaken« holte ich mir immer im kleinen Zeitschriftenladen neben der Videothek. Wenn ich den Laden betrat, kam es häufig vor, dass die junge Frau hinter der Theke gerade telefonierte. Sobald sie mich kommen sah, flüsterte sie mit dahinschmelzender Stimme in den Hörer: »Liebling, ich muss Schluss machen!« Und knallte mir dann, kaum war der Hörer aufgelegt, ein mürrisches »Ich höre?« um die Ohren.

Aber eines Tages passierte etwas Seltsames. Als ich das Spielchen zum dritten oder vierten Mal mitmachte, erinnerte ich mich an die Geschichte von Doktor Jekyll und Mister Hyde. Ein Pole in der Öffentlichkeit ist wie der fiese Mister Hyde. Aber darf man Doktor Jekyll dafür verantwortlich machen, was sein nächtlicher Doppelgänger treibt? Okay, die Frau behandelte mich wie eine lästige Zecke, aber das tat sie nur wie unter Hypnose. Sobald sie mit einem Menschen aus ihrem Privatleben sprach, verschwand die Ekelmaske schlagartig.

Jawohl, die Polen sind manchmal mürrischen Finnen ähnlich, aber nur Fremden gegenüber. Gegenüber Freunden oder Familienangehörigen fällt die Maske, und sie werden lebhaft wie Italiener. Diese Wechselblütigkeit stört uns Deutsche. Wir sind ein gemäßigtes Land, stets wohltemperiert – ich würde sogar sagen, dass es umgekehrt ist: Wir sind in der Arbeit lebhafter als zu Hause.

Einmal, an der Kasse eines Supermarktes, fiel mir auf, wie sehr ich mich bereits an den polnischen Kontrast zwischen öffentlichem und privatem Leben gewöhnt habe. Ich stand in der Schlange, als ich hinter mir Engländer hörte, die ungeniert laut miteinander sprachen. Ich vermutete einen Streit, bis ich bei genauerem Hinhören und diskretem Hinschauen bemerkte, dass es sich um eine elegante Dame mit ihrem Sohn handelte, die ganz harmlos Zloty in Pfund umrechneten.

»Was für eine ordinäre Schreierei«, dachte ich, bevor mir Sekunden später klar wurde, dass ich wie ein Pole reagiert hatte. In Polen gilt es als primitiv, sich laut in der Öffentlichkeit zu unterhalten. Einem quengelnden Kleinkind, das die ganze Warteschlange vor der Kasse nervt, kauft man lieber rasch einen Lutscher, damit es nur ja den Mund hält. Familienstreits im Supermarkt, eheliche Meinungsverschiedenheiten auf Autobahnraststätten habe ich nie erlebt – das spielt sich fein zu Hause, hinter verschlossenen Türen ab.

Nun muss ich aber doch auch mal was Gutes über mein Vaterland sagen.

In Polen glaubt mir keiner, wenn ich behaupte, dass in Deutschland, zumindest auf der Straße, eine größere Herzlichkeit als im sonst so warmherzigen Polen herrsche. Naja – Herzlichkeit ist vielleicht zu viel gesagt, Herzlichkeit gibt es in Thailand. Aber man geht doch zumindest offener, hilfsbereiter miteinander um.

Als ich einmal am Mannheimer Bahnhof Probleme mit einem Fahrkartenautomat hatte, trat ein junger Mann hinzu – ohne dass ich ihn im Geringsten darum gebeten hatte. Er nahm mir meine Kreditkarte aus der Hand und erklärte mir, wie man sie richtig einzuführen habe. Gleich am nächsten Tag erlebte ich etwas Ähnliches in Berlin. Ein Mädchen kam mit seinem Freund am Arm auf mich zu und fragte freundlich, wo ich meine Jeansjacke gekauft hätte. Sie wolle sich eine ähnliche zulegen.

In beiden Fällen reagierte ich wie ein Pole: Ich machte einen Schritt zurück und musterte die Leute misstrauisch, als ob sie mir an die Brieftasche wollten.

Die Abneigung gegen offenes Agieren im öffentlichen Raum ist einer der Gründe dafür, warum Polen, die in Deutschland oder England leben, praktisch keinen Anteil am öffentlichen Leben nehmen. Während junge Türken oder Russen allmählich aus dem Schatten des Migrationshintergrundes treten, bleiben Polen eher ängstlich und unscheinbar, obwohl sie zu den größten Einwanderergruppen gehören. Man braucht nur einmal zu einem Grundschulelternabend zu gehen. Die polnischen Eltern sitzen schüchtern da und hören erstaunt zu, wie Deutsche sich in aller Öffentlichkeit die Meinung sagen. Sie sind den westlichen Diskussionsstil nicht gewöhnt; er kommt ihnen unhöflich, ja geradezu aggressiv vor.

Die strikte Trennung der öffentlichen und privaten Sphäre hat natürlich auch Einfluss auf die polnische Demokratie. Sie wird nicht auf der Straße, sondern in den Medien ausgefochten. Undenkbar, dass die Parteien am Samstagvormittag in Warschaus (kurzer) Fußgängerzone ihre Stände aufbauen und bunte Luftballons verteilen würden. Nur ganz selten halten Politiker auf Marktplätzen öffentliche Reden; es sei denn, sie müssen ein Denkmal enthüllen. Politische Auseinandersetzung findet in den Medien statt, also im Schutz sicherer Distanz. Zwar gehört Politisieren zur Definition eines richtigen polnischen Mannes, aber am liebsten beim Mittagessen, im Kreis der Familie.

Deutsche haben im Kontakt mit Polen natürlich das umgekehrte Problem. Bei Diskussionen zwischen Studenten- oder Schüleraustausch-Gruppen dominieren stets die westlichen Teilnehmer, während die Polen erst nach Beendigung des offiziellen Teils erstarken. Sie sitzen dann in Gruppen auf dem Gras, singen, spielen Gitarre, tanzen – während die deutschen Wortführer allein und verbiestert durch das Gelände irren. Und wehe, die Polen fordern die einsamen Deutschen ganz unschuldig zum Tanzen auf. Krampfhaft schlagen sie die Beine übereinander, klammern sich an ihre Bierflasche und repetieren im Geist kurz Habermas' Regeln zum herrschaftsfreien Diskurs.

Jung und Alt

Auf den ersten Blick scheint die polnische Gesellschaft sehr homogen zu sein. Im Vergleich zu Berlin oder Paris trifft man hier auf den Straßen kaum Ausländer an. Die größte Gruppe sind die Vietnamesen, die man auf etwa 50 000 Menschen beziffert. Es gibt auch nur vier große Fernsehsender, weshalb alle Polen mehr oder weniger die gleichen Sendungen gucken. Traditionen sind heilig. Weihnachten und Ostern verbringt achtundneunzig Prozent der Bevölkerung im Kreis der Familie. Während der Feiertage ist es fast unmöglich, eine Kneipe zu finden, die nicht geschlossen hat. Auch die polnische Sprache ist ungewöhnlich einheitlich. Es gibt nur wenige lokale Dialekte (Oberschlesisch und das bereits ins Slowakische hinüberspielende »Góralisch« der Bergbewohner aus dem Tatra-Gebirge), nicht zu vergleichen mit Deutschland, Italien oder England, wo manchmal sogar benachbarte

Städte einen anderen Zungenschlag haben. Ein Bewohner des nordwestpolnischen Stettin ist sprachlich nicht von einem Bewohner des ostpolnischen Lublin zu unterscheiden.

Erst nach einer gewissen Zeit bemerkt man, wie stark das Land trotz allem auch gespalten ist. Es gibt das postkommunistische Polen und das Polen der ehemaligen Solidarność-Kämpfer, das reichere Westpolen und das ärmere Ostpolen, das katholische und das laizistische Polen. Was aber vor allem ins Auge fällt, ist der Unterschied zwischen Jung und Alt.

Polen wird – sehr im Unterschied zu Deutschland oder Japan – von der jüngeren Generation beherrscht. Ein Methusalem-Komplott ist beim besten Willen nicht zu konstatieren. Die wichtigsten Positionen und das große Geld sind fest in den Händen der Jungen. Dreißigjährige können in Polen schon höhere Positionen wie Abteilungsleiter oder Projektmanager bekleiden; mit vierzig kandidiert man dann zum ersten Mal für das Präsidentenamt. Als ich 1994 nach Polen kam, konnte ich kaum glauben, dass der damalige Premierminister Waldemar Pawlak erst 36 Jahre alt war – ein Alter, in dem deutsche Jungpolitiker Referentenkölfferchen schleppen.

In den Marketingabteilungen weiß man das natürlich schon seit langem. Auf Reklametafeln und in Anzeigenkampagnen werden zumeist nur die jungen Leute angesprochen, erkennbar am Duzen und am saloppen Stil. Wer älter ist als fünfundvierzig Jahre, gehört zur Lost Generation. Er ist arbeitslos oder lebt von einer bescheidenen Rente (umgerechnet maximal zweihundert Euro), bei Lebenshaltungskosten, die etwa 80 Prozent der deutschen Kosten betragen. Das reicht gerade, um die nötigsten Lebensmittel einzukaufen. Alte Menschen leben in regelrechten Ghettos, etwa den billigen Markthallen vom Typ der Hala Mirowska in Warschau. Zwischen sieben Uhr morgens und fünfzehn Uhr nachmittags drängeln sie sich zwischen den Gemüseständen – um danach komplett von den Straßen zu verschwinden. Die Abende sind den Jungen vorbehalten, so wie auch die exklusiven Einkaufs-Malls, die Restaurants und die Autohäuser. Das einzige Gut der Alten ist ihre Wohnung, die sie im Kommunismus noch günstig erstehen konnten.

In Deutschland wundere ich mich inzwischen, wenn ich am Steuer eines Mercedes oder BMW einen sechzigjährigen Fahrer erblicke. Wenn man in Polen ein teures Auto sieht, kann man sicher sein, dass sein Besitzer unter fünfzig, meist sogar unter vierzig ist. Die vor 1960 geborenen Polen sind die Verlierer des Systemwechsels von 1989. Sie haben kaum eine Chance auf einen neuen Job und werden niemals Urlaub in Scharm elScheik machen. Dort laufen junge Polen alten Deutschen über den Weg.

Es ist aufschlussreich, die erniedrigende Lage der Älteren in Polen mit der Situation ihrer Generationsgenossen in Deutschland zu vergleichen. Sie könnte kaum verschiedener sein. Meine Eltern sind seit vierzig Jahren bei demselben Arbeitgeber angestellt (vor kurzem großes Jubiläum, dazu eine Prämie); sie haben während dieser Zeit weder Bank noch Kontonummer gewechselt; alle drei bis fünf Jahre wird ein neues Auto angeschafft. Seit vierzig Jahren abonnieren sie auch die gleiche Zeitung. Ihre Rente ist gesichert. Sie blicken mit Selbstvertrauen und Stolz auf das Erreichte und können ihren Kindern gegenüber liberal sein.

Dagegen versuche ich mir manchmal vorzustellen, was

Ob jung oder alt: Improvisieren kann in Polen jeder.

ich wohl machen würde, wenn ich sechzig Jahre alt wäre und irgendwo arbeitslos in Hinterpommern oder Masuren leben würde. Ich weiß es nicht. Vielleicht würde ich eine Stelle in einem Supermarkt suchen und leere Einkaufswagen zusammenschieben. So könnte ich mir zumindest immer die neuesten Geländewagen anschauen – auf dem Parkplatz.

Katholische Kirche

Man erwarte hier, bitteschön, keine theologische Erörterung über die Quaestio, worin genau das Wesen des polnischen Katholizismus im Unterschied zum italienischen oder spanischen bestehe.

Es ließe sich natürlich einiges anführen, etwa die Rolle der Heiligen. Sie genießen in Polen nicht die gleiche Verehrung wie in anderen katholischen Ländern, sondern werden überstrahlt vom Bild der Muttergottes, die als Königin Polens gilt – woran sofort zu sehen ist, dass der polnische Katholizismus eine sehr nationale Färbung hat. Die überragende Bedeutung Marias wiederum beeinflusst die Rolle der Frau in Polen und hat Anteil an ihrer einzigartigen Holdheit.

Aber ganz ehrlich – das sind alte Hüte, die jeder abliefert, der auch nur im Entferntesten mal etwas von Polen gehört hat. Und ich will doch in diesem Buch striktamente nur über diejenigen polnischen Dinge reden, die ich selber beobachtet habe . . .

Nun ist aber sogar dieser bescheidene Anspruch im Fall der katholischen Kirche für einen geborenen und sogar studierten Protestanten nicht ganz einfach aufrechtzuerhalten. Vier oder fünf Visiten in katholischen Messen berechtigen nicht zu allzu weitreichenden Schlussfolgerungen. Meine Neugierde wird ja schon beim Betreten katholischer Kirchen halb im Keim erstickt durch die

Peinlichkeit, dass ich als Einziger weit und breit nicht den Finger ins Weihwasser tunke. Und während der Gebete meine ich Aufsehen zu erregen, weil ich nicht wirklich tief hinunter auf die Kniebank gehe. Beim Friedensgruß blicke ich verschüchtert vor mich hin, statt meinen Banknachbarn leutselig die Hand zu schütteln. Vollends darf ich mir kein Urteil anmaßen über die Tiefe polnischer Predigten, ist doch mein Polnisch noch immer nicht elastisch genug, um bis in die letzten Feinheiten einer zwanzigminütigen Bibelexegese zu schlüpfen. Ich kann ja nicht einmal das Vaterunser auf Polnisch auswendig.

So bleibt mir nichts anderes übrig, als mich ausgerechnet in diesem heiklen Thema auf die Schlüssellochperspektive zu verlegen. Genauer gesagt: Auf die Fensterbrettperspektive. Ich werde nicht über DIE katholische Kirche Polens sprechen, sondern über EINE katholische Kirche – nämlich diejenige, neben der ich zufälligerweise nun schon über zwölf Jahre lang wohne.

Ich mag ihr Glockengeläute, werktags immer um zwölf Uhr, manchmal wie aus heiterem Himmel auch um fünfzehn Uhr. Sie heißt »Sankt Augustinuskirche« und befindet sich, so wie mein Wohnblock, im Warschauer Stadtteil Muranów. Gebaut wurde sie um 1895 im neogotischen Stil. Mit ihrem hyperschlanken roten Backsteinturm ragt sie weit über die Gebäude und Bäume der Nowolipki-Straße empor. Bei der systematischen Zerstörung des jüdischen Ghettos 1943 wurde sie von den Deutschen als einziges Gebäude im Umkreis von zwei Quadratkilometern stehen gelassen. Das Foto von der Mondlandschaft rings um den verrußten Glockenturm ging um die Welt.

1959, als das Viertel gerade wieder im stalinistischen Zuckerbäckerstil aufgebaut worden war, kam es hier zu einem Marien-Wunder. Mein Friseurmeister Pan Jan, der gleich gegenüber der Kirche einen kleinen Laden betreibt (ein guter Schnitt für den Herrn kostet umgerechnet fünf Euro), hat es mir haarklein berichtet. Er war damals neunzehn Jahre alt und sollte am nächsten Tag zu seinem zweijährigen Militärdienst abgehen. In der Abenddämmerung erschien über der Kirchturmspitze ein helles Licht, das drei Abende lang wiederkehrte. Viele wollten im gleißenden Licht den Schemen der Muttergottes ausmachen, doch

Die St.-Augustinus-Kirche in Warschau-Muranów, halb verdeckt von meinem Wohnblock.

Pan Jan ist bis heute skeptisch, ob es sich nicht schlichtweg um ein elektrostatisches Phänomen gehandelt hat. Immerhin muss auch er bestätigen, dass sich – sehr zum Unwillen der kommunistischen Milizionäre – Tausende von Menschen versammelten, Kranke herbeigetragen wurden, von denen einige den Platz geheilt verließen. Heute erinnert eine Marienstatue vor der Kirche an das Ereignis. Zu jeder Tageszeit knien Menschen an dem kleinen Zaun, abends brennen ewige Lampen. Ältere Damen bekreuzigen sich im Vorübergehen, Männer lüften den Hut, auch wenn sie nur im Bus vorüberfahren.

Sonntags gibt es mindestens drei Messen, die dankenswerterweise nicht durch Glockenläuten angekündigt werden. Ich vermute allerdings weniger Rücksichtnahme auf nichtkatholische Anwohner als vielmehr ruhiges Selbstbewusstsein der Kirchenchefs.

»Wozu läuten, wenn sowieso alle kommen?« Und da ist es, dieses herrliche Selbstbewusstsein. Die katholische Kirche Polens zeichnet sich durch souveräne Gelassenheit aus. Das hektische, inquisitorische Image, das ihr durch westliche Berichterstatter verpasst wird, ist ein hohler Popanz. Freilich erhebt der Kardinal-Primas gelegentlich in den Abendnachrichten seine Stimme, etwa wenn holländische Abtreibungsschiffe in Gdingen anlegen wollen – aber an der Basis in Warschau-Muranów kommt davon so viel an, wie von einer Erste-Mai-Ansprache des IG-Metall-Vorsitzenden in den eisenverarbeitenden Betrieben des Hochsauerlands.

Ja, es sind tatsächlich fast alle, Alt und Jung, Gebildet und Ungebildet, die sonntags in die Augustinuskirche strömen. Bei der bestbesuchten Messe, abends um halb sieben, versammeln sich dermaßen viele Menschen, dass sie bis hinaus auf den Hof stehen. Es ist mir peinlicherweise schon mehrmals passiert, dass ich mit Besuchern, denen ich das Mariendenkmal zeigen wollte, just in dem Moment in den Hof hineinstiefelte, als die Gläubigen gerade niederknieten.

Charakteristisch für polnische Katholiken (eigentlich ja ein Pleonasmus, bei 99-prozentiger Identität dieser beiden Wörter) ist aber, dass ich deswegen noch niemals einen strafenden Blick geerntet habe. Die gleiche Toleranz gilt gegenüber Kindern, die während des Hochamts im Kirchenschiff herumtollen. Wie würde wohl derartiges Verhalten in einer deutschen und noch dazu protestantischen Kirche geahndet werden?

Noch toleranter als die Katholiken sind übrigens die Russisch-Orthodoxen, die in Warschau heute nur noch zwei Kirchen haben (in der russischen Besatzungszeit bis 1918 waren es weit über fünfzig). Während der zweistündigen Gottesdienste herrscht ein donnerartiges Türenschlagen, das weder der permanent zur Ikonenwand gerichtete Priester noch die vierstimmig singenden Gläubigen zu bemerken scheinen.

Ein weiterer Beweis für die überlegene Souveränität der katholischen Kirche – sehr im Unterschied zum komplexbeladenen Minderwertigkeitsgefühl deutscher, vor allem protestantischer Kirchengemeinden: Beim Betreten einer Sonntagsmesse wird dem Besucher nicht, wie so häufig in Deutschland, ein sauber gedruckter Gottesdienstablauf in die Hand gedrückt. Man bekommt gar nichts, nicht einmal einen schlampig kopierten Zettel. Es steht auch niemand da, sei es ein freundlich lächelnder Kirchenältester oder dienstbeflissener Küster, der dezent auf das Regal mit den Gesangbüchern hinweisen würde. Es gibt sowieso nur wenige. Die Liedtexte werden per Overhead-Projektor an die Wand geworfen, schlecht lesbar, von dicken Säulen halb verdeckt. Am besten kennt man die Texte folglich auswendig. Und wenn nicht, ist auch das nicht peinlich. Es gibt genug andere Leute, die sie auswendig können.

Und genau das ist für mich, ich sage es noch einmal, das Angenehme an der katholischen Kirche Polens: Nichts ist peinlich, niemand steht taxierend am Eingang, nichts wird erklärt – diese Kirche ist frei von Komplexen.

Zurück in die Augustinuskirche: Auch unter der Woche regt sich Leben, das ich vom Fensterbrett aus beobachten kann.

Jeden Samstag fahren gleich mehrfach Traugesellschaften vor, die ihre Limousinen mit weißen Girlanden geschmückt haben – übrigens häufiger in den Monaten, die ein »r« im Namen tragen. Monate ohne den Buchstaben »r« bringen Pech (siehe »Aberglauben«).

Ehe es aber zur Hochzeit kommt, muss jedes Paar den obligatorischen Eheunterricht besuchen. So sehe ich jeden Freitagabend junge Paare zum Wohngebäude der drei Pfarrer streben, das gleichzeitig auch als Gemeindehaus dient. Bei den insgesamt zehn Treffen geht es um natürliche Verhütung und andere Geheimnisse einer glücklichen Beziehung.

Einmal pro Monat gibt es ein Orgelkonzert. Die Orgel ist frisch renoviert worden und hat einen voluminösen Klang. Puristen werden sich allerdings dadurch gestört fühlen, dass die Orgelpfeifen jetzt bloß noch Staffage sind. Ihr Klang wird durch einen Computer perfekt imitiert und durch verborgene Lautsprecher täuschend echt übertragen.

Mehrmals pro Woche wechselt der Küster die an der Hofmauer befestigten Todesanzeigen der Gemeindemitglieder. Aber wehe, jemand nutzt die Hofmauer für niederträchtige Werbeplakate der weltlichen Art. Der Küster fegt den Gehweg entlang der Hofmauer äußerst gründlich und reißt grollend ab, was nicht den Gemeindestempel trägt. Die einzigen Plakate, die er duldet, sind die Ankündigungen diverser Buspilgerfahrten, meist zur Schwarzen Madonna nach Tschenstochau oder zum Grab von Johannes Paul II. nach Rom.

An April- und Maisonntagen ist meine Nowolipki-Straße zugeparkt. Verwandte aus ganz Polen reisen zur Kommunion ihrer neunjährigen Neffen und Nichten an. Vor allem die kleinen Mädchen stolzieren anschließend noch wochenlang in ihren weißen Engelsgewändern herum, weil es in der Kirche irgendwelche Nachfeiern gibt – was mir aber eher ein Vorwand für Kindermodenschauen zu sein scheint.

Der große Tag der Augustinus-Gemeinde naht im Juni. An Fronleichnam zieht die ganze Gemeinde hinaus auf die Straße und umrundet die Kirche in einer weitläufigen Prozession. Vorneweg marschieren die Ministranten, dann kommt ein Priester mit Megaphon, der immer neue Lieder anstimmt. Hinter ihnen schreitet, von einem Baldachin geschützt, ein weiterer Priester einher, der die Monstranz trägt, von zwei starken Männern rechts und links gestützt. An vier provisorischen Altären werden kurze Andachten abgehalten. Diese Altäre werden am Vormittag von Nonnen und Kindergottesdienstkindern errichtet, während sie von Trunkenbolden belästigt werden, die herzuschlendern

und besserwisserische Kommentare über das Zusammen-
nageln der Holzbalken abgeben. Sofort eilt dann der Küster hinzu und verjagt die Lästerer. Mit einem besonders
angeheiterten Feiertagsmüßiggänger ließ er sich einst gar
in einen Faustkampf ein und rollte mit ihm verknäuelt
über eine nahe Wiese.

Immer wieder erstaunt mich übrigens, wie unhold das
schwüle Juni-Klima den Fronleichnamsprozessionen ge-
sonnen ist. Während die Sonne bei den vormittäglichen
Vorbereitungen noch heiter lächelt, ziehen des Nachmittags mit unheimlicher Regelmäßigkeit bedrohliche Wolken auf. Schon zwei Mal habe ich von meinem Fenster im
vierten Stock aus beobachtet, wie die etwa tausendköp-
fige Menge von unglaublichen Wolkenbrüchen auf die
Probe gestellt wurde – und schließlich panikartig ausein-
anderstob. Das tat mir leid um die Nonnen, die bis in die
Nacht hinein die ungenutzten Altäre wieder abbauen
mussten.

Das nächste Lebenszeichen meiner Augustinuskirche,
einmal abgesehen vom täglichen Glockenläuten, erhalte
ich erst wieder im Dezember. Zum Jahresende, nach den
Weihnachtsfeiertagen, sagt sich der Priester zur »Kolenda«
an, zum Hausbesuch. Natürlich tut er es nicht in eigener
Person. Ein niederer Charge klingelt höflich und fragt,
mit einer Liste in der Hand, ob der Herr Priester auch in
diesem Haushalt erwünscht sei. Wer, wie ich, zweimal
hintereinander abgesagt hat, wird niemals mehr belästigt –
was sich von den ebenfalls klingelnden Zeugen Jehovas
leider nicht sagen lässt.

Über den Ablauf des Kolenda-Hausbesuches weiß ich
nichts aus eigener Anschauung zu sagen. Es geht wohl,
allgemein gesagt, um Gebet und Geld. Da es in Polen

keine Kirchensteuer gibt, sind die Priester auf die Mildherzigkeit ihrer Gemeindeglieder angewiesen – was selbstredend schon so manche polnische Kabarettnummer angeregt hat. Die beste stammt von der erfolgreichsten Formation der letzten zehn Jahre, dem »Kabaret Moralnego Niepokoju«. Ihre größten Lacher erntet die Nummer übrigens angeblich vor Priesterseminaren.

Jahrelang war ich im Irrtum in Bezug auf die drei Buchstaben »K + M + B 2008«, die zu Jahresbeginn über einigen Wohnungstüren in meinem Wohnblock erscheinen. Nicht der Priester ist es, der das »Kaspar, Melchior, Balthasar« (von »Christus Mansionem Benedicat«) mit Kreide hinmalt, sondern ein jeder Wohnungsbesitzer darf diese Weihung seiner Türschwelle selber vornehmen.

Ein schöner Brauch, vor allem auf dem Land, ist »das Bild«. Hier geht es um ein Marien- oder Jesus-Bild, das keinerlei künstlerischen Wert haben muss, vom Priester aber auf eine ständige Pilgerfahrt durch die Gemeinde geschickt wird. An zwei langen Stangen tragen vier Männer das Bild von Haushalt zu Haushalt. Nirgendwo verweilt es länger als zwei oder drei Tage. Die Nachbarn kommen und versammeln sich zur Andacht, Kinder lesen aus der Bibel vor – und ein kleines Leinensäckchen neben dem Bild mahnt an die milde Gabe für den Priester. Am nächsten Abend geht es dann weiter. Es sieht feierlich aus, wenn man abends durch ein polnisches Dorf fährt und eine solche Nachbarschaftsprozession sieht, angeführt von Kindern mit brennenden Kerzen.

Nach neuesten Umfragen bezeichnen sich sechsundneunzig Prozent aller Polen als gläubig, von denen sechzig Prozent mindestens ein Mal pro Woche in die Kirche gehen, neun Prozent sogar einige Male pro Woche. Lediglich sieben Prozent der Gläubigen geben an, der Kirche in ihrem Leben überhaupt keinen Platz mehr einzuräumen.

Es gibt in Polen etwa 80 000 Protestanten. Die bekanntesten unter ihnen sind der ehemalige Premierminister Jerzy Buzek, der Schriftsteller Jerzy Pilch und der Skispringer Adam Małysz. Beide, Pilch und Małysz, kommen aus der Ortschaft Wisła, einer Enklave im äußersten Südwesten, im Dreiländereck zwischen Slowakei, Polen und Tschechien. Es dürfte nicht übertrieben sein, wenn ich behaupte, dass ein Durchschnittspole über Luther so viel weiß wie ein Deutscher über Ron Hubbard, den Gründer von Scientology. Ich wurde schon gefragt, ob Protestanten eigentlich nur an Luther oder auch an Jesus glauben.

Es gibt auch circa 100 000 Muslime, Nachfahren von Tataren, die im 14. Jahrhundert vor der Goldenen Horde nach Westen geflohen sind. Sie wohnen überwiegend im Raum Białystok, begehen den Ramadan, sind aber im Übrigen so urpolnisch wie ein Krakauer Kneipenbesitzer.

Der schönste kirchliche Feiertag in Polen ist der erste November, also Allerheiligen. An diesem Tag ist das ganze Land in Bewegung. Fast jeder Pole besucht die Gräber seiner Angehörigen und nimmt dafür zehnstündige Zugfahrten in Kauf. Vor den Friedhöfen parken kilometerlange Autokolonnen, die Polizei dirigiert Sonderbusse durch das Chaos. An den Toren werden tonnenweise Ewige Lämpchen und Blumen verkauft. Meist berichten die Abendnachrichten vom ehrwürdigsten aller polnischen Friedhöfe, dem Powązki-Friedhof in Warschau, gleich neben dem riesigen jüdischen Friedhof. Dort liegen viele berühmte Polen, etwa der Literatur-Nobelpreisträger Władysław Reymont, aber auch Hunderte von Pfadfindern, die während des Warschauer Aufstandes starben. Die berühmtesten Schauspieler aus Theater und Fernsehen laufen mit Geldbüchsen herum, um für den würdigen Erhalt dieses nationalen Monuments zu sammeln. Wer sich ein Bild machen möchte vom melancholischen, in sich gekehrten Wesen des polnischen Katholizismus, sollte am Abend des ersten November diesen Powązki-Friedhof aufsuchen, wenn die ewigen Lämpchen tausendfach flackern – und der Geruch von Öl über den Gräbern kaum auszuhalten ist.

Kollektiv

Nichts von dem, was ich an anderer Stelle über den polnischen Individualismus gesagt habe, nehme ich zurück. Er kann extrem nerven – und führt doch dazu, dass die polnische Gesellschaft im Unterschied zur deutschen deutlich weniger Aggressionspotenzial in sich trägt.

Auf der anderen Seite gibt es jedoch auch eine starke Fähigkeit zur Kollektivbildung. Interessanterweise wissen die Polen selbst diese Fähigkeit nicht zu schätzen und klagen immer nur über ihren Individualismus.

Dabei ist die Ausgangslage zur Bildung von Gruppen und Gemeinschaften in Polen hervorragend. Die Polen sind historisch, kulturell, religiös und sprachlich ein viel homogeneres Volk als etwa die Deutschen. Das Land besteht zwar aus landschaftlich ganz unterschiedlichen Regionen, aber es ist immer wieder verwunderlich, wie ähnlich sich – von Temperament bis Humor – die Meeres- und die Bergpolen sind. In Rzeszów oder in Gdingen lachen die Leute über die gleichen Witze. Gibt es einen Bayern, der über einen Berliner Witz lachen, ja ihn auch nur verstehen würde?

Dafür ist sicherlich in erster Linie die einheitsstiftende Kraft der katholischen Kirche verantwortlich. 99 Prozent der circa 40 Millionen Polen gehören ihr offiziell an.

Auch der Kommunismus tat das Seinige für die Vereinheitlichung Polens. Regionale Traditionen wurden zugunsten einer von Warschau gelenkten Kultur abgewürgt. Geblieben ist davon bis heute die stark zentralistische Ausrichtung Polens, etwa das zentrale Abitur (in ganz Polen am selben Tag) oder auch die sehr starke Bedeutung des Mediums Radio. Das staatliche polnische Radio unterhält drei landesweit operierende Sender, zu denen mindestens noch zwei große private Sender hinzukommen, die im ganzen Land zu empfangen sind. Verständlich, dass diese Radiostationen auch ganz andere Werbeeinnahmen verzeichnen als die deutschen Radiosender, die bis auf den Deutschlandsender ausschließlich regional sind.

Das Gemeinschaftsgefühl wird auch von der einheitlichen Sprache gestärkt. Im Polnischen gibt es nur wenige Dialekte, sodass ein Warschauer sich in Breslau niemals so sonderbar fühlen wird wie ein Dresdner in Düsseldorf. Die meisten Menschen würden an seiner Aussprache überhaupt nicht erkennen, dass er aus Warschau kommt.

Aussprache des Buchstaben »r«

Das polnische »r« wird, wie im Italienischen, vorne an der Zunge gerollt. Da ich selber mit der Aussprache jahrelang Probleme hatte, etwa mit dem Wort »krowa« (die Kuh), weil ich es doch hartnäckig hinten im Hals versuchte, möchte ich hier den Trick zeigen, den mir einst Ulrich Behner verriet, mein Wuppertaler Mitschüler: Sag mal »Bedöt-chen«. Du wirst dich vielleicht wundern, dass in diesem Wort kein »r« vorkommt – macht aber nichts. Und jetzt sprichst du diese drei Silben immer schneller hintereinander, so lange, bis »Bdötchn« dabei herauskommt. Zu deiner Verwunderung wirst du feststellen, dass es wie das deutsche »Brötchen« klingt – aber mit italienisch/polnisch gerolltem »r«.

Ein weiteres Element, das die Polen verbindet, ist der Schatz an gemeinsamen Traditionen. Zu Weihnachten und Ostern pflegt man in den Karpaten, in Masuren oder in Tschenstochau die gleichen Bräuche, von der Mitternachtsmette bis zum Weihen der Eier am Ostersamstag. Ebenso die Volkslieder: Jedes Mal, wenn ich zu einer Hochzeit eingeladen bin, wundere ich mich, dass die Gäste aus ganz Polen und aus unterschiedlichen Generationen die gleichen Lieder singen können, und zwar nicht nur das obligatorische *Sto lat (Hundert Jahre!)*, sondern Dutzende andere.

Die Literatur kann ebenfalls als Beispiel dienen. Jeder Schulabsolvent kennt, zumindest dem groben Inhalt nach, zehn bis fünfzehn Hauptwerke der polnischen Literatur, angefangen von alten Legenden bis hin zu Gombrowiczs »Ferdydurke« und Sienkiewiczs »Trilogie« – wohl das meistgeliebte Buch der Polen. Der Roman spielt im siebzehnten Jahrhundert, in der Zeit der Schwedenkriege und des Kosakenaufstandes. Bei uns ist Sienkiewicz ausschließlich durch »Quo Vadis« bekannt, für das er 1905 den Nobelpreis erhielt. Ein Handwerker erzählte mir einmal, sein

Kennt jemand ein Mann-, Böll- oder Grass-Denkmal in einem deutschen Park (Warschau, Łazienki-Park)?

Kollege sehe aus wie »Zagłoba«. Ich kannte den Herrn nicht und erfuhr erst später, dass es sich um eine hünenhafte Figur aus eben jener Trilogie handelte. Unter den ausländischen Büchern ist das Lieblingsbuch der Polen interessanterweise »Der Meister und Margarita« von Michail Bulgakow.

Zusätzlich zum Lektürekanon gibt es eine kassenträchtige Tradition von Literaturverfilmungen. Jeder Pole kennt diese Filme aus den sechziger und siebziger Jahren. Längst verstorbene Schauspieler wie Tadeusz Łomnicki, Kalina Jędrusik oder Zbigniew Cybulski sind heute Legenden, die auch bei Jugendlichen ungebrochene Beliebtheit genießen.

Westliche Gesellschaften sind bekanntlich hoffnungslos ausdifferenziert und pluralistisch zerstückelt. Jedermann gehört zu irgendeiner Community, sei er nun Biker, Schwuler, Globalisierungsgegner, FDP-Mitglied oder Öko. Knapp zwanzig Jahre Kapitalismus haben es noch nicht vermocht, die polnische Gesellschaft ähnlich zu zerspalten. Im Grunde kann immer noch jeder mit jedem einigermaßen reden, ja sogar lachen. Die Stadtviertel sind noch relativ durchmischt und nicht, wie in Berlin, nach Jung und Alt, Arm und Reich, Deutsch und Ausländer getrennt. Noch stehen in den Wohnsiedlungen breite Geländewagen neben schmalen Cinquecentos, und in den Restaurants sitzen biedere Omis neben coolen Ledermännern.

Oft genug konnte ich mich überzeugen, dass polnische Schüler in einem stärkeren Kollektiv aufwachsen als deutsche. Die durchschnittliche polnische Schulklasse ist nicht so sehr in Cliquen aufgespalten wie die deutsche, und die Konkurrenz etwa zwischen Techno-Fans und Rap-Freaks ist hier nicht so deutlich zu spüren.

Ähnlich sieht es an der Uni aus. An deutschen Hochschulen herrscht Anonymität; die Studenten haben kaum Kontakt zueinander. Wenn man fünf Minuten vor Beginn der Vorlesung in den Hörsaal kommt, sitzen alle stumm nebeneinander. Bis zum Eintreffen des Dozenten herrscht

Grabesstille. In Polen wäre eine solche »Atomisierung« nicht möglich. Rege Gespräche auf den Korridoren oder Partys im Studentenheim gehören hier zum Alltag. Wenn polnische Studenten als Stipendiaten an deutsche Unis kommen, wundern sie sich über die Vereinsamung ihrer deutschen Kommilitonen.

Auch die weltweite Vereinigung der Polen im Ausland, die »Polonia«, zeigt, dass Polen sehr wohl in der Lage sind, funktionierende Gemeinschaften zu bilden. Organisationen wie die Polonia bekommen sogar politische Bedeutung, wenn sie – wie zum Beispiel in den USA, in Australien oder Kanada – Mitgliederzahlen von einigen Zehntausend erreichen. Franzosen oder Deutsche haben es in ihrer Geschichte nur selten zum Aufbau solcher Organisationen gebracht.

Hinzu kommt die polnische Herzlichkeit, die jede Barriere durchbrechen kann, zumindest nach Sonnenuntergang. Wer an einem Sommerabend um acht Uhr durch eine deutsche Kleinstadt fährt, sieht niemanden auf Bänken sitzen und flirten, außer vielleicht den Stadtpennern. Die Bürgersteige sind hochgeklappt. In Polen blüht um diese Zeit das Leben auf wie in Italien. Während die Deutschen vor dem Fernseher sitzen, trinken die Polen draußen Bier, singen und grillen – und der Fernseher läuft auch, aber keiner guckt hin.

Zu verschweigen ist natürlich nicht die Kehrseite dieses Kollektivismus. Wer in einem derart homogenen Land zu einer Minderheit gehört, egal welcher, hat es schwerer als in Deutschland. Schräge Vögel werden gebrandmarkt und ausgegrenzt – und finden sich alle in Warschau wieder.

Katowice, Kattowitz

Was in Deutschland kaum einer weiß: Es gibt heute in Polen immer noch zwischen fünfhunderttausend und eine Million Menschen, die sich als »Deutsche« empfinden – und in Deutschland landläufig als »Polen« bezeichnet werden. Die meisten wohnen in Oberschlesien, doch trifft man größere Gemeinschaften auch in Hinterpommern und Masuren an. Im Oppelner Land gibt es bis heute Dörfer, die unter den Polen als »deutsch« gelten.

Noch aus kommunistischen Zeiten steht der deutschen Minderheit im polnischen Parlament Sejm eine gesetzlich festgelegte Vertretung zu, die zwischen einem und vier Abgeordneten schwankt. Nach der letzten Sejm-Wahl im Jahr 2007 gibt es derzeit nur einen einzigen, den Oppelner Ryszard Galla. Er hat allerdings keinen leichten Job, da man »die Deutschen« in gewissen nationalkonservativen Kreisen immer noch äußerst misstrauisch betrachtet, stets das Schreckgespenst der »Volksdeutschen« vor Augen. Das waren Deutsche, vor allem aus Oberschlesien, die nach dem ersten Weltkrieg polnische Pässe bekamen, sich aber weiterhin als Deutsche fühlten und bei der Eroberung Polens durch die Wehrmacht 1939 den Tag der Rache gekommen sahen. Viele von ihnen beriefen sich nun auf ihre deutsche »Volkszugehörigkeit«, kooperierten mit den deutschen Besatzern und verschafften sich Privilegien, etwa indem sie Polen denunzierten, um sich deren Bauernhof anzueignen. Junge Polen wissen heute mit dem Begriff »Volksdeutsche« fast gar nichts mehr anzufangen, doch die älteren Leute erinnern sich noch gut an die antideutsche Propaganda der Kommunisten, die heute vor den Volksdeutschen, morgen vor den »Revanchisten vom Rhein«

warnten, also vor der Adenauer-BRD. »Volksdeutscher« wurde zum Synonym für Hitlers fünfte Kolonne.

Seither sind einige Jahre ins Land gegangen, mit vielen Ausreisewellen deutschstämmiger Schlesier und sogar ersten, zaghaften Rückkehrern aus Deutschland nach Schlesien. Die Dinge normalisieren sich, und im Jahr 2004 absolvierte ich auf Einladung des Stuttgarter »Instituts für Auslandsbeziehungen« (IFA) eine Serie von fünf Auftritten in Zentren der deutschen Minderheit, in Torun/Thorn, Olsztyn/Allenstein, Wrocław/Breslau, Katowice/Kattowitz und Piła/Schneidemühl.

Vor allem der Auftritt in Kattowitz ist mir in guter Erinnerung geblieben. Er fand statt in einem kleinen Kulturhaus am Rand der Stadt vor etwa einhundert Zuschauern, die bei weitem nicht alle der deutschen Minderheit angehörten. Zuerst sang ein Chor von dreißig äußerst rüstigen Damen »Freude schöner Götterfunken«, dann kam ich mit meinem Kabarett an die Reihe, und zum Schluss sangen noch einmal die Damen ein deutsches Lied über den deutschen Wald, begleitet von einer E-Orgel. Anschließend stürmten sie auf mich zu und überreichten mir originelle Geschenke, etwa eine schwarz-rot-goldene Papierblume und einen Lotto-Schein, der aber nichts einbrachte. By the way erfuhr ich manch tragische Geschichte von Menschen, denen es vierzig Jahre lang, nämlich bis 1989, verboten war, in der Öffentlichkeit ihre Sprache zu sprechen – die aber trotz aller Schikanen nicht ausreisten.

Kein Wunder, dass diese älteren Deutschen bis heute von tiefer Verbitterung gegenüber den Polen erfüllt sind. Mein Eindruck ist allerdings, dass ihre Enkel bereits ohne Harm aufwachsen, fröhliche Feste feiern, perfekt Polnisch und sehr süß Deutsch sprechen.

Vom trotzigen Beharrungsvermögen dieser Menschen kann sogar ich als nur gelegentlicher Gast in Oberschlesien ein Liedlein singen. Kurz nachdem ich durch Mitwirkung in der Soap-Opera »M jak Miłość« polenweit bekannt geworden war, rief mich ein junger, rühriger Automanager aus Oppeln an. Er hatte gerade frisch die Leitung einer Renault-Niederlassung übernommen und war auf eine neue Marketing-Idee gekommen. Jedermann wisse, sagte er mir am Telefon, dass die finanzkräftigen Angehörigen der deutschen Minderheit immer und ausschließlich VW-Autos kauften, allenfalls mal einen Mercedes – nie jedoch einen Renault oder gar Japaner. Deshalb schlug er mir eine Werbekampagne in den Oppelner Tageszeitungen vor. »Steffen Möller ist mit Renault befreundet.« Ich erklärte mich dazu bereit, verdiente auch ein paar Zloty daran – erfuhr aber nach einem Jahr, dass der Niederlassungschef wegen totaler Erfolglosigkeit gefeuert worden war. Kein einziger Renault war wegen meiner Anzeige zusätzlich verkauft worden. Seither schäme ich mich ein bisschen, wenn ich mit Angehörigen der deutschen Minderheit zu tun habe. Nicht ausgeschlossen, dass ich bei ihnen heute als fünfte Kolonne der französischen Automobilindustrie gelte.

Kommunikation

Um die Kommunikation, sprich: den Informationsaustausch, ist es in Polen schlecht, sogar sehr schlecht bestellt. Davon kann man sich zum Beispiel in öffentlichen Verkehrsmitteln überzeugen.

Warum sagt kein polnischer Busfahrer die nächste Station an? Das wäre ohne Zweifel sinnvoll. Nicht jeder Fahrgast kennt ja die ganze Strecke auswendig. Überall auf der Welt verfügen die Fahrer über Mikrofone, um alles Mögliche anzusagen. Manche kündigen nicht nur die nächste Station an, sondern erzählen auch schon einmal ein Witzchen (in New York erlebt) oder geben ein wichtiges Fußballergebnis durch (wie während der Fußball-WM in Deutschland). Das ist in Polen undenkbar. Wer dabei die Schuld auf mangelnde Mikrofone schieben will, irrt gewaltig – die neuen, in Posen produzierten Solaris-Busse sind eine optische Augenweide und haben einen so hohen Standard, dass die Stadt Berlin gleich eine ganze Ladung von ihnen bestellt hat.

Nein, das Problem besteht darin, dass ein polnischer Busfahrer sich in seiner Kabine einigelt, raucht und Musik aus seinem Taschenradio hört. Die Passagiere können sich prügeln – der Fahrer steckt seine Nase nicht aus der Kabine heraus. Wenn ein mutiger Passagier in Kontakt mit ihm treten will, etwa um eine Fahrkarte zu kaufen, muss er sich tief zu dem kleinen Fensterchen hinunterbeugen (vergleichbar mit dem der grünen Kioske) und wird angeraunzt, wenn er kein passendes Kleingeld dabeihat.

Busfahrer sind nur eines von vielen Anti-Kommunikations-Beispielen. Auf jeder Behörde bekommt man es zu spüren: Man erfährt alles entweder spät, zu spät oder gar nicht. Wer sich einmal um eine Arbeitserlaubnis bemüht hat, weiß, was ich meine: die rechte Hand weiß nicht, was die linke tut. Die Beamten verständigen sich nicht untereinander. Meiner Ansicht nach ist dies das ärgerlichste Problem der polnischen Gesellschaft, und zwar, weil es ganz und gar vermeidbar wäre.

Wie ist dieser Kommunikationsmangel zu erklären?

Meine Vermutung geht dahin, dass es sich um ein klassisches postkommunistisches Erbe handelt: Starkes Hierarchiedenken. Wer eine Machtposition innehat, betrachtet seine Untergebenen nicht mehr als Menschen, sondern als Herdenvieh. Damit ist echte Kommunikation zwischen oben und unten ausgeschlossen. Die Untergebenen über ihre Entscheidungen zu informieren würde für polnische Chefs und Funktionäre bedeuten, sich bloßzustellen. Sollen die Angestellten doch ruhig mal eine halbe Stunde im Regen des Nichtwissens stehen. Wichtige Entscheidungen sickern erfahrungsgemäß schon irgendwie durch – es liegt schließlich im Interesse der Angestellten!

Diesem Gesetz folgen eben auch die Busfahrer. Wozu die Fahrgäste über die Stationen informieren? Wer aussteigen will, soll sich selber um das Wann und Wo kümmern. Es liegt ja schließlich in seinem Interesse, rechtzeitig aus dem Bus herauszukommen – und nicht in dem des Busfahrers.

Fußballtrainer Paweł Janas, der die polnische Nationalmannschaft zur WM 2006 führte, hielt es nicht für nötig, seine Spieler vorab zu informieren, wer von ihnen nach Deutschland fährt und wer nicht. Wieso sollte sich ein Trainer vor niederen Chargen rechtfertigen? So kam es, dass Torhüter und Nationalheld Jerzy Dudek erst in letzter Minute, nämlich während der offiziellen Pressekonferenz, erfuhr, dass er bei der WM nicht dabei sein würde.

Als Sprachlektor an der Warschauer Uni bekam ich eine skandalöse Situation mit. Ein Student sollte die mündliche Magisterprüfung ablegen. Als er, wie das in Polen bei solchen Anlässen üblich ist, in Anzug und Krawatte und in Begleitung seiner Eltern zum Termin erschien, fand er nur einen Zettel an der Tür des Professors vor.

»Herr X ist krank. Die nächste Sprechstunde findet in einer Woche statt.« Niemand hatte es für nötig befunden, ihn vorab zu informieren. Ich möchte bei der Gelegenheit eine Wette darauf abschließen, dass neunzig Prozent aller polnischen Professoren nicht einmal die E-Mail-Adresse ihrer Studenten notiert haben.

So kommt es Tag für Tag zu unangenehmen Situationen. Minister informieren Gewerkschaftschefs nicht über ihre Entscheidungen; Rektoren geben wichtige Informationen nicht rechtzeitig an ihre Professoren weiter; Geschäftsführer nehmen ihre Angestellten nicht ernst; jeder Schaffner hat andere Informationen über Zuschläge oder die Mitnahme von Hunden.

Aber wälzen wir die Schuld nicht nur auf die bösen Chefs ab. Alle hängen mit drin, auch die Angestellten. Wenn ein Chef seine Angestellten nämlich tatsächlich einmal rechtzeitig über seine Entscheidungen informieren würde – was wäre der Effekt? Sie würden ihn sofort für einen Schwächling halten.

»Was ist denn das für ein Waschweib? Informiert uns, weil er es offensichtlich nicht alleine packt. Sollen wir ihm etwa helfen? Der ist bald weg vom Fenster!«

Ergo: Wer in Polen von jemandem abhängig ist, guckt in die Röhre. Niemals mit dem Rückruf eines Handwerkers, eines Versicherungsagenten oder einer Sekretärin rechnen, egal wie oft man Ihnen versichert hat, dass man sich melden wird. Alles Warten ist umsonst. Sobald die Herrschaften wissen, dass der Kunde von ihnen abhängig ist, denken sie gar nicht mehr daran zurückzurufen. Wozu sinnloses Geld für einen Anruf rauswerfen, wenn der andere sowieso gezwungen ist, sich zu melden? In Polen lernt man, was es bedeutet, wenn das Telefon stumm bleibt.

Falls ich eines Tages doch noch die polnische Staatsbürgerschaft annehme, gründe ich gleich am nächsten Tag eine politische Partei und nenne sie »JZO«: »Ja zawsze oddzwaniam« (»Ich rufe stets zurück«). Millionen wütender Polen werden mich unterstützen.

Wir Deutschen repräsentieren das andere Extrem. Man sieht es an den deutschen Fernsehserien: Die Hauptfiguren verbringen die Hälfte ihrer Zeit am Handy, und sei es nur, um alle Gäste der Grillparty zu informieren, dass die Würstchen leider doch fünf und nicht, wie versprochen, drei Gramm Cholesterin enthalten. In polnischen Serien geht es mehr um Liebe und pralles Leben; zum Hörer greift man nur in jeder zehnten Folge.

Sehr komische Culture Clashes gibt es in dieser Hinsicht bei deutsch-polnischen Koproduktionen, etwa in der Filmbranche. Während die polnischen Kameramänner die halbe Zeit unauffindbar sind, kommen die deutschen Mitarbeiter alle paar Minuten zum polnischen Set-Manager, um ihm Bescheid zu sagen, dass sie mal eben aufs Klo müssen. Der zeigt ihnen heimlich einen Vogel und murmelt: »Wieso rennen die ständig zu mir wegen so einem Mist?«

Aber worüber rege ich mich eigentlich so furchtbar deutsch auf? Der ganze Kommunikations-Kladderadatsch geht mich doch eigentlich gar nichts an. Als freischaffender Kabarettist bin ich von niemandem abhängig, brauche niemanden anzurufen oder zu irgendetwas zu überreden. Ich bleibe einfach zu Hause und höre Musik. Sollen die Veranstalter mal schön auf meinen AB sprechen. Wenn ich Lust habe, rufe ich zurück. Wenn nicht, dann eben nicht.

Komplexe

Hm, tja, Komplexe ... Wir Deutschen, würde ich sagen, haben so unsere liebe Not mit den Bereichen Körper/Liebe/Sexualität/Partnerschaft. Immer wieder berichten mir Polen erstaunt, dass sich auf deutschen Straßen kaum jemand küsst. Und das stimmt ja. Auch in Anwesenheit ihrer Eltern vermeiden junge Paare Zärtlichkeitsbeweise.

In Polen, das als sehr katholisch und prüde gilt, ist man da ganz anders. Es wird munter geflirtet und innig getanzt; es existiert eine Rendezvous-Kultur mit teuren Blumen, genau festgelegtem Verabredungsritual und – als Happy End – ungehemmtem Küssen in der Öffentlichkeit. In welchem anderen Land würden Mädchen und junge Frauen im Bus oder in der Straßenbahn auf dem Schoß ihres Liebsten sitzen – auch wenn nebenan noch viele Plätze frei sind? In den frühen Abendstunden gibt es keine freie Parkbank, auf der nicht ein Pärchen heftig knutscht, während man in Deutschland lesende Singles sieht. Okay, dafür gibt es an der deutschen Nord- und Ostsee ein paar FKK-Strände mehr, und auch die Sextelefonwerbung treibt in Polen, obwohl stark im Kommen, noch keine derartigen Blüten wie im deutschen Fernsehen. Ja, darin sind wir unprüde.

Die Komplexe der Polen sind anderer Art. Es gibt erstaunlich viele schüchterne Menschen. In Deutschland führt sich jeder als Chef auf, sobald er seinen Arbeitskittel übergeworfen hat. Klassisch ist die Putzfrau, die morgens um sieben Uhr ins Büro des Zoodirektors hereinplatzt.

»Was machen Sie denn hier so früh? Ich muss hier putzen. Bitte gehen Sie nochmal zehn Minuten raus!«

In Polen hingegen wimmelt es von grauen Mäusen, die

still in der Ecke sitzen, sogar wenn sie viel zu sagen hätten. In meiner Zeit als Deutschlektor an der Uni brachte es mich manchmal zur Verzweiflung, wenn einige Studenten, besonders Studentinnen, während des gesamten Semesters kein einziges Mal den Mund aufmachten. Die Schuld würde ich dem Schulsystem geben. Büffeln, auswendig pauken – das ist auch heute noch vielfach die Methode. Eigene Meinung sagen? Nein danke.

Ein anderer Komplex der Deutschen ist bekanntlich die Auseinandersetzung mit der eigenen Geschichte. Viele Polen halten uns diesbezüglich aber für verklemmter, als es der Realität entspricht. Gewiss, jahrzehntelang war Auschwitz ein Tabuthema – aber wer in Deutschland mal eine Schule besucht hat, ab und zu den »Spiegel« liest oder sich abends Dokumentarfilme ansieht, weiß, dass eher das Gegenteil der Fall ist: Durch die ständige Aufforderung zur Vergangenheitsbewältigung wurde die Sensibilität für den Holocaust sogar abgesenkt – so wie jeder Horrorfilm seinen Schrecken verliert, wenn man ihn zu oft sieht.

Paradoxerweise dürfte es heute wohl so sein, dass die Polen viel stärkere Geschichtskomplexe haben als die Deutschen. Die deutsche Täterschaft war so eindeutig, dass eine Diskussion gar nicht erst aufkommen konnte. Als die Achtundsechziger schließlich begannen, den Rucksack zu schultern, wurde er von Jahr zu Jahr leichter. Wenn man hingegen Polens Opferrolle in der Geschichte auch nur teilweise in Frage stellt, bekommen viele Leute auch heute noch einen Wutanfall. Ich rate ernstlich, das Thema »Antisemitismus in Polen«, etwa vor und während des Zweiten Weltkriegs, nur sehr behutsam anzusprechen. Von Deutschen, aber auch von Israelis lassen sich Polen darüber nur ungern belehren.

Die Vertreibung der Deutschen nach dem Krieg ist ein anderes empfindliches Thema, das in der Öffentlichkeit nach wie vor kaum thematisiert wird. Allzu tief sitzt die von den Kommunisten jahrzehntelang geschürte Angst, bei einem offenen Schuldeingeständnis würden die Deutschen triumphieren.

»Aha! Ihr gebt es endlich zu! Na, dann also wieder her mit Schlesien und Pommern!«

Ein wunder Punkt ist schließlich noch das Verhältnis zur Ukraine. In Deutschland ist weitgehend unbekannt, dass es während des Zweiten Weltkriegs in Wolhynien, der heutigen Westukraine, zu Schlächtereien zwischen Polen und der ukrainischen Befreiungsarmee kam, bei denen von beiden Seiten Gräueltaten begangen wurden. Opferschätzungen gehen in die Zehntausende. Trotz offizieller Versöhnungsgesten schwelt der Unmut bis heute. Das Problem ist das gleiche wie im ehemaligen Jugoslawien: keiner will angefangen haben.

Und nun zum berühmten polnischen Minderwertigkeitskomplex, der in jedem zweiten polnischen Leitartikel bejammert wird: »Keiner mag uns.« Die Polen sind überzeugt, dass sie von Russland kujoniert und vom Westen ignoriert werden oder allenfalls ein Gnadenbrot bekommen. Und haben sie nicht recht? So war es 1939 in Danzig, so war es 1945 in Jalta, so war es 1981 bei der Ausrufung des Kriegsrechts. Westeuropa versicherte seine vollste Solidarität – und tat nichts. Was hilft es, dass Polen heute in NATO und EU vollberechtigtes Mitglied ist? Polen fühlen sich oft wie Menschen zweiter Klasse behandelt. Wer das bezweifelt, möge mit polnischen Studenten sprechen, die sich für einige Monate in deutschen Universitätsstädten aufgehalten haben. Andernorts ist es nicht besser. Kein Franzose, Holländer, Spanier weiß etwas über Polen; das Land gilt als eine Art rückständige Mondlandschaft im Osten. Fernsehdokumentationen zeigten bis vor kurzem stets pflügende Bauern auf karger Scholle, und in jedem fünften »Tatort« wurden arme Polinnen aus der Hand skrupelloser Mädchenhändler befreit. Polenwitze und Sex-Telefon-Reklame tun ein Übriges, um das Polenbild fest-zuzurren.

»Frrrrauen aus dem Osten – biiiiillig und wiiiiillig.«

Viele in den Westen emigrierte Polen haben den Kampf gegen diese gigantische Ignoranz aufgegeben. Sie sehen keinen Sinn mehr darin, ihre polnische Identität jeden Tag aufs Neue zu rechtfertigen. Der Minderwertigkeitskom-plex hat sie dermaßen gelähmt, dass viele von ihnen sogar ihre Vor- und Nachnamen germanisieren und mit ihren Kindern nur noch Deutsch sprechen. Ich habe es bei Auf-tritten in Deutschland häufig erlebt, dass Eltern auf mich zukamen, um mich um ein Autogramm für ihre Kinder zu bitten, und dann hinzufügten: »Aber schreiben Sie bitte auf Deutsch, mein Sohn kann kein Polnisch mehr!« Den deutschen Behörden kann es nur recht sein. Polnische Übersiedler sind spätestens in der zweiten Generation voll-ständig assimiliert.

Interessant ist zu beobachten, wie das polnische Fernse-hen mit diesem Komplex seiner Bürger umgeht, besonders der Auslandssender »Polonia«, den Millionen Polen zwi-schen Toronto und Sydney gucken. Man bemüht sich nach Kräften, das Selbstwertgefühl der Zuschauer zu heben. Überall werden polnische Produkte angepriesen, die Er-folge polnischer Sportler bejubelt oder polnische Land-schaften mit Weichzeichner gezeigt. Kitsch ist erlaubt.

Wer die fünfzigste Dokumentation über Chopin oder die schwarze Madonna von Tschenstochau gesehen hat, muss quasi auf Knien eingestehen, dass Polen das wunderbarste Land der Erde ist. Viele Polen sind diese Propaganda übrigens gründlich leid. Englische Fernsehsender, wie Discovery oder Planet Earth, die Geschichtsdokumentationen in polnischer Sprache zeigen, aber ohne das übliche Pathos, machen gute Umsätze.

Nach so vielen Jahren in Polen spüre auch ich bisweilen schon diesen Minderwertigkeitskomplex.

»Es ist eine Sauerei, dass sich niemand für mein Polen interessiert.« Ich kompensiere nach Leibeskräften. Wenn ich meinen Landsleuten etwas über Polen erzählen soll, muss ich mich hüten vor missionarischer Leidenschaft. Kritische Einwände lasse ich erst gar nicht zu – ich glaube, ich wirke manchmal wie ein Mitarbeiter des polnischen Fremdenverkehrsamts. Also nutze ich die Gelegenheit, um hier einmal schonungslos und bar jeder Propaganda zu sagen: Polen ist ein super Land. Fahren Sie hin.

Und denken Sie daran: Wer den Käfer-Zungenbrecher beherrscht, kann in vielen Kneipen mit Freibier rechnen! Klingen muss er etwa so: W Schebscheschinnje chschontsch bschmi w tschinje.

Komplimente

Was die Kunst des Komplimentemachens betrifft, schreitet meine Polonisierung in großen Schritten voran. Früher war ich ein braver Zögling der Political Correctness. Keine Frau im weiten Umkreis brauchte sich vor mir zu fürchten. Zu tief saß die Angst, wegen sexueller Nötigung angezeigt zu werden.

Wir Deutschen waren aber wohl schon lange vor der Epoche der Politischen Korrektheit nicht gerade die Meister der Komplimente. Meine Tante – eine geborene Österreicherin, im Takt des Wiener Walzers großgeworden – klagt seit Jahren darüber, dass ihr deutscher Mann ihr weder die Tür aufhalte, noch nette Komplimente mache. Einmal, nach vierzig Ehejahren, verlor sie die Geduld. Um ihren Teutonen zu ein paar netten Worten zu provozieren, fragte sie ihn verführerisch:

»Sag mal, Männchen, was gefällt dir besser: Mein anmutiger Körper oder meine sprühende Intelligenz?«

»Dein Sinn für Humor«, antwortete mein Onkel mürrisch.

In Polen läuft es anders. Frauen haben ein gesetzlich geregeltes Recht auf Komplimente. Niemand käme auf den Gedanken, einen deshalb wegen Nötigung anzuzeigen. Im Gegenteil, manchmal habe ich den Eindruck, dass selbst das dämlichste Kompliment noch besser ankommt als gar keins.

Eines Tages fuhr ich mal wieder mit dem Zug nach Warschau zurück. Wie üblich ging ich in den Speisewagen WARS und bestellte mir einen Tee. Es war Winter, und im Waggon war es so kalt, dass sich über der Teetasse kleine Dampfwolken bildeten. Wie sich herausstellte, war die Heizung kaputt. Als der Schaffner kam, machte ich ihn darauf aufmerksam, was mir die murmelnde Zustimmung von zwei älteren Damen einbrachte. Anstatt auf meine Bemerkung zu reagieren, tat der Schaffner so, als erblicke er die Damen erst jetzt, betrachtete sie freudig und drehte sich dann mit gerunzelter Stirn zu mir.

»Also, ich verstehe Sie nicht! Wie kann Ihnen denn in einer so netten Gesellschaft kalt sein?«

Es war ein Wahnsinn, wie diese kleine Bemerkung ausreichte, um die Damen dahinschmelzen zu lassen. Sie lächelten erfreut und rückten ihre Blusenkragen zurecht, ich aber war für sie gestorben. Ich brachte nicht mehr den Mut auf, noch etwas zum Thema Heizung zu sagen.

Das war mir eine Lehre. Heute mache ich an jeder Ecke Komplimente, eines phantasievoller als das andere, vor allem auf Ämtern. Es kommt sogar vor, dass ich den Sachbearbeiterinnen Blumen kaufe. Wenn ich irgendwo zum Abendessen eingeladen bin, sage ich der Gastgeberin schon nach dem ersten Bissen:

»Hmmh! Vorzüglich!«

Und später, beim Fernsehen, schwärme ich vom Bier:

»Hmmh! Hervorragend!«

Also: Wer mit Komplimenten nur so um sich streut, wird es leichter haben in Polens Damenwelt. Vorbereiten muss ich jeden allerdings auf die seltsamen Reaktionen der Polinnen. Da kommt dann nämlich die obligatorische polnische Bescheidenheit zum Vorschein. Man wird niemals einer Frau begegnen, die ein Kompliment widerspruchslos hinnähme. Denn das hieße ja, dass es ihr tatsächlich zustand! Im Stillen freut sie sich zwar, doch nach außen hin wiegelt sie ab.

»Frau Ania, was haben Sie für schöne, neue Schuhe!«

»Oh, danke, aber die sind gar nicht neu. Ich trage sie schon seit siebzehn Tagen.«

»Aber Frau Ania, was für ein schickes, weißes Kleid Sie heute tragen!«

»Oh, danke, aber es hat schon einen Fleck, sehen Sie – hier!«

»Frau Ania, und was für ein toller Schal!«

»Oh, danke, habe ich mir aus einem alten Bettvorleger gestrickt.«

»Frau Ania, heute ist aber alles toll an Ihnen, Schuhe, Kleid, Hut!«

»Ja, aber dafür habe ich Kopfschmerzen.«

Korruption

In den EU-Korruptionsstatistiken belegt Polen regelmäßig einen der vordersten Plätze. Ich sehe bei diesem Thema immer den sympathischen Schaffner vor mir, der sich bei der Fahrkartenkontrolle neben mich setzte und verbittert erzählte, wie er sich nach einem geisteswissenschaftlichen Studium erfolglos bemüht habe, einen Job zu finden.

»Ich besitze zwei Magistertitel – aber sogar bei der Polizei wollten sie von mir erst mal zehntausend Zloty Schmiergeld bar auf die Hand!« Da er sich aber standhaft weigerte zu zahlen, sei er am Ende bei der Bahn untergekommen und müsse nun Fahrkarten knipsen. Deswegen habe er vor einem Jahr angefangen, intensiv Deutsch zu lernen, um so schnell wie möglich aus Polen auszuwandern.

Solch eine verbitterte Reaktion ist in Polen keine Ausnahme. Jeder kennt Beispiele für Vetternwirtschaft, Bestechung oder Veruntreuung. Von allem und jedem wird angenommen, es sei gefälscht oder vorher abgesprochen, mit Geld geregelt oder anderweitig manipuliert – von Versicherungsberichten über Versteigerungen bis hin zu Fußballspielen und den Miss-Polonia-Wahlen. Die Hauptverdächtigen sind Politiker, Geschäftsleute und Ärzte, aber es können durchaus auch Kindergärtnerinnen oder Gärtner sein. Unvorstellbar, dass jemand einfach nur ehrlich und unschuldig ist. Ein Taxifahrer klagte einmal, nur ihm und seinen Arbeitskollegen könne man noch vertrauen – weil ihm schlichtweg niemand ein Schmiergeld anbiete.

»Dabei würde ich denjenigen bestimmt nicht anzeigen, selbst wenn es nur tausend Zloty wären!«

In Sachen Korruption herrscht in Polen die totale Paranoia. Hier hören Spaß, Ironie und Distanz auf. Der politische Erfolg der Brüder Kaczyński ist in erster Linie auf diese Paranoia zurückzuführen. Schon der Name ihrer Partei, »Recht und Gerechtigkeit«, spricht Bände. Kein anderes Thema, nicht einmal die Jagd auf die Postkommunisten (geschweige denn die Deutschland-Hetze), hat so viele Menschen mobilisiert.

Gemäß ihrem Wahlversprechen berief die neue Regierung gleich nach ihrem Sieg im Jahr 2005 ein zentrales Büro gegen Korruption ein – wobei Kritiker argwöhnten, dass dieses Büro hauptsächlich dem politischen Gegner auf die Finger zu gucken habe.

Ärzte oder Fußballschiedsrichter wurden durch fingierte Geldübergaben in die Falle gelockt. Was den Fraktionsführer von »Recht und Gerechtigkeit« leider nicht davon abhielt, einer Abgeordneten des damaligen Vizepremiers Andrzej Lepper, Renata Beger, in einem Vier-Augen-Gespräch lukrative Posten in Aussicht zu stellen, sollte sie nur einige Abgeordnete zum Fraktionswechsel überreden. Das Gespräch wurde mit versteckter Kamera aufgezeichnet – doch in einer unglaublichen Volte gelang es Jarosław Kaczyński und seinen Ministern, die Sache schnellstens unter den Teppich zu kehren. Vor der verlorenen Wahl im Herbst 2007 brüstete man sich wieder unverdrossen, Polens sauberste Partei zu sein.

Auf den unteren Ebenen geht der Kampf gegen die Korruption allerdings tapfer weiter. Viele Kontrolleure in der Warschauer U-Bahn tragen Ansteckschildchen, auf denen steht: »Ich nehme nichts«. In der polnischen Bahn muss man sehr oft zweimal kurz hintereinander seine Fahrkarte vorzeigen, da dem Schaffner ein Revisor folgt, der ohne jedes Lächeln prüft, ob alles korrekt geknipst wurde.

Allen Polen, die sich danach sehnen, ins ehrliche Deutschland zu »wallfahrten«, empfehle ich ein zehnminütiges Gespräch mit meinem Onkel, der als Architekt in einer großen Bauaufsichtsbehörde gearbeitet hat. Leider darf ich aus Gründen der Diskretion nicht erzählen, was ich von ihm über die betrügerischen Machenschaften von Frühstückskartellen im katholischen Bayern erfahren habe. Andeuten lässt es sich aber in einem Satz: Kein masowischer Sumpf ist tiefer.

In Warschau ist es nicht schwer, sich auf der Straße ein Taxi heranzuwinken, gibt es doch in dieser Stadt von der Größe Hamburgs (1,8 Mio. Einwohner) über zehntausend Taxis. Zum Vergleich: in Berlin, wo die doppelte Zahl von Menschen wohnt, sind es nur siebentausend. Wichtig für den Ausländer: In polnischen Großstädten sind die meisten Taxifahrer in privaten »Korporationen« organisiert, was in Warschau von zweihundert bis zu sechshundert Wagen reichen kann. Jeder Fahrer ist Besitzer seines Autos und zahlt der Korporation Gebühren für die Teilnahme am Funk.

Einige Korporationen fahren ausschließlich mit Wagen einer einzigen Marke, die meisten gestatten ihren Fahrern jedoch, irgendein beliebiges Auto zu fahren. Es gibt keine einheitliche Taxifarbe und eine Menge von Telefonsammelnummern. Ausnahme: An Halteplätzen stehen häufig Autos, die nur das »Taxi«-Schild auf dem Dach tragen. Das sind die Individualisten, die keine Lust haben, einer Korporation anzugehören und ausschließlich auf Laufkundschaft hoffen.

Trost für Ausländer: Korrupte Taxifahrer gibt es kaum noch, zumindest tagsüber. Alle Taxis müssen den Fahrpreis auf der Hintertür deklarieren. Normal ist seit Jahren zwei Zloty pro Kilometer (50 Cent). Der Einstiegstarif beträgt meistens sechs Zloty. Kurzstrecke gibt es nicht, dafür aber vier verschiedene Tarife, die der Fahrer per Hand einstellen muss: Normaltarif (1) von sechs bis zweiundzwanzig Uhr, danach fünfzig Prozent Aufschlag für den Nacht- und Feiertagstarif (2). Außerhalb der Stadtgrenzen wird der Überlandtarif (3) eingestellt, nachts und an Feiertagen bei Überlandfahrten addiert sich das zum teuersten Tarif 4. Wie überall in Polen lassen aber auch die Taxifahrer mit sich reden – etwa wenn man nett darum bittet, den Überlandtarif heute ausnahmsweise einmal nicht einzustellen.

Kulinarisches

Die alte Theorie, das Klima bestimme die Küche einer Nation, bestätigt sich am Beispiel von Polen und Deutschland. Die Wetterverhältnisse sind in beiden Ländern fast gleich, und dementsprechend ähnelt sich auch die Küche. Hüben wie drüben serviert man Kartoffeln, Sauerkraut, Schnitzel, Hähnchen oder Eisbein. Bayrische Kutteln (Innereien-Geschnetzeltes) findet man in Polen unter dem Namen »Flaki«.

Doch natürlich gibt es auch ein paar rein polnische Spezialitäten. Zu meinen Lieblingsgerichten zählen Żurek (saure Mehlsuppe), hausgemachter Griebenschmalz, Leber mit Äpfeln, Bigos (ein Sauerkrauteintopf mit vielerlei Fleischeinlagen), harte Winteräpfel der ausschließlich in Masowien erhältlichen Sorte Ligol und einfache Schimmelkäsekopien, die man schlau anstelle der unerschwinglichen französischen Originale isst. Allein schon der Name der polnischen Kopie zergeht mir auf der Zunge. Statt »Roquefort« hat man ihn clever Rokpol genannt. Ich bin so begeistert von diesem Käse, dass ich ihm mein bislang einziges Gedicht in polnischer Sprache gewidmet habe.

Auch frische Rohkostsalate, ungespritzte Tomaten und eingelegte Salzgurken sind aus der polnischen Küche nicht wegzudenken.

So, und nach so viel Lob darf ich noch ein bisschen motzen.

Weniger begeistert bin ich nämlich vom einfachen polnischen Weißbrot oder von der berühmten polnischen Wurst. Das Brot ist mir ganz einfach zu hell und die Wurst zu fett. Man sollte es in Polen nicht laut sagen – polnische Wurst gilt als das Nonplusultra der Metzgerskunst –, doch ziehe ich nun einmal Graubrot und leichtere Wurst vor. Aber gibt es in solchen Fragen überhaupt objektive Kriterien? Über kulinarische Geschmäcker sollte man nicht streiten, weil man sie, wie ich an mir selber beobachte, als Kind eingepflanzt kriegt. Eine Fremdsprache lässt sich lernen, sogar Toleranz gegen Andersdenkende lässt sich einüben – doch den Geschmack meiner Wuppertaler Kalbsleberwurst werde ich niemals mehr gegen etwas Neues tauschen.

Übrigens sind die Polen um keinen Deut aufgeschlossener. Ich habe noch nie einen in Deutschland lebenden Polen getroffen, der deutsche Wurst und deutsches Brot vorgezogen hätte. In gemessenen Worten loben sie den wohlgeordneten deutschen Straßenverkehr, loben die deutsche Toleranz gegenüber Ausländern, loben die besonnenen deutschen Politiker – aber wenn man dann fragt, wo sie ihre Wurst kaufen, heißt es: »Oh, die lassen wir uns immer von unserer Tante aus Krakau mitbringen!«

Auch für die zahllosen Sorten von Getreidegrütze, die ich erst in Polen kennengelernt habe, kann ich mich nicht erwärmen. Ob Buchweizen, Hirse oder Graupen: Man isst sie als Beilage zu Fleisch, statt Reis oder Kartoffeln, und zwar häufig ohne Sauce, trocken. Huh!

Am meisten habe ich jedoch an den polnischen Konditoreien auszusetzen. Ob in Danzig, Kattowitz oder Stettin: Überall sind die gleichen Kuchensorten in den Auslagen zu finden. Apfel- und Käsekuchen werden anscheinend überall nach demselben Rezept zubereitet (in Deutschland droht nach den Fusionen der großen Bäckereien allmählich Ähnliches). Dabei backen die Leute zu Hause so herrliche Kuchen – warum schaffen die Konditoren das nicht? Und statt appetitlicher Teilchen wird häufig noch Kuchen vom Blech verkauft, mit einem fünf Zentimeter dicken Teigboden und drei Kirschen obendrauf.

Zum Schluss noch ein versöhnlicher Blick auf die kulinarische Zukunft unserer beiden Länder. Sie wird sich noch stärker ähneln als heute. Meine Warschauer Innenarchitektin sagte mir neulich: Die Leute wollen überhaupt keinen Küchenherd mehr installieren, dafür aber ihre Küchenplatte verlängern. Warum? Damit auch vier oder fünf Pizza-Kartons nebeneinander Platz finden.

Und hier noch mein bereits erwähntes Gedicht über das polnische Schimmelkäse-Imitat »Rokpol«. Das Einmalige an ihm – dem Gedicht – besteht darin, dass der Autor quasi nebenbei alle seine Lieblingsgerichte der polnischen Küche nennt. Im Polnischen reimt es sich und klingt überhaupt sehr gut. Die deutsche Übersetzung ist eher als gemeines Handwerk denn als schöpferische Nachdichtung anzusehen. Ich habe für das Gedicht auch eine Hip-Hop-Melodie komponiert, die ich gelegentlich bei meinen Kabarettauftritten singe, stets full playback. Die Melodie ist eine Rock-Version des Sankt-Martins-Liedes »Ich gehe mit meiner Laterne«, besonders des Verses: »Rote, gelbe, grüne, blaue / lieber Martin, komm und schaue«. Das dicke Lob der verschiedenen Grützensorten im Refrain ist eine klitzekleine Ironie.

Rok'n'Pol
1. Wenn ich nach Deutschland fahre,
bin ich wie auf Entzug.
Nichts fehlt mir so sehr
wie das polnische Essen.
Flaki und Żurek,
saure Gurken,
Bigos und Apfelküchlein »Bliny«
zum Namenstag,
mit Preiselbeeren

und zum Schluss
Räuber-Reibekuchen
mit Champignonsauce,
dick, hausgemacht
und dazu:

Refrain:
Grießbrei,
Buchweizengrütze,
Graupen,
Hirse.
Sie alle sind lecker,
sie alle schmecken köstlich,
sie alle fehlen mir in Deutschland so sehr.

2. Wenn ich zurück nach Polen fahre,
fühle ich mich wie Tarzan im Dschungel
und bestelle im Zugrestaurant WARS
alles, was auf der Karte steht:
Ein gutes Schnitzel
mit Kartoffeln,
Sauerkraut
mit Piroggen
nach russischer Art,
oder schlesische Nudeln,
dazu Rohkostsalat,
und zum Abschluss einen Żubrówka-Wodka.

Und dazu:

Grießbrei . . .
3. Das beste jedoch

ist nicht Karpfen in Sülze
oder der berühmte Bergkäse *Oscypek*,
obwohl auch ein Milchprodukt.
Ich meine einen Schimmelkäse,
den billigsten, den ich kenne.
Er ist ein cleveres Imitat,
so wie der Billigwein Sofia.
Nein, es ist kein Sojamatsch,
ich spreche von köstlichem Schimmelkäse,
er ist mein Idol
und heißt auf polnisch Rokpol –
er passt sogar zu Eierkuchen!
Er ist sogar besser als
Grießbrei . . .
Sie alle sind lecker,
sie alle schmecken köstlich,
doch mit Rokpol
nimmt es keiner auf.

Kultfilm

Ein Ausflugsdampfer schippert die Weichsel hinauf, von
Thorn nach Warschau. Bei einem Halt springen zwei
Schwarzfahrer an Bord. Der eine gibt sich als »KO« aus, als
Kulturanimateur, der die Passagiere bei Laune halten muss.
Er veranstaltet zum Beispiel eine Versammlung, bei der
ein Ingenieur namens Mamoń sagt, dass er nur Musik
liebe, die er schon kenne. Ein anderer Passagier kritisiert
den derzeitigen Zustand des polnischen Films. Da werde
immer nur affektiert Zigarette geraucht – der Passagier
macht es vor.

Dies ist im Wesentlichen die Handlung des berühmtesten aller polnischen Filme – übrigens noch in Schwarz-Weiß gedreht –, des absoluten Kultfilmes, bei dessen öffentlichen Kinovorführungen die Hälfte des Saals die Dialoge mitspricht. Sein Titel: »Rejs« (Die Ausflugsfahrt). Sein Regisseur: Marek Piwowski. Sein Hauptdarsteller: Stanisław Tym, Schauspieler und Kabarettist. Sein Erscheinungsjahr: 1971.

Ich wüsste keinen deutschen Film, der ähnlichen Kultrang besitzt und auf ähnliche Weise die Generationen verbindet. Während die Älteren auf die subversive Kraft des Filmes schwören, die den Sozialismus brillant verhöhne, lachen die Nachgeborenen, die keine »KOs« mehr aus eigener Anschauung kennen – ja, über was eigentlich? Über die zeitlose Absurdität des Films? Ist er nun antikommunistisch oder zeitlos?

Verflixt, ich weiß es nicht und bin deswegen ein bisschen verzweifelt. Fast darf ich es gar nicht laut zugeben – aber ich kann bei diesem Film leider nicht mitlachen. Das schmerzt. Denn die Tatsache, dass er auch heute noch Begeisterungsstürme entfacht, zeigt, dass er etwas sehr Elementares in der polnischen Seele getroffen hat. Einmal, als ich meine Ratlosigkeit schließlich doch öffentlich zugab, kam anschließend eine junge Frau auf mich zu, sah sich verstohlen um und sagte mir dann beruhigend: »Ich wollte Ihnen nur sagen, dass auch ich nicht weiß, was an diesem Film so lustig sein soll.«

»Rejs« blieb nicht der einzige Film seiner Art. In den siebziger und achtziger Jahren entstand eine ganze Flut von absurden Komödien, von denen die berühmtesten sind: »Miś« (Der Schmusebär) und »Seksmisja« (Sexmission). Sie haben ihr Scherflein beigetragen zur Entstehung einer antisozialistischen Stimmung, die sich in der Gründung der Solidarność-Gewerkschaft niederschlug. Als der Kommunismus dann 1989 verschwand, wurde das Komödien-Machen allerdings plötzlich sehr schwer. Keiner einzigen Filmkomödie des demokratischen Polens ist es gelungen, an die Erfolge der Siebziger-Jahre-Komödien anzuknüpfen.

Im Ausland bekam man von dieser ganz eigenen Filmgattung – wie wahrscheinlich stets vom spezifischen Humor eines Landes – leider nichts mit. Polen präsentierte sich ausschließlich mit schwerer Musik, Penderecki und Górecki, und ebenso schweren Filmen: von Krzysztof Kieślowski und Andrzej Wajda bis zu Krzysztof Zanussi. Im Land selbst schätzte man die leichte Muse mehr. Einige dieser Filmkomödien wurden zu Steinbrüchen geflügelter Worte, die heute noch bei jeder Gelegenheit zitiert werden. So sagte Zbyszek, ein Bekannter aus Posen, als wir im Restaurant eine Ente bestellten: »Ist es hauseigene Produktion? So fragt ein Held bei allem, was er isst.« Der Kellner grinste und verstand die Anspielung; ich weiß noch heute nicht, aus welchem Film das Zitat stammte.

Zwei Dinge geben mir zu denken: Warum hat gerade die polnische Variante des Kommunismus diese spezifische Komödiengattung hervorgebracht – während die Tschechen etwa für ihre Kinderfilme bekannt wurden?

Und: Tragen die antikommunistischen Filmkomödien der Gierek-Epoche heute paradoxerweise nicht dazu bei, das Bild des Kommunismus ein bisschen zu verklären, so als wäre es das lustigste Paradies der Absurdität gewesen?

Aber Entschuldigung. Ich glaube, ich bin ein kleiner Spaßverderber. Solches Räsonnieren ist immer typisch für

Leute, die den Gag nicht kapiert haben und jetzt viel drumherum reden. Soll doch jeder selbst in eine Videothek gehen und sich die alten Filme ausleihen. Wer über sie lacht, aus ehrlichem Herzen lacht, ist reif für die Beantragung der polnischen Staatsbürgerschaft.

Leichtigkeit

Leichtigkeit ist unerlässlich in Polen. Sogar berühmte Philosophen wie der in England lebende, hochbetagte Leszek Kołakowski, Autor der »Mini-Traktate über Maxi-Themen«, ordnen sich dem Gesetz der Leichtigkeit unter: Egal wie gewichtig und ernst das Thema ist – ein Schuss Ironie, eine witzige Pointe dürfen nicht fehlen.

Bevor ich das Land kennenlernte, hatte ich ein anderes Bild von der polnischen Seele. Slawisch-schwermütig stellte ich sie mir vor; in meiner Phantasie herrschten lange, graue, von Chopins Trauermarsch oder Góreckis dritter Symphonie untermalte Wintertage, an denen die Menschen erdrückt von der Last der traurigen Geschichte in ihren kommunistischen Trabantenstädten herumwanken.

In Bezug auf lange, graue Wintertage lag ich nicht ganz falsch. Auch die Trabantenstädte existieren. Und abends am Lagerfeuer wird zwar nicht Chopin auf der Gitarre gespielt, aber es kann durchaus melancholisch hergehen. Gerade deshalb aber, als Gegengewicht, verschreiben sich die Polen tagsüber konsequent der Leichtigkeit. Diese Mischung ist einzigartig. Wer dagegen die slawische Seele pur erleben möchte, vierundzwanzig Stunden am Tag, der sollte nach Russland weiterfahren.

Ein Beispiel für Leichtigkeit sind die zahlreichen Autoren-Feuilletons in den polnischen Zeitschriften. Während es sie in deutschen Wochenmagazinen relativ wenig gibt –

und wenn, dann meist nur aus der Feder von Satirikern –, sind sie in Polen äußerst beliebt. Es interessiert die subjektive, bissige Meinung. Ob ernst oder heiter – Hauptsache leicht! Die meistverkaufte polnische Wochenzeitschrift »Polityka« beschäftigt mindestens drei ständige Feuilletonisten, die in jeder Ausgabe das aktuelle Geschehen kommentieren. Auch die drei unmittelbaren Konkurrenten »Wprost«, »Przekrój« und »Newsweek Polska« haben sich die Dienste bekannter Journalisten und Schriftsteller gesichert.

Allein schon die Tatsache, dass der Markt für Wochenmagazine in Polen, ähnlich wie in Frankreich, viel größer ist als der für Tageszeitungen, zeigt ein anderes Verhältnis der Polen zur Information. Deutschland, das Land mit den weltweit meisten Tageszeitungen pro Kopf, ist das Land der trockenen Fakten und der schweren, mahnenden Leitartikel. Heiterkeit wird auf die letzte Seite (ob »Hohlspiegel« oder »Aus aller Welt«) verwiesen, damit der Leser um Himmels willen nicht in Verwirrung gerät. In Polen verfließt die Trennungslinie zwischen Ernst und Heiter. Reine Fakten langweilen.

Leichtigkeit beschränkt sich nicht nur auf das gedruckte Wort. Schlagfertig-ironische Widerworte sind ein polnisches Hobby, leidenschaftlich gepflegt vom Kellner bis zum Zugschaffner. Es handelt sich dabei bekanntlich um keine einfache Kunst. Wer zögert, gar nachdenkt – hat verloren. Die Antwort muss blitzschnell kommen, wenn der Pfeil des Gegners noch die Luft durchschneidet. In Deutschland sind wohl nur die Berliner mit dieser Art des Witzes gesegnet, wobei sie nicht vor dem Groben, Verletzenden zurückschrecken, das in Polen als schlechte Kinderstube gelten würde.

Hier zwei Dialogfetzen, die ich irgendwo auf Spielplätzen und U-Bahn-Fahrten aufgeschnappt habe. Die Autoren waren keineswegs professionelle Gag-Schreiber:

»Hej Anna, man sieht sofort: Du bist keine schlechte Schauspielerin!«

»Stimmt, spiele aber leider in einem abgebrannten Theater.«

Oder:

»Sag mal, Beata, wie ist eigentlich dein Tipp für das Spiel, Deutschland – Polen?«

»Mein Typ? Groß und blond.«

»Aha . . . Jaja, eine Hungrige denkt nur ans Essen.«

Mein Tipp für Deutsche: Hat man mal keine schlagfertige Antwort parat, bitte mindestens eine ironische Miene machen. Am schlimmsten ist Schweigen, das kommt dem Eingeständnis geistiger Stumpfheit gleich. Für solche K.O.-Niederlagen in der Wechselrede haben sich die Polen einen schönen Begriff ausgedacht: *zbaranieć* – »sich in einen Widder verwandeln«.

Oh, wie habe ich mich nach der polnischen Leichtigkeit gesehnt, als ich vor einiger Zeit mal wieder in Berlin war. Zwar sind die Berliner, wie gesagt, für ihre Schnauze gefürchtet, aber diesmal erwischte ich wohl die Falsche. Ich verließ die Wohnung eines Freundes im vierten Stock. Im Treppenhaus begegnete ich einer älteren Dame, die keuchend zwei Einkaufstaschen die Treppe hinaufschleppte.

»Ganz schön steil, die Treppe, nicht wahr?«, rief ich ihr im Vorbeigehen zu.

Ich erwartete wahrhaftig keine ungewöhnliche Antwort, vielleicht ein Lächeln oder ein zustimmendes Nicken. Stattdessen blieb die Dame stehen und musterte mich misstrauisch.

»Wieso?«

Ich stutzte.

»Na, wieso weiß ich nicht, aber so hält man sich wenigstens ein bisschen fit.«

»Wie meinen Sie das?«

Die Lage wurde bedrohlich. Die Frau musterte mich, als hätte ich die zweite Version von Kants kategorischem Imperativ mit der ersten verwechselt.

»Ich wollte nur sagen, dass die Treppe steil ist.«

»Das sehe ich ganz und gar nicht so.«

»Aha, na dann . . . auf Wiedersehen.«

Sie hatte es geschafft. Völlig verwirrt stapfte ich die Resttreppen hinunter. Als ich schon an der Tür war, beugte die Dame sich noch einmal über das Geländer. »Ja, wohnen Sie denn hier im Haus?«

Ich warf die Tür zu. Mehr fiel mir nicht dazu ein. Aber es war doch immerhin auch eine Art von Schlagfertigkeit. Eine sehr deutsche.

Lemberg

Nach so vielen Jahren in Polen frage ich mich manchmal, ob es mir jemals gelingen wird, akzentfrei Polnisch zu sprechen. Ich fürchte leider – nein. Mariusz Sabiniewicz, ein leider verstorbener Schauspielkollege meiner Soap-Opera, rief, sobald ich die Garderobe betrat, mit übertrieben gespitztem Mund aus: »Dooookładnie! Ideeeealnie!« (Genau! Ideal!) Er belustigte sich über meine deutsche Dehnung der im Polnischen kurzen Vokale »o« und »e«. In der Tat, das – und noch einiges andere – werde ich wohl niemals hinkriegen. Beschämenderweise genügt es im

Taxi auch heute noch, zwei Sätze zu sagen, und prompt vergewissert sich der Fahrer im Rückspiegel, dass er keinen Nazi herumkutschiert. Selbst in New York nahm man mir den Polen nicht ab. Als ich nach zwei Tagen am Hudson die polnische Sprache zu vermissen begann, fuhr ich nach Brooklyn, in den polnischen Stadtteil Greenpoint, ging in einen Laden und kaufte zwei Würstchen. An der Kasse fragte ich auf Polnisch, ob die Würstchen auch bestimmt aus dem Vaterlande kämen. Die Kassiererin musterte mich kurz und sagte dann: »Yes, from Poland.«

Es war niederschmetternd.

Ein einziges Mal gelang es mir aber schließlich doch, dass man mich für einen Polen hielt. Es war in Lemberg, wo ich für die Salzburger Uni einen Deutsch-Sommerkurs abhalten sollte.

Von Przemyśl aus fuhr ich mit dem Bus nach Lemberg, das ich spätnachmittags erreichte. Vom Stadtrand aus nahm ich einen Trolleybus ins Zentrum. Fahrkarten verkaufte eine Frau, die im hinteren Teil des Busses auf einem speziell erhöhten Sitz saß. Sie trug eine hellblaue Schürze. Einen noch gelangweilteren Gesichtsausdruck als denjenigen dieser Fahrkartenverkäuferin habe ich erst Jahre später gesehen, in einer Straßenbahn in Barnaul/Sibirien, bei einer Dame gleicher Profession. Ich erkundigte mich auf Polnisch, ob der Bus zum Schewtschenko-Prospekt fahre. Es erfolgte keine Antwort. Die Frau starrte mich ausdruckslos an. Auch von den anderen Fahrgästen reagierte niemand. Ich stand mit meinem Polnisch da wie ein Idiot.

Plötzlich spürte ich, wie mich jemand von hinten zaghaft am Arm zupfte. Eine alte Frau war aufgestanden und zog mich auf den freien Sitz neben sich.

»Schewtschenko-Prospekt? Ich zeige dir, wo du aussteigen musst!«

Sie sprach diese Worte in ukrainisch gefärbtem Polnisch aus, um sich sogleich vorsichtig umzusehen. Dann flüsterte sie mir ins Ohr:

»Pole, hm?«

»Na ja . . .«

»Ich bin auch Polin. Ich bin damals dageblieben. Was machst du hier?«

»Ich möchte hier unterrichten.«

»Aha. Weißt du was?« Die Frau dämpfte ihre Stimme noch weiter. »Komm morgen Früh um zehn Uhr in die Magdalenenkirche. Weißt du, wo die ist? Nein? Neben dem Polytechnikum. Da halten sie eine polnische Messe, und wir sind nur zu sechst. Wir brauchen jede Seele!«

Leider konnte ich am Tag darauf nicht zu dieser Messe kommen, ich musste unterrichten. Das war jammerschade, und ich bereue es bis zum heutigen Tag, denn so entging mir die wohl erste und letzte Chance, meine polnische Seele zu offenbaren – und zwar vor sechs Zeugen.

Licheń

Eines Tages beschloss ich, mir die berühmte, gerade fertiggestellte Basilika von Licheń anzusehen, dem Wallfahrtsort in Großpolen. Damit es billiger würde, meldete ich mich für eine Kaffeefahrt an, auf die unzählige Flugblätter in meinem Briefkasten wochenlang beharrlich hingewiesen hatten. Der Ausflug kostete auf diese Weise lächerliche 19,99 Zloty (5 Euro) – man musste lediglich an einer Verkaufsveranstaltung für Kochtöpfe teilnehmen.

An einem Montag Morgen um sechs Uhr ging es in Warschau los. Der Bus war halbvoll, fast ausschließlich Rentner. Als wir nach etwa vier Stunden Fahrt in Richtung Westen endlich die goldene Kuppel der Lichener Basilika über die Bäume lugen sahen, bog der Bus auf einen Parkplatz ab, wo eine niedrige Holzkaschemme stand. Wir mussten aussteigen und die fast dreistündige Topfpräsentation über uns ergehen lassen. Aber eigentlich war es gar nicht so schlimm. Während wir ein schmackhaftes Mittagessen serviert bekamen, zogen drei sehr sympathische junge Verkäufer ein schwarzes Tuch vom Präsentationstisch, der oben auf einer Bühne stand. Eine Pyramide silberglänzender Kochtöpfe kam zum Vorschein. Bei diesen zwanzig Töpfen handelte es sich um ein einmaliges Angebot. In einem normalen Geschäft hätten sie mindestens 12 000 Zloty gekostet (3000 Euro), für uns aber war man bereit, den kompletten Satz für spottbillige 5000 Zloty abzugeben.

Zu meiner Überraschung zeigten viele Ausflugsteilnehmer großes Interesse. Ganz entgegen meinem Bild vom hyperskeptischen Polen bildete sich eine lange Schlange vor dem Verkaufstisch. Da die Summe von 5000 Zloty immer noch das Vielfache einer durchschnittlichen Rente ausmachte, nahmen einige der Kaffeefahrtler die Möglichkeit eines langjährigen Kredits wahr. Dankenswerterweise hatte der Veranstalter diese Notwendigkeit im Voraus bedacht und ein zweites Tischchen bereitgestellt, an dem ein Bankenvertreter saß. Uns war ausführlich klargemacht worden, dass dieser Kredit, sogar bei baldigem Ableben, eine sinnvolle Investition sei, da ganz sicher noch die Enkel sich über so schöne Töpfe sehr freuen würden.

Gegen Mittag fuhr uns der Bus endlich, unter nettem

Winken der drei Verkäufer, die letzten Kilometer zur gewaltigen Basilika von Licheń, der größten Kirche Polens. Wir stiegen auf einem riesigen Busparkplatz aus und bekamen zwei Stunden zur individuellen Verfügung. Es überraschte mich, dass die meisten Ausflugteilnehmer nun keineswegs zur Kirche strebten, sondern sich stattdessen in eine lange Schlange einreihten, die noch auf dem Parkplatz begann. Wie ich von einer älteren Dame aus meinem Bus erfuhr, handelte es sich dabei um den berühmten Brunnen von Licheń. Alle wollten heiliges Wasser aus der Wunderquelle nach Hause mitnehmen. Auch ich stellte mich an. Als meine Mitreisende bemerkte, dass ich keinen Behälter dabei hatte, gab sie mir einen der ihren. Das war allerdings kein normaler Behälter, sondern eine blaue Marienfigur aus Plastik, deren Krone sich abdrehen ließ.

Leider ging es nur quälend langsam voran, weil das Wasser der Wunderquelle aus einem dünnen Kran höchst spärlich herausträpfelte und manche Pilger ganze Kanister mitgebracht hatten. Einige unserer Kaffeefahrtler schöpften das Wasser übrigens in ihre frisch erstandenen Töpfe und verschlossen die Deckel mit Einmachgummis.

Schließlich verlor ich die Geduld, gab meiner Mitfahrerin die Marienfigur zurück und spazierte zur Basilika. Sie war umgeben von einem sehr schönen Park, voll von romantischen Hecken und riesigen Rosenbeeten. Ich setzte mich auf eine Bank und erholte mich eine Weile vom Stress des bisherigen Tages. Leider ließ ich bei dieser Gelegenheit auch meinen Fotoapparat auf der Bank liegen und bemerkte es erst abends in Warschau. So ist das mit den lächerlich billigen Kaffeefahrten.

Dann ging ich in die Basilika. Das Gebäude mit dem

riesigen Turm sah für meinen Geschmack etwas kitschig aus, wie ein anachronistisches Plagiat des Petersdoms. Seine schiere Größe war aber zweifellos imponierend, und der von zahllosen Menschen aus der ganzen Welt gespendete Marmor war mit Sicherheit ein Vermögen wert. Das Christentum schien hier noch eine lebendige, junge Religion zu sein. Man musste daran denken, dass die frühe Kirche nicht aus Kunsthistorikern, sondern aus Fischern, Prostituierten und Sklaven bestanden hatte.

Als ich zum Bus zurückkehrte, begegnete ich wieder der Dame vom Wunderbrunnen. Sie strahlte übers ganze Gesicht, war es ihr doch gelungen, vier Marienfiguren mit Wasser zu befüllen. Gleich am nächsten Sonntag wollte sie die Figuren in Warschau vor ihrer Heimatkirche verkaufen. Die Nachfrage sei groß. Einer Prophezeiung zufolge stünden der Menschheit schwere Zeiten bevor, und Licheń werde im Jahr 2010 zum geistigen Zentrum Europas werden. Dieses Wasser sei also von großem Wert. Als ich ihr half, die Figuren in den Bus zu tragen, schenkte sie mir zum Dank eine von ihnen. Ich versuchte abzulehnen, ließ mich dann aber doch überreden. Die Freude der Frau beeindruckte mich so sehr, dass ich die Marienfigur bis zum heutigen Tag aufgehoben habe. Wer weiß? Es kommen härtere Tage. Für das Wasser dieser Figur erhalte ich dann drei neue Fotoapparate.

Liebe

In Polen gelte ich nicht gerade als Experte für Liebesangelegenheiten. Die Serie, in der ich nun schon seit über fünf Jahren mitspiele (400 Folgen), heißt zwar »M jak

Miłość« (L wie Liebe), doch spiele ich einen Pechvogel, einen deutschen Kartoffelbauern, der schon zwei Mal unglücklich verheiratet war – und eigentlich drei Mal, denn die allererste Kandidatin, Jola, lief mir vom Traualtar weg, weil sie es sich in letzter Minute anders überlegt hatte. Am nächsten Tag in der Metzgerei wurde ich getröstet von Frau Alicja, meiner lieben Metzgerin und treuen Zuschauerin.

»Machen Sie sich keine Sorge, Sie kriegen auch noch eine ab!«

Es ist zum Verzweifeln. Denn eigentlich würde ich behaupten, dass die Liebe in Polen unkompliziert ist. Natürlich nicht im Sinne der deutschen Fernseh-Sex-Reklame: »Frrrrauen aus dem Osten – biiiillig und wiiiillig«. Diese Reklame hat schon so manchen ausgehungerten Deutschen, der erwartungsfroh nach Polen reiste, ins Bockshorn gejagt. So wie etwa meinen Freund Heiko.

Als wir anlässlich seines Warschau-Aufenthaltes in eine Diskothek gingen, blickte er sich erwartungsfroh nach den anwesenden Schönen um, setzte sich dann an die Bar und ließ ostentativ eine Marlboro-Packung aus der Hemdtasche lugen. Die Polinnen würden auf diese Weise wie die Motten zum Licht schwärmen, so glaubte er. Natürlich geschah überhaupt nichts. Heiko fand erst viele Jahre später wieder eine Freundin, interessanterweise auf Sylt.

Nein, die polnische Liebe ist unkompliziert im Sinne meiner Schülerin Sylwia, einer achtzehnjährigen Miss Universum, die sich mir, ihrem Deutschprofessor, beim Abiball um den Hals hängte.

»Herr Professor, Sie sind immer so steif. Bei uns in Polen geht das alles etwas schneller!«

Ich nickte nachdenklich und beschloss, mir den Satz zu

Ein Photo aus glücklicheren Folgen: Kartoffelbauer Stefan Müller und seine dritte Ehefrau Ela (Monika Obara) in der TV-Serie »L wie Liebe«.

merken. Zehn Jahre später kann ich nun sogar Beispiele für Sylwias These anführen.

Schon die Kontaktknüpfung in Polen ist einfacher als in meiner Wuppertaler Heimat. Polen sind beim Flirten mutiger, charmanter, schneller, erfahrener, übrigens auch abgehärteter gegen Misserfolge. Vor allem beherrschen sie eine Kunst, die wir Leute aus dem Bergischen Land längst verlernt haben: Der Angebeteten gerade in die Augen zu blicken und ganz direkt ein Geständnis abzulegen, notfalls auch mal einen glühenden Brief hinterherzuschieben. Nein, das gibt es nicht mehr, weder in Barmen noch in Elberfeld. Bei uns – und ich spreche hier natürlich aus eigener Anschauung – verbieten sich die meisten Männer doch schon, einer fremden Frau auf der Straße in die Augen zu gucken. Hinterhergucken – freilich, aber in die Augen, forsch die Bewunderung zeigen? Nein, um Himmels willen nein. Infolge dieser männlichen Extrem-Zurückhaltung muss eine deutsche Frau es schon als Verlobungsantrag werten, wenn ihr langjähriger Arbeitskollege sich endlich dazu durchringt, sie fürs Wochenende mal zu einem Zoospaziergang einzuladen.

Auch der weitere Verlauf einer Love-Story gestaltet sich in Polen rascher, einfacher. Man verabredet sich zu einem »Randka«. Nun gut, auch in Deutschland verabredet man sich, nämlich zu einem »Date«, doch das Krampfige, der fortpflanzungshemmende Kloß, den man in Deutschland spürt, zeigt sich schon am geliehenen Fremdwort. Das war einmal anders, nämlich zu Goethes Zeiten, als man dazu »Stelldichein« sagte; es gab sogar noch Gedichte über die Liebe. Erst später benannte man diese Angelegenheit auf Französisch: »Rendezvous« – und heute heißt es pseudo-cool-englisch eben »Date«. Schon an diesen Entlehnungen aus fremden Sprachen ist die zunehmende Tendenz der Deutschen zum Minus-Bevölkerungswachstum zu erkennen. Kein Wunder, dass wir neunhundert Dates brauchen, ehe wir uns denn endlich mal gegenseitig zum Broccoli-Kochen einladen.

In Polen sagt man schlicht und gerade »Randka«. Gut, das ist zwar auch nur eine Verballhornung von »Rendezvous«, aber inzwischen, nach mehr als zweihundert Jahren, doch als ein ehrliches polnisches Wort anzusehen. Ein klassisches »Randka« findet am Sonntagnachmittag statt. Es beginnt mit einer Rose für die Dame, geht weiter mit einem Spaziergang entlang der Weichsel und endet in einem Altstadtcafé. Dort sitzt man beim steifen, bald aber immer frivoleren Gespräch, doch um sieben Uhr hat alle Frivolität ein Ende – der Kavalier geleitet seine Dame zur Bushaltestelle.

Man mag dies als Sitte der Altväter bezeichnen – und doch gäbe ich alle Folgen meiner Serie dafür her, wenn wir Deutschen ein wenig uncooler in der Liebe wären. Angesichts unserer grauenvollen Steifheit würde ich es sogar ganz konkret so formulieren: Liebe Eltern, verheiratet uns schon im Kindesalter. Dann entfällt sie restlos, diese furchtbare Peinlichkeit namens »Flirt«.

Mann und Frau

Ach, die polnischen Männer – sie haben keinen guten Ruf, vor allem nicht bei den polnischen Frauen. Wenn sie sich inzwischen auch fast alle, irgendwann um die Jahrtausendwende, den Schnurrbart abrasiert haben, gelten sie doch nach wie vor als schlecht aussehend, schlecht angezogen und schlecht erzogen. Die Nutznießer sind westliche Ausländer, die angeblich besser aussehen, weil sie sich Deo unter die Achseln sprühen, fein die Haare gelen und im Restaurant galant die Rechnung bezahlen. Wie wäre sonst die hohe Zahl von Polinnen zu erklären, die sich nach einem westlichen Erlöser umsehen?

Ob sich hier eine Trendwende anbahnt, überlasse ich getrost den polnischen Frauenmagazinen à la »Twój Styl« oder »Pani«. Wir wenden uns tiefschürfenderen Dingen zu – nennen wir sie einmal die psychisch-soziale Konditionierung des polnischen Mannes, unter stetiger Berücksichtigung der polnischen Frau.

Sind polnische Männer steinharte Mohikaner, die Gefühle hinter einem solariumbraunen Pokerface verbergen oder ideale Familienväter, die zuerst die Kinder ins Bett bringen und dann mit ihrer Frau romantisch zu Abend essen?

Die Antwort lautet: Sie sind beides.

Sie sind schmerzresistente Indianer, weil das Männerbild in Polen, so wie die gesamte Gesellschaft, noch um einiges konservativer ist als in Westeuropa. Die Psychowelle schwappt die Weichsel erst ganz langsam hoch. Männer müssen immer noch vor allem eins besitzen: Selbstbeherrschung. Warmduscher sind das Letzte, was sich eine polnische Frau wünscht. Freilich soll ihr Liebster Gefühle haben – aber er soll sie nur beim Rendezvous mit ihr äußern, um Himmels willen nicht beim Gespräch mit dem Postboten oder gar mit dem Arbeitgeber.

Ich weiß, wovon ich rede. Hundertmal wurde ich in Polen darauf hingewiesen, dass ich meinen Gefühlen sträflich freien Lauf ließe – etwa als ich im Zug hektisch nach meinem Kalender suchte.

»Ruhig!«, forderte mich mein Mitreisender Marcin auf, mit einem Unterton der Verachtung für den weibischen Panikschieber. Das Wort »ruhig« – polnisch »spokojnie« – ist das absolute Lieblingswort polnischer Männer. Um Himmels willen nicht die Nerven verlieren, bloß keine Gefühlsduselei. Schlecht bekam mir auch, als ich in Gesellschaft zweier Damen den Breslauer Marktplatz nach einer guten Kneipe absuchte und erst mit der vierten zufrieden war.

»Wie ein Weib!«, mokierten sich meine genervten Begleiterinnen. Ich wurde wütend. Man gilt als schwul, nur weil man ein paar Ansprüche ans Abendessen stellt, ja? Ein richtiger Mann setzt sich ins erstbeste Restaurant und nötigt den Koch dann dazu, heute mal über sich hinauszuwachsen, ja? Was für ein Quatsch! Ich war echt wütend – und das hat den Mädels dann wieder gefallen. Sie steckten mir versöhnlich Brotstücke in den Mund.

In Deutschland, als Student, wäre es mir nie eingefallen, mich als Psycho-Softi zu bezeichnen. In Polen musste ich mich damit abfinden, dass ich als einer gelte. Ich habe zum

Beispiel den unverzeihlichen Fehler, dass ich gelegentlich mal von einem nächtlichen Traum berichte oder gar über Halsschmerzen klage. Das darf man sich allenfalls bei der eigenen Frau erlauben, aber auch nur dann, wenn man schon bombensicher viele Jahre lang verheiratet ist.

Kommunikationsmittel der polnischen Männer sind nicht Gefühlsrapporte, sondern Ironie. Wenn irgendwo vier Männer beisammenstehen, kann man sicher sein, dass sie ironische Bemerkungen austauschen, sei es über einen neuen Kinofilm oder über eine gescheiterte Ehe.

Nun gut, ich bin kein Feind der Ironie – aber permanent, ewig und stets? Nein danke, dafür fließt denn wohl doch noch allzu schweres Blut durch meine Wuppertaler Adern.

Kein Wunder also, dass es in Gesprächen mit polnischen Männern manchmal etwas gezwungen zugeht. Echte Freundschaften sind rar – wie ich überhaupt beobachtet zu haben glaube, dass polnische Männer eher Kumpel, aber keine Freunde haben. Spätestens ab dem dreißigsten Lebensjahr hört das Single-Dasein auf, dann sitzen sie abends bei Frau und Kind, statt sich mit einem Freund zu verabreden. Dieser Eindruck bestätigt sich, wenn man zur Abendstunde in ein Warschauer Restaurant geht. Mann-Mann, Frau-Frau-Konstellationen sind selten, dafür gibt es eine Menge Mann-Frau-Paare. Wenn man vorsichtig näher schleicht und ein bisschen die Ohren spitzt, wird man überrascht sein, wie emotional und ernst es bei diesen Pärchengesprächen zugeht. Von Ironie meist keine Spur mehr. Hier, im Gespräch mit ihrer Frau, wälzen sich die polnischen Männer all das vom Herz, was sie ihren Kumpeln gegenüber niemals zur Sprache bringen dürfen. Die Frau hat dann die Aufgabe, den verwundeten Helden aufzurichten, ihm begütigend über das Haar zu fahren und ihn wieder fit zu machen für den nächsten Kampftag. Kein Wunder, dass polnische Männer – denen es, wie gesagt, an Ironie nicht mangelt – sich selbst häufig als Pantoffelhelden bezeichnen.

Aber den Frauen gefällt es so – ist ihr Mann doch nur nach außen hin der harte Indianer. Im Kreis der Familie kann er so weich und zärtlich sein wie der liebste deutsche Fußreflexzonenmasseur. Nein, polnische Männer sind letztlich keine Machos.

Wer nun folgern wollte, dass polnische Frauen die treusorgenden Heimchen am Herd sind, würde schwer irren. Bei den »Weichselaphroditen« (Heinrich Heine) ist die Sache doch etwas komplizierter. Eigentlich durchschaue ich das Spiel bis heute noch nicht ganz. Ist die Polin eher holde Aphrodite oder doch mehr Athene im Männerpanzer? Oder gar raffinierte Doppelagentin? Während sie nämlich ihren Männern gegenüber »fraulich« sein müssen – zuhören, trösten, zuhören –, können sie untereinander knallhart sein. Weibliche Einfühlsamkeit? Pustekuchen. Ironischer Spott regiert, gnadenloser als bei den Männern. Immerhin: dem offiziellen weiblichen Ideal, das in Serien und Zeitschriften propagiert wird, entspricht das nicht. Ihm zufolge sollte eine polnische Frau zwei Dinge vermeiden: Kumpelhaftigkeit gegenüber Männern und witzige Distanz gegenüber ihren Geschlechtsgenossinnen. In irgendeiner Umfrage gab denn auch die Mehrheit der befragten Frauen an, bei einer Frau »Warmherzigkeit« am höchsten zu schätzen. Schlagfertigkeit, Intelligenz, Ironie rangierten weit dahinter.

Doch ich traue dem schönen Schein nicht so recht. Das Klischee von den »Slawinnen« mag auf Russinnen zutreffen, nicht aber auf Polinnen. Polinnen stehen, so wie das ganze Land, zwischen West und Ost. Sie sind fast so emanzipiert wie Westeuropäerinnen und fast so weiblich wie Russinnen. Sie verkörpern den idealen Kompromiss.

Fest steht, dass Frauen in der polnischen Arbeitswelt präsenter sind als in den meisten anderen Gesellschaften. Noch sind ihnen die Chefposten zwar meist verwehrt, aber die Kärrnerarbeit machen sie allemal schon jetzt. Eine polnische Freundin erklärte es mir so: »Während unsere Männer sich – sichtbar in Politik und Business – vor allem mit dem eigenen Ehrgeiz und der Knüpfung unzerreißbarer Seilschaften beschäftigen, ackern wir Frauen selbstlos für Kinder und Hof – so wie wir es während der zahlreichen polnischen Aufstände zu tun pflegten, wenn unsere Männer wieder ihr riskantes Spiel mit Russen oder Deutschen spielten.«

Ein deutscher Investor bestätigte mir das. In seiner Fabrik in Lodz stelle er am liebsten Frauen ein – sie seien die wahren Männer Polens, zuverlässig, fleißig, verantwortungsbewusst. Es sei nur eine Frage der Zeit, bis auch Polen von einer Frau regiert werde. Schon einmal war dies ja der Fall, wenn auch nur für wenige Monate: Hanna Suchocka amtierte zu Beginn der neunziger Jahre als Premierministerin. Heute vertritt sie Polen beim Vatikan – ebenfalls eine Pionierrolle.

Bereits jetzt gibt es eine Frau an höchster Stelle. Polens Europa-Politiker Nummer eins ist eine Frau. Danuta Hübner wurde zum zweiten Mal hintereinander EU-Kommissarin, derzeit für Regionales zuständig. Als berühmteste Polin aller Zeiten gilt übrigens, neben der Muttergottes, Marie Curie-Skłodowska, die bislang einzige weibliche Doppelnobelpreisträgerin.

Ich selber habe von Anfang an gespürt, dass ich in einem matriarchalen Land gelandet bin. Mein erster polnischer Arbeitgeber, das Warschauer Königin-Hedwig-Gymnasium (also nach einer weiteren berühmten Frau benannt) wurde von einem Direktorinnen-Doppelgespann regiert. Auch im Lehrerzimmer wimmelte es von Frauen, während die wenigen männlichen Lehrer abgedrängt waren in klägliche Männerdomänen wie Chemie, Sport und Religion. Bei den Schülern galten diese Herren als Schwächlinge. Polnische Kinder werden, von der Kinderkrippe bis zum Abitur, fast ausschließlich von Frauen erzogen.

Als ich anschließend am Linguistischen Institut der Warschauer Universität unterrichtete, war die Dekanin wiederum eine Frau. In einer Palastrevolte hatte sie den Gründungsdirektor des Instituts aus der Tür gekickt und herrschte seitdem mit eiserner Hand.

Auf genau die gleiche Art von Power-Frau traf ich im nächsten Job: Meine Soap-Opera, L wie Liebe (»M jak Miłość«), sowie eine Reihe weiterer Serien wird von einer Frau namens Ilona Łepkowska geschrieben und produziert, die längst zur polnischen Frauenikone aufgestiegen ist. Auch das zweite staatliche Fernsehprogramm ist fest in weiblicher Hand. Alle Abteilungsleiterinnen sind Frauen. Nicht zuletzt wird die Comedy-Show »Europa da sie lubić« (Europa lässt sich mögen), in der ich seit fünf Jahren mitwirke, von einer Frau moderiert, Monika Richardson. Sie hält sich ausgezeichnet und hat mittlerweile manchen Fernsehpreis eingeheimst.

Wer also von Polen als einer »konservativen Gesellschaft« spricht, sollte bedenken, dass dies nicht für alle Bereiche zutrifft. Die Rolle der Frau war hier schon lange vor der feministischen Bewegung viel stärker als in Westeuropa.

Ob für diese Tatsache möglicherweise der Muttergotteskult verantwortlich ist, wage ich hier nicht zu entscheiden und delegiere die Frage gerne an eine Podiumsdiskussion des Deutschen Katholischen Kirchentages.

Wie sieht es aber nun mit der Synthese von Mann und Frau in Polen aus? Achtung, dazu stelle ich eine wilde These auf. Die polnische Mentalität scheint mir stärker auf Partnerschaftlichkeit angelegt zu sein als die individualistische, egoistische, protestantisch-liberale West-Mentalität. Polen sind weniger herrschsüchtig und toleranter; hier ist die vielbelächelte polnische Anarchie einmal positiv, weil sie sich auf die Gleichberechtigung günstig auswirkt. Dazu kommt eine von Jugend auf eingeübte Sympathie gegenüber dem jeweils anderen Geschlecht, an der vielleicht auch die weibliche Lehrerschaft ihren positiven Anteil hat.

All das führt dazu, dass es meiner unmaßgeblichen Beobachtung nach in Polen mehr glückliche Ehen als anderswo gibt. Statistisches Material ist hier schwer zu liefern und könnte meine schöne Behauptung wohl gar unterhöhlen, denn die Zahl der Scheidungen wächst. 1995: 38 100 Scheidungen; 2006: 61 900. In zwei von drei Fällen reichen Frauen die Scheidungen ein. Häufigste Gründe: Alkoholismus und Seitensprünge. Trotzdem will mir scheinen, dass man auf der Straße nicht nur mehr küssende, händchenhaltende Jungpaare sieht als in Deutschland, sondern auch im Umgang mit älteren Ehepartnern außergewöhnlich oft den Satz hört: »Ich muss zuerst mit meiner Frau/meinem Mann darüber sprechen.«

Hundertmal habe ich mich beim Auswendiglernen über die Dialoge meiner Seifenoper belustigt. Sie sind nicht komplett unrealistisch, aber doch sehr einseitig auf den weiblichen Zuschauer zugeschnitten und stellen die Welt so dar, wie sich eine gefühlvolle Polin das vermutlich erträumt. Folgerichtig reden auch die männlichen Figuren so, wie es aus weiblicher Perspektive wünschenswert wäre, nämlich vollkommen unironisch und ausschließlich über ihre Gefühle. Der Lieblingssatz, der in fast jeder Szene auftaucht, lautet: »Ich muss mal mit dir sprechen.« Könnte mich nicht erinnern, dass jemals ein Pole zu mir diesen Satz gesagt hätte, und schon gar nicht viermal am Tag.

Als Beispiel einer eher unrealistischen Männer-Gefühls-Sause diene der nachfolgende Dialog zwischen meinem Serien-Alter-Ego Stefan Müller und seinem Freund Marek Mostowiak.

Stefan: Ändern sich Frauen eigentlich immer nach der Hochzeit?

Marek: Äh . . . verstehe ich nicht.

Stefan: Na, du weißt schon – hat deine Frau Hanka sich verändert?

Marek: Meinst du, ob sie sich . . . zum Schlechteren verändert hat?

Stefan: Genau.

Marek: Also . . . klar ist es jetzt ein bisschen anders. Aber ich finde: besser. Es gibt nicht mehr diese Unsicherheit wie vorher.

Stefan: Uhm . . .

Marek: Du weißt ja, bei uns war alles ein bisschen

komplizierter als bei euch. Wir mussten heimlich heiraten, dazu noch die Affäre mit Kasia ...

Stefan: Du sagst also, dass es nach der Hochzeit besser wird?

Marek: Ja. Generell meine ich: ja. Es ist vielleicht nicht gerade der Wahnsinn, aber so ein gutes, ruhiges Leben. Frauen fühlen sich nach der Hochzeit sicherer, ruhiger ...

Stefan: Genau darum geht es mir! Dass sie sich sicherer fühlen! Und das stört dich nicht? Meine Ela will jetzt plötzlich einen BMW haben!

Meine Vision von Europa

Nehmen wir einmal an, das große Experiment EU hält sich noch eine gewisse Weile, zum Beispiel fünfzig Jahre lang. Wie wird Europa dann aussehen? Wird es das Paradies auf Erden sein?

Aller Voraussicht nach – nein, aber die Beziehungen zwischen den europäischen Ländern werden sich deutlich verbessern, ähnlich denen zwischen den USA und Kanada. Gemeinsam bekämpfen wir die Arbeitslosigkeit, unterstützen strukturschwache Regionen und bauen eine Autobahn von Oslo bis ans Schwarze Meer.

Das war es dann aber auch schon. Das wichtigste Ziel wird unerreicht bleiben. Ich kann mir einfach nicht vorstellen, dass sich eine einheitliche europäische Identität herausbildet – und dass zum Beispiel die Klischees über andere Nationen aufhören. Werden sich Polen etwa eines Tages nicht mehr über Tschechen mokieren? Werden Österreicher in nicht allzu ferner Zeit die Deutschen lieben? Mit anderen Worten: Werden größere Staaten ihre kleineren Nachbarn großartig beachten und kleinere Staaten ihre mächtigeren Nachbarn ohne Neid betrachten? Damit das eintrifft, müsste wohl eine neue Menschheit geboren werden. Was die folgende Anekdote bestätigt.

Ich habe sie von meiner Kollegin Magda gehört, mit der ich an der Warschauer Uni zusammen unterrichtete. Sie war für zwei Monate zu einem Englischkurs nach Edmonton/Kanada geflogen. Gleich am ersten Unterrichtstag bekam sie von ihrer Lehrerin die folgende schriftliche Hausaufgabe: »Was unterscheidet Kanada von den USA?«

Magda fasste sich an den Kopf. Was sollte sie über Differenzen zwischen zwei so ähnlichen Ländern schreiben? Ja, gewiss, irgendwann hatte es tatsächlich einmal einen Krieg zwischen Kanada und den USA gegeben. Das war im Jahr 1812 gewesen. Aber heute – zweihundert Jahre später? Was konnte man da schreiben, außer Banalitäten? Nach stundenlangem Grübeln sog sie sich schließlich eine halbe Seite aus den Fingern.

Am nächsten Tag fragte die Lehrerin in strengem Ton, wer denn freiwillig seine Hausaufgabe vorlesen wolle. Niemand meldete sich, bis endlich ein Bulgare mit müder Stimme verlauten ließ, er sei bereit, seine Antwort vorzulesen, müsse die Lehrerin aber im Voraus warnen: Die Antwort bestehe nur aus einem einzigen Satz. Irritiert bat ihn die Lehrerin, diesen Satz vorzulesen.

»Das, was meiner Meinung nach die USA von Kanada unterscheidet«, las der Bulgare, »ist die Tatsache, dass Sprachkurs-Schüler in den USA wohl kaum schon am ersten Tag die Frage vorgelegt bekämen: ›Was unterscheidet die USA von Kanada?‹«

Und damit sind wir beim Verhältnis von Deutschland und Polen. Viel ist geschrieben worden über die Wunden der Geschichte, die Ignoranz, den Unterschied der Sprachen und Mentalitäten. Sehr oft klingen diese Schreibereien dann so, als wären auf dem Weg zur schlackenlosen Verschmelzung nur noch einige Missverständnisse zu klären.

Die Anekdote zeigt aber, dass selbst im symbiotischsten aller Nachbarschaftsfälle der Harm des einen und der Dünkel des anderen bleiben werden. Kanadier sind wütend, dass sie von den USA ignoriert werden – und US-Amerikaner lächeln herablassend, wenn sie einen kanadischen Akzent hören. So wird es auch mit den Polen bleiben: freundliches Ignorieren der Tschechen oder Ungarn – und grimmiges Schielen auf Deutschland. Und in Deutschland: hypnotisches Schielen auf Rußland, herablassendes Schulterklopfen gegenüber Polen.

Und damit genug der geopolitischen Skepsis. Säge ich nicht am Ast, auf dem ich publiziere? Wird mein Buch über die polnische Mentalität mit solch fatalistischen Worten nicht überflüssig? Wenn alle Bemühungen um besseres gegenseitiges Verstehen ohnehin zu nicht sehr viel Glück führen, weil Nachbarn sich ja doch niemals mögen werden – wozu dann diese Verschwendung von Papier und Druckerschwärze?

Vielleicht: Um das deutsch-polnische Verhältnis wenigstens ein bisschen auf das Niveau von Kanada und den USA zu bringen? Ihr Krieg war 1812? Dann stehen wir im Augenblick irgendwo zwischen 1846 und 1852.

Menel

Menel, żul, bum, sztajf – das Polnische besitzt eine ganze Reihe Bezeichnungen für die polnische Variante des Sokrates, des Gossenphilosophen, der mit einer Flasche billigem Fusel vor dem Supermarkt herumlungert und das Leben aus der Distanz des Habenichts mustert. Von einem gewöhnlichen Bettler unterscheidet er sich dadurch, dass er ein Zuhause hat, eine mürrische Ehefrau, die ihm abends unwillig die Wohnungstür öffnet, aber zu gutmütig, arm oder katholisch ist, um sich scheiden zu lassen. Überall auf der Welt gibt es diesen Männertyp, aber in Polen sticht er besonders ins Auge und genießt auch eine spezifische Art der Reputation.

Die »Menele« (aus dem Jiddischen: Männele) werden in Polen verachtet, aber als ehrliche, authentische Trunkenbolde doch auch irgendwie akzeptiert. Sie erscheinen wie Angehörige eines primitiven, aber freien und unabhängigen Bergvolks, das es in die Stadt verschlagen hat. Mehr als billiger Apfelwein oder selbstgebrannter, minderwertiger Wodka ist für sie nicht drin, doch dafür konsumieren sie ihn mit der Miene des Genießers. Ihr Motto könnte ein Spruch des Schauspielers W. C. Fields sein: »Ich habe immer ein wenig Alkohol bei mir, für den Fall, dass ich einer Schlange begegne. Und eine Schlange trage ich übrigens auch immer bei mir.«

Jeder Pole kann aus dem Handgelenk drei Menel-Anekdoten erzählen. Von einem Freund hörte ich die folgende: Nach frisch bestandener Magisterprüfung schleppte er das dicke, nun überflüssige Manuskript seiner Magisterarbeit zum Müllcontainer im Hof. Da kamen zwei Menele auf ihn zugehumpelt:

»Geht das ins Altpapier?«

»Ja, es ist meine Magisterarbeit.«

»Her damit, wir verkaufen das als Makulatur. Na los, zögern Sie nicht! Wir sorgen doch nur dafür, dass Ihre Arbeit unters Volk kommt.«

Auch ich kann mit einer wahren Geschichte aufwarten. In meinem Wohnblock im Warschauer Stadtteil Muranów wohnte ein Menel namens Czaruś, etwa vierzig Jahre alt. Er trieb sich ständig auf dem Hof herum, in der Hoffnung, dass ihm jemand einen Zloty in die Hand drückte. Wenn er endlich wieder das Geld für eine Flasche Fusel zusammenhatte, verschwand er hinter einem Fliedergebüsch, wo ein Plastikbecher auf dem Zaun steckte. Peinlich auf Sauberkeit bedacht, prüfte er zuerst, ob der Becher nicht schmutzig war. Dann füllte er den Becher voll, trank ihn aus, schüttelte penibel die letzten Tropfen aus und steckte den Becher wieder auf den Zaun.

Czaruś' Freundin Ala fuhr den ganzen Tag mit einem Kinderfahrrad herum, ebenfalls auf der Suche nach Kleingeld. In der Wohnung stritten sie sich meistens. Manchmal hörte ich, wie Czaruś sie verprügelte. Sie schrie dann laut um Hilfe oder nach der Polizei und warf aus Rache Czaruś' Schuhe vom Balkon. Sobald beide wieder nüchtern waren, ging Czaruś hinunter auf die Straße und suchte die Schuhe im Gebüsch. Ala stand auf dem Balkon und dirigierte ihn:

»Links, Czaruś, mehr nach links.«

Nach fünf Jahren Nachbarschaft, in denen ich bisweilen morgens über einen von beiden steigen musste, der angeduselt im Treppenhaus schnarchte, suchten sie sich eine billigere Wohnung. Einige Zeit lang sah ich sie nicht. Als ich Czaruś eines Tages auf der Marszałkowska-Straße traf, rief er mir von weitem zu.

»Nachbar, hallo! Ich habe dich im Fernsehen gesehen!«

»Hallo Czaruś, wo ist Ala?«

»Ach, die Arme ist tot.«

»Was ist denn mit ihr passiert?«

»Sie ist aus dem Fenster gefallen, als sie unsere Katze festhalten wollte.«

»Die Katze festhalten?«

»Die Polizei dachte natürlich, ich hätte Ala bei einem Streit aus dem Fenster geworfen, aber das ist nicht wahr. Sie haben mich achtundfünfzig Stunden lang auf dem Revier festgehalten. Dann stellte sich heraus, dass Alas Herz schon beim Runterfallen aufgehört hatte zu schlagen. Zum Glück hat sie nicht gelitten, die Arme.«

»Und jetzt bist du alleine, Czaruś?«

»Was, ich und alleine? Ich habe eine Neue. Willst du sie mal kennenlernen? Da ist sie! Ola, komm doch mal her! Mein alter Nachbar! Ach, übrigens, Nachbar, hab Erbarmen: Gib mir doch bitte zwei Zloty! Du hast auch sehr gut ausgesehen im Fernsehen, nee, ehrlich!«

Die Laute der polnischen Tiere

1. Die Katze macht »miau-miau«
2. Der Hund macht: »hau-hau«
3. Der Hahn macht: »kukuryku«
4. Die Katze lockt man mit: »Kici-kici« (kitschi-kitschi)
5. Die Kuh macht »muh«
6. Das Pferd galoppiert »patatai-patatai« (galopp-galopp)

Missionare und Goldsucher

Sehr oft habe ich beobachtet, dass Deutsche, die sich für Polen interessieren, innerhalb kürzester Zeit zu Moralaposteln und Missionaren für die gute Sache mutieren. Mir erging es ja nicht anders. Zum ersten Mal stieg mir heilige Wut über die deutsche Polen-Ignoranz gleich nach der Rückkehr vom ersten Sprachkurs in Krakau auf, im März 1993. Zwei Wochen lang hatte ich jeden Tag vier Stunden Polnisch gelernt, war vokabelmemorierend an der Weichsel unterhalb des Wawel-Burgberges entlangspaziert, hatte mir einen langen, grünen Mantel gekauft, wie er in Polen gerade Männermode war – und schwebte nun, zurückgekehrt nach Berlin, im siebten Himmel. Eine neue Welt hatte sich aufgetan, von der mir in meiner Schulzeit niemand etwas erzählt hatte und die auch in meinem Bekanntenkreis niemand kannte. Außerdem besaß ich endlich einen Anreiz, mein Studium so schnell wie möglich zu beenden, da ich nun wusste, was ich anschließend machen wollte.

Nicht einmal der Anruf einer polnischen Bekannten konnte mich aus meinem Glückstaumel reißen. Anna, seit zehn Jahren in Berlin lebende Ärztin, drückte zunächst ihre Freude darüber aus, dass ich mich für ihre Muttersprache interessierte und schlug mir dann einen kleinen Sprachtest vor.

»Wie viel Unterricht hattest du denn in Krakau?«

»Vier Stunden täglich«, sagte ich stolz.

»Dann frage ich dich jetzt was auf Polnisch und du antwortest. Achtung, es geht los: ›Jak było?‹«

»Äh ... was, Anna? Nochmal, bitte etwas langsamer, ja?«

»Na gut. Also: ›Jak było?‹«

»Hm . . . tut mir leid, ich weiß noch nicht mal, wie viele Wörter das jetzt waren. Warum müsst ihr auch immer so schnell sprechen!«

Anna war enttäuscht.

»Das waren zwei Wörter. Und das hieß: wie war's?«

»Ach so!«, rief ich erleichtert aus. »Logisch, dass ich das nicht verstanden habe. Wir sind in den zwei Wochen gar nicht bis zu den Vergangenheitsformen gekommen!«

Ich war tatsächlich kein bisschen frustriert. Heute kann ich mich nur darüber wundern, aber die Perspektive, mich in den nächsten Jahren doch sehr eingehend mit diesen Vergangenheitsformen – und auch noch den Zukunftsformen! – beschäftigen zu müssen, begeisterte mich regelrecht. Nicht einmal die Tatsache, dass mein langer grüner Mantel auf wenig Begeisterung stieß, sodass ich ihn wohlweislich in den Schrank hängte, ließ mich auch nur einen Moment lang an Polen zweifeln.

Ich war eben ein totaler Fan. Und als echter solcher begann ich natürlich auch, meine Wohnung umzudekorieren. Aus Krakau hatte ich mir eine große Polen-Landkarte mitgebracht, die ich jetzt im Korridor meiner Wohnung anstelle der alten Deutschland-Landkarte aufhängte.

Bei dieser Gelegenheit hatte ich jenes Erlebnis, das mich erstmals in Flammen der gerechten Wut versetzte. Meine Deutschland-Landkarte, die im Osten etwa hundert Kilometer nach Polen überlappte, erwies sich nämlich als ein ganz übler Betrug. Sie hatte mir doch tatsächlich jahrelang und sehr erfolgreich weisgemacht, dass hinter der polnischen Grenze jegliche Zivilisation aufhöre! Hundertmal hatte ich davorgestanden und mich über die polnische Wildnis gewundert. Das in Ostbrandenburg und Sachsen noch sehr dichte Straßen- und Wegenetz brach jenseits von Oder und Neiße urplötzlich ab; es gab nur noch riesige, grünschraffierte Flächen. Man musste den Eindruck gewinnen, dass Polen aus undurchdringlichen Wäldern bestand. Ha! Kein Wunder, dass man bei uns so wenig von Polen hörte. Welcher Berliner – außer Jägern, Pilzesammlern und Ozelots – würde sich schon freiwillig in eine solche Ödnis verirren?

Doch nun, bei einem Vergleich mit der Polenkarte, stellte sich heraus, dass da sehr wohl Straßen durch die Wälder führten – sie aber von den deutschen Kartographen schlichtweg nicht eingezeichnet worden waren! Diese Polenhasser hatten sich auf die wichtigsten Fernstraßen beschränkt. Ja, vermutlich gab es dort gar keine riesigen Wälder, sondern die grünschraffierten Flächen waren nichts anderes als eine freche Unterschlagung dichtbesiedelter Ballungsräume! Welch ungeheuerlicher Fälschung war ich auf die Spur gekommen. Welch treffliches Beispiel für die deutsche Polenignoranz hatte ich aufgespürt!

In den folgenden Wochen und Monaten richtete ich mein Augenmerk argwöhnisch auf die deutsche Berichterstattung über Polen. Bald schon war mir klar, dass nicht etwa nur ich, sondern niemand in Deutschland eine Ahnung vom polnischen Nachbarn besaß.

»Was willste denn in Asien?«, fragten mich meine Bekannten müde, wenn ich ihnen meinen Entschluss mitteilte, nach Polen zu emigrieren. Sie wussten von Polen so viel, wie Europäer im dreizehnten Jahrhundert von China wussten. Und auch das Wenige, das ein Marco Polo herüberbrachte, wurde ja bekanntlich später als Schwindel entlarvt. Marco Polo hat vermutlich niemals chinesischen

Boden betreten. Er war ein Vorfahre meiner lügnerischen, faulen, rassistischen Kartographen.

Also, welcher Blödsinn, wenn da von »Globalisierung« geschwafelt wurde. Die Deutschen kannten ihr zweitgrößtes Nachbarland nicht, und es tat ihnen nicht einmal leid. Den Verdacht, Ignoranten zu sein, wiesen sie aber weit von sich, weil sie ja im Urlaub nach Malaysia fuhren und Klaus-Bednarz-Reportagen über die Taiga anguckten. Welch eine Riesenarroganz! Welch ein Wahn, Weltbürger zu sein, nur weil man mit sechzehn schon ein Interrailticket besessen hat. Die Generation unserer Eltern hatte immerhin noch kleinlaut eingestanden, schwach in Englisch und nicht weiter als bis Emden Außenhafen gekommen zu sein. Wir aber guckten BBC-World, und wenn wir etwas nicht wussten, entschuldigten wir uns souverän damit, dass es ganz offensichtlich nicht von Belang sein konnte. Polen soll wichtig sein? Hallo, dann hätte CNN doch längst einen Korrespondenten dorthin geschickt!

Ja, so lässt sich meine Entrüstung von damals in etwa wiedergeben. Ich hätte vor die Berliner Gedächtniskirche ziehen und eine Predigt halten können, so viel ging mir auf über den Teufelskreis von unmodischen Themen und Ignoranz der Bürger, die wiederum jede Medien-Berichterstattung verhindert.

Am Ende stieg ich aber doch auf keine Kanzel. Im Gegenteil: Das trotzige kleine Männlein in mir freute sich, dass ich ein völlig unbestelltes Feld entdeckt hatte. Das würde ich nun in aller Ruhe hegen und pflegen – sollten doch meine deutschen Mitbürger ruhig weiter nach Rio oder Kapstadt düsen!

Seither sind vierzehn Jahre vergangen. Die EU umfasst

heute fast den gesamten Kontinent. Aber noch immer war die Mehrheit der Deutschen noch nie in ihrem Leben jenseits der Oder. Die angebliche Globalisierung hat Polen, trotz leichter Verbesserung des Wissensstandes (hauptsächlich dank Billigfliegern), weiträumig umschifft. Übrigens finde ich, dass es auch mit dem Wissen über andere, scheinbar bekanntere Länder wie England oder Italien nicht zum Besten steht. Noch immer gibt es im deutschen Fernsehen keinen Themenkanal, der regelmäßige, interessante Sendungen über unsere Nachbarländer senden würde. Ich wundere mich zum Beispiel, dass kaum jemand in Deutschland den millionenfachen Exodus der Polen nach Großbritannien mitbekommen hat. Auch regelmäßige Zeitungsleser schütteln erstaunt den Kopf, wenn ich ihnen von dieser Sache erzähle, die in England Tagesgespräch ist.

Aber ich rege mich darüber, wie gesagt, nicht auf. Außer angeborenem Trotz hilft mir dabei die Beobachtung, dass es in Polen um die europäische Bildung keineswegs besser steht. Zwar sind die Polen dank obligatorischem Deutschunterricht ein wenig besser im Bilde über uns als wir über sie, doch ist der Sprachunterricht an den Schulen erschreckend wenig effektiv und das Unwissen über Deutschland noch immer gigantisch.

Zu Beginn meiner Emigrationsjahre war ich zum Beispiel überzeugt, dass man in Polen etwas von den Veränderungen in Deutschland seit 1968 mitbekommen hätte. Okay, ich erwartete nicht, dass polnische Fernsehmoderatoren Dutschke und Habermas zitierten. Aber die Errichtung des Berliner Holocaust-Denkmals als Symbol deutscher Vergangenheitsauseinandersetzung sollte sich doch herumgesprochen haben – dachte ich. Fehlanzeige. Die überwältigende Mehrheit der Polen weiß nicht einmal etwas vom angeblich so berühmten Warschauer Kniefall Willy Brandts im Jahr 1970. Deutschland ist für sie, so wie für Engländer und Franzosen, ein einziges großes Bayern, mit guten Autobahnen, hässlichen Frauen und vielen Nazipolizisten, so wie Polen für einen normalen Deutschen von Autodieben und Prostituierten bevölkert wird. Nicht einmal die polnischen Kartographen sind auch nur um einen einzigen Deut besser als ihre deutschen Kollegen. Auf den polnischen Polenlandkarten sehen die westlichen Randzonen, also die Grenzgebiete Mecklenburgs, Brandenburgs und Sachsens, wie unberührte Urwälder aus: grünschraffiert. Ich nehme also den Ausdruck »Polenhasser« für die deutschen Kartographen zerknirscht wieder zurück. Die Wahrheit lautet: Der Berufsstand ist europaweit korrumpiert.

Und damit sind wir beim unvermeidlichen Lieblingsthema aller deutsch-polnischen Podiumsdiskussionen, den gegenseitigen Vorurteilen.

Vorurteile basieren auf Nichtwissen, okay. Aber warum sind sie dann so schwer auszurotten? Warum geben die Menschen hüben und drüben nicht frank und frei zu: »Sorry, wir haben keine Ahnung und werden deshalb lieber den Mund halten, ehe wir Blödsinn von uns geben«?

Vermutlich deshalb, weil Vorurteile bei näherem Hinsehen nicht auf Nichtwissen, sondern auf Halbwissen basieren. Da es nämlich für einen Erwachsenen zwischen Himmel und Erde nicht sehr viel gibt, das sich mit rein gar nichts in Beziehung setzen ließe, hat er im Grunde genommen zu jedem erdenklichen Thema immer schon irgendeine Meinung. Kinder sind da wesentlich offener.

Noch komplizierter wird die Sache, wenn man dem

Halbwissenden eingestehen muss, dass seine Informationen keineswegs alle falsch, sondern bloß unvollständig sind. Jahrelang haben Polen die deutschen Auto-Diebstahl-Statistiken angeführt – ehe sie von Russen abgelöst wurden. Viele Polinnen in Deutschland arbeiten als Putzfrauen oder Altenpflegerinnen. In sämtlichen deutschen Boulevardzeitungen sind Annoncen angeblich williger und billiger Polinnen zu lesen. Das sind Fakten. Wie könnte man es also einem Deutschen, der sonst nichts von Polen hört, verdenken, dass er die entsprechenden Schlüsse über jenes Land zieht?

Mir selber ging es ja nicht anders mit dem polnischen Deutschlandbild. Lange Zeit schüttelte ich immer nur den Kopf über polnische Ängste, dass die Deutschen massenweise nach Polen zurückkehren und Schlesien oder Pommern zurückfordern würden. Welche übertriebene Hysterie – dachte ich.

Allmählich aber erfuhr ich in Polen einiges über Deutschland, was ich bis dahin nicht gewusst hatte. Ich lernte ein mir unbekanntes Deutschland kennen. So ganz ahnungslos waren die Polen nämlich auch wieder nicht. Sie verfügten durchaus über gewisse empirische Fakten – die mir wiederum völlig unbekannt waren. Sie beobachteten nämlich diejenigen Deutschen, die nach Polen herüberkamen. Schon diese Tatsache überraschte mich. Wie bitte? Deutsche in Polen? Wo?

»Ja, natürlich! Und wie zahlreich!«

»Nie und nimmer! Polen ist den Deutschen völlig unbekannt! Niemand meiner Bekannten hat jemals Ferien in Polen gemacht!«

»Na, dann fahr doch mal im Sommer nach Schlesien oder Masuren! Es wimmelt von deutschen Urlaubern.«

»Ach so, ihr meint die Nostalgie-Busse mit den deutschen Rentnern?«

»Das war einmal! Jetzt kommen jedes Jahr immer mehr Deutsche, Fahrradurlauber, Camper, Zahnarzttouristen. Zähl mal an einem schönen Sommertag die deutschen Kennzeichen in Nikkolajken oder Stettin!«

Aber es blieb nicht bei den harmlosen deutschen Urlaubern. Immer häufiger war in der polnischen Presse von Prozessen und Besitzansprüchen ehemaliger deutscher Vertriebener zu lesen. Das waren Leute, die in der deutschen Presse kein Forum fanden, in Polen aber für Erschrecken sorgten.

Ich beteuerte allerorten, dass diejenigen polnischen Zeitungen, die solche Leute (etwa die »Preußische Treuhand«) ernst nähmen, deutschlandfeindliche Hetze betrieben, indem sie einige wenige Revanchisten zum Spiegelbild der deutschen Gesellschaft hochstilisierten.

»Glaubt mir bitte: Die Regressansprüche solcher Deutschen sind völlig hoffnungslos, und die große Mehrheit der deutschen Vertriebenen hat nicht die Absicht, nach Polen zurückzukehren und könnte auch niemals auf Unterstützung der deutschen Regierung rechnen.«

Natürlich lässt sich aber nicht von der Hand weisen, dass die Zahl solcher Störenfriede ständig wächst. Wenn ich sie weiterhin als »marginale Phänomene« abtat, sah man mich in Polen misstrauisch an.

»Er meint es gut, leugnet aber offensichtliche Fakten.« Ich hatte es also mit dem gleichen Halbwissen zu tun wie ein Pole, der es albern findet, wenn manche Deutsche die Polen vor allem mit Putzfrauen und Autodieben assoziieren. Natürlich hat er recht – und natürlich habe auch ich recht! – aber es ist schwer, verzerrte Fakten zu bekämpfen.

Man muss sich damit abfinden, dass die Meinung der Länder untereinander hauptsächlich von denjenigen Menschen verbrochen wird, die im eigenen Land kein Forum haben. Welche Art von Weißen lernten die Indianer zuerst kennen? Eine Handvoll dubioser Missionare, Sektierer und eine Masse gieriger Goldsucher, die ihre Heimat frustriert verließen, weil sie es dort zu nichts brachten. Das hat sich bis heute nicht verändert. Die mobilsten Schichten eines Volkes sind die Sendungsbewussten und die Armen. Und sie sind es, die im Ausland den meisten Unfug stiften. Die brave, reiche, humorvolle, gebildete Mehrheit sitzt zu Hause und hat keine Ahnung, welche Schandtaten in ihrem Namen begangen werden. Machen sie dann zwanzig Jahre später mal Urlaub in jenem Land, sind sie darüber empört, dass man sie mit den bösen Buben gleichsetzt.

Wird das gegenseitige Halbwissen also niemals um die nötige zweite Hälfte ergänzt werden?

Ich mache mir da keine allzu großen Sorgen, vor allem, weil – apropos zweite Hälfte – die Vermischung von Deutschen und Polen in enormem Tempo voranschreitet. Im Jahr 2005 wurden etwa 6000 deutsch-polnische Ehen geschlossen, womit polnische Partner auf Rang eins der ausländischen Ehepartner in Deutschland lagen (Platz zwei interessanterweise Thailand, Platz drei Russland).

Außerdem würde ich folgende, größtenteils sehr unoriginelle Dinge vorschlagen:

- Die etwa 400 Städtepartnerschaften zwischen Deutschland und Polen mit Leben erfüllen.
- Polnisch- und Deutsch-Sprachunterricht an den Schulen einführen – mit guten Materialien (siehe die englischen Verlage) und nicht dem infantilen Kinderkram, der zurzeit im polnischen Deutsch-Unterricht dominiert.

- An den Schulen das Fach »Europakunde« einführen: Informationen über Kultur und Geschichte sämtlicher EU-Staaten.
- Schüleraustausch zwischen den Staaten intensivieren und staatlich fördern.
- Einen Themenkanal einrichten, in dem über den Alltag anderer europäischer Länder berichtet wird, aber nicht so elitär wie ARTE.

Meine Prognose: Im Jahr 2020 wird Polen sein Image in Deutschland so verändert haben wie Italien oder Spanien zwischen 1980 und 2000. Welches Kind würde heute auf dem Schulhof noch »Makaroni-Fresser« schreien – so wie meine Generation es in den Siebzigern tat?

Ob ich selber dann noch in Polen leben werde, kann ich freilich nicht garantieren. Vor kurzem habe ich festgestellt, dass sämtliche Polen-Landkarten im Osten an scheinbar völlig unerschlossenes Land grenzen. Ist die grünschraffierte Fläche in Weißrussland tatsächlich Urwald? Oder verbirgt sich dahinter eine von den Kartographen unterschlagene, wunderschöne Stadt? Jedenfalls fahre ich bald mal hin und checke ab, ob sich da nicht Land erwerben lässt. Ein richtiger Missionar muss dem großen Tross stets um eine Grenze voraus sein.

Mimosen

Als ich nach Polen kam, war ich gewöhnt, Konflikte auf deutsche Art zu lösen. Kritik übte ich laut und häufig. Nach jedem Streit versuchte ich das Problem auszudiskutieren und Differenzen auszuräumen. Der Gedanke, jemand könnte meinetwegen beleidigt sein, raubte mir nicht nur einmal den Schlaf. Wenn ich es gar nicht mehr aushielt, griff ich noch um Mitternacht zum Hörer, um mich bei jemandem zu entschuldigen oder, häufiger, mein Recht noch einmal zu bekräftigen.

Diese Art der Konfliktbewältigung wurde mir schon in der Schule beigebracht. Mein Mathematiklehrer war ein überzeugter Verfechter des Ausdiskutierens von Problemen. Natürlich nutzten wir Schüler das hemmungslos aus und kamen ständig mit nebensächlichen Konflikten an,

Ergebnis einer Marien-Erscheinung: Polens größte Basilika in Licheń, geweiht 2004, finanziert nur aus Spenden.

um die Mathestunde rumzukriegen. Die daraus entstehenden Aussprachen hatten wieder neue Beleidigtheiten zur Folge, und so wurde die Mathematik vernachlässigt und die emotionale Intelligenz geschärft.

Polnische Konfliktlösung sieht anders aus und mag einem Deutschen feige erscheinen. Offene Kritik wird vermieden. Bricht doch mal ein Konflikt aus, kommt es nur selten zur Aussprache. Das Gesetz »Reden ist besser als Schweigen« gilt in Polen nur in rührseligen Soap-Operas. Im wahren Leben wird viel hinuntergeschluckt. Trotzdem – oder gerade deshalb wimmelt es von nachtragenden Mimosen. Ich möchte gar nicht wissen, wie viele Studenten ich als Dozent verletzt habe, und sei es nur, dass ich die neue Brille einer Studentin nicht bemerkte.

Ein gutes Beispiel für eine beleidigte Leberwurst ist Lech Wałęsa, der nach der verlorenen Präsidentenwahl von 1995 zehn Jahre brauchte, bevor er seinem Nachfolger Alexander Kwaśniewski die Hand schütteln konnte.

Auf der anderen Seite hat diese Überempfindlichkeit den Vorteil, dass es seltener zu offenen Konflikten kommt. Wenn alle schon von Kind auf wissen, dass sich Konflikte nicht auf die direkte Weise lösen lassen, bemühen sie sich, höflicher miteinander zu reden. In einem Land, wo niemand ein dickes Fell hat, herrscht ein höllisch hohes Niveau an emotionaler Intelligenz. Jeder muss ja ständig damit rechnen, dass seine Worte den Mitmenschen verletzen und zu einem schlimmen Ende führen könnten.

Logisch, dass Kritik, wenn sie denn ausnahmsweise einmal offen geübt wird, zu sofortigem Zerschneiden des Tischtuchs führt. Als der gegenwärtige Präsident Lech Kaczyński nach einjähriger Amtszeit einen Brief aller bisherigen sieben Außenminister seit 1989 bekam, in dem sie ihre Sorge um den außenpolitischen Kurs der neuen Administration formulierten, war er dermaßen gekränkt, dass er öffentlich schwur, diese Männer nicht mehr zu kennen.

Eine Ursache für die Mimosenhaftigkeit der Polen dürfte im streng hierarchischen Schulsystem liegen. Bereits die Schüler lernen sehr rasch, offenen Konflikten aus dem Weg zu gehen. Die Angst vor Autoritätspersonen sitzt tief in den Knochen. Rebellen stehen auf verlorenem Posten. Niemand macht den Mund auf – weder das Kind gegenüber seinen Eltern noch der Student gegenüber dem Professor oder der Angestellte gegenüber seinem Chef. Man hat ohnehin keine Chance, also lässt man es besser gleich, bevor man sich noch Nachteile einhandelt.

Von Kindheit an lernen die Polen also, Ärger zu unterdrücken. Manche Leute entwickeln diese Kunst der Verdrängung bis zur Perfektion. Meist sind es Männer, die sich bemühen, cool zu erscheinen. Wer Emotionen zeigt, gilt als Schwächling. Für einen Ausländer ist es oft schwer zu erkennen, ob ein Pole beleidigt ist. Wenn man nachfragt, ist grundsätzlich alles immer »in Ordnung«. Erst nachdem man zwei Monate lang nicht mehr angerufen wurde, dämmert einem langsam die Vermutung, dass vielleicht doch nicht alles so toll war.

Hier ein Beispiel für den polnischen Umgang mit Konflikten: Im Sommer 2004 nahm ich an einem deutsch-polnischen Fernsehprojekt in Krakau teil. Die Proben am ersten Tag hätten nicht besser laufen können. Immer wenn der deutsche Regisseur die polnischen Redakteure fragte, ob sie mit seinen Ideen einverstanden seien, nickten sie zustimmend und waren voll des Lobes.

Was aber geschah nach den Proben? Die Polen saßen

missgelaunt und verbittert in einem Café auf dem Krakauer Markt, rauchten nervös und beklagten sich über den
deutschen Regisseur. Sie ärgerten sich, dass der polnische
Schlagerstar nicht für das Finale, sondern nur für den vor-
letzten Auftritt vorgesehen war. Für sie war die polnische
Musik damit zur Nummer zwei degradiert.

»Warum habt ihr ihm das denn nicht direkt gesagt?«,
versuchte ich meinen Landsmann in Schutz zu nehmen.

»Unmöglich! Da beginnen wir gerade die Zusammen-
arbeit und sollen gleich kritisieren?«

Ich huschte aus dem Lokal und rief den Regisseur an. Es
war 23.30 Uhr. Er saß bereits in der Hotelbar. Als er hörte,
dass es Probleme gebe, setzte er sich sofort in ein Taxi. Die
Überraschung bei den Polen war groß, als derjenige, über
den sie seit einer Stunde lästerten, plötzlich vor ihnen
stand.

»Ich habe gehört, dass etwas nicht in Ordnung ist?«

»Was soll denn nicht in Ordnung sein?«

»Euch stört angeblich etwas bei der Reihenfolge im Finale.«

»Wer hat dir denn das erzählt? So ein Quatsch! Wir sitzen einfach gemütlich zusammen und trinken was. Setz
dich zu uns!«

Der Deutsche versuchte eine halbe Stunde lang, die
Wahrheit aus ihnen herauszuquetschen. Die Polen beharr-
ten darauf, dass alles in Ordnung sei. Erst, als er ihnen (auf
gut deutsche Art) schon fast die Pistole auf die Brust
drückte, gaben sie nach und rückten mit ihrer Kritik heraus. Alle ihre Wünsche wurden umgehend erfüllt; der
Regisseur bat mich sogar eigens, ein Protokoll dieser Krisensitzung anzufertigen. Das Konzert am nächsten Tag
verlief zur allgemeinen Zufriedenheit. Nur ich hatte einen

moralischen Kater. Die Krisensitzung wäre überhaupt nicht nötig gewesen. Ich hatte durch meine Petzerei unnötigen Sand aufgewirbelt. Die Polen hätten zwar noch die ganze Nacht auf die Deutschen geschimpft, wären aber am nächsten Tag trotzdem wieder nett gewesen.

Heute würde ich es anders machen. Ich würde den Regisseur unter einem Vorwand zu den Polen locken, dann zwei Flaschen Wein auf den Tisch stellen und hoffen, dass nach der ersten Flasche aller Ärger hochgespült und mit der zweiten Flasche wieder heruntergespült würde. Und bitte – um Himmels willen keine Protokolle mehr.

Misstrauen

Die tranceartige Tanzfreude einer polnischen Hochzeit ist eine schöne Sache. In herbem Kontrast dazu steht allerdings das unwahrscheinliche Misstrauen, das den polnischen Alltag regiert. Plötzlich fehlt den Leuten genau das, was man eben noch so sehr an ihnen bewundert hat: Gutmütigkeit, Humor, Leichtsinn. Stattdessen herrscht der totale Verfolgungswahn. Niemandem wird auch nur einen Zentimeter über den Weg getraut. Diese unglaubliche Skepsis ist ansteckend. Auch ich wurde von ihr erfasst.

Wenn mein Bus im Warschauer Stau steckenbleibt und ein Feuerwehrwagen sich den Weg mit Blaulicht durch die Autos bahnt, spotte ich bereits mit den anderen Fahrgästen zusammen: »Das sind unter Garantie Betrüger! Haben das Blaulicht angemacht, um sich nicht zum Bridge mit den Kollegen zu verspäten!«

In polnischen Geschäften komme ich mir wie ein potenzieller Dieb vor, weil die Verkäuferinnen mich keine

Sekunde aus den Augen lassen. Unauffällig, aber hartnäckig wie mein Schatten folgen sie mir durch alle Korridore zwischen den Regalen.

Ich traue mich inzwischen auch nicht mehr, einen Supermarkt zu verlassen, ohne etwas gekauft zu haben. Zu groß wäre die Schande, wenn ich mich an der Kasse zwischen den Wartenden vorbeidrängen müsste, denen das Misstrauen ins Gesicht geschrieben steht.

»Na, du Schlaukopf, wie schmuggelst du wohl deine Waren hinaus?« Zusätzlich spüre ich die surrenden Kameras in meinem Nacken; auch der Wachmann hat mich längst im Visier und macht bereits vorsorglich ein paar Schritte in meine Richtung. Um mir diese Tortur zu ersparen, kaufe ich lieber irgendeine Kleinigkeit ein, und wenn es nur ein Joghurt ist. Lieber zehn Minuten in der Schlange stehen und dafür einen ehrlichen Kassenbon in der Hand schwenken, als mit weichen Knien und dem Etikett »raffinierter Dieb« auf der Stirn die Sicherheitsschranke zu passieren.

Einmal klingelte am Neujahrstag ein sympathischer Schornsteinfeger an meiner Wohnungstür. Er hatte eine schwarze Montur an, war allerdings dieses Mal nicht dienstlich unterwegs. Es gebe, so erklärte er mir, einen Brauch in Polen, demzufolge die Schornsteinfeger am Neujahrstag allen ihren Kunden die besten Wünsche abstatteten. Das bringe Glück für das gesamte nächste Jahr. Ich hatte den Mann noch niemals zuvor gesehen, bedankte mich aber ganz herzlich für die Wünsche und wollte die Türe schließen.

»Moment mal!«, rief er freundlich. »Zusammen mit diesen Wünschen möchte ich Ihnen auch diesen kleinen

Schornsteinfeger-Kalender übergeben.« Ich nahm das einfache DIN-A4-Blatt, bedankte mich freundlich und wollte die Tür wieder zumachen.

»Moment mal!«, rief er zum zweiten Mal. »Es ist auch üblich, dass die Kunden eine kleine Dankesspende entrichten.«

»Wie hoch pflegt diese Spende denn zu sein?«, fragte ich.

»Na, so zehn Zloty sind es normalerweise.«

Da ich stets willens bin, mich reibungslos in die polnische Gesellschaft einzugliedern, ging ich brav in die Küche, um mein Portemonnaie zu holen. Dort saß zufälligerweise gerade mein Computerspezialist Andrzej und dokterte an meinem Laptop herum. Leise warnte er mich:

»Ich habe alles gehört. Gib ihm ja nichts! Das ist bestimmt ein Hochstapler.«

»Aber er trägt eine Schornsteinfeger-Montur!«

»Ach was, hat er sich in einem Kostümverleih besorgt. Jag ihn weg, und zwar schnell, denn während wir hier reden, guckt er sich schon in deiner Wohnung um, ob es hier lohnende Sachen zu klauen gibt. Er gehört mit Sicherheit zu einer Einbrecherbande.«

Ich war bestürzt.

»Ist dir das denn schon passiert, Andrzej?«

»Mir persönlich nicht, aber einer Arbeitskollegin meiner Mutter.«

Das gab den Ausschlag. Trotzig nahm ich zehn Zloty aus dem Portemonnaie und händigte sie dem Schornsteinfeger aus. Und hatte Glück. Bis heute ist der Herr nicht zurückgekommen, weder durch die Tür noch durchs Fenster. Und Andrzej musste eingestehen, dass er mal wieder typisch polnisch den Teufel an die Wand gemalt hat.

Und noch ein Beispiel für das allgegenwärtige polnische Misstrauen:

Einmal wollte ich Bekannte besuchen, die in einem riesigen Wohnblock in der Trabantenstadt Ursynów wohnten, im Süden von Warschau.

Man darf übrigens hinzufügen, dass es sich bei dieser Trabantenstadt noch um ein frei zugängliches Stadtviertel alten Typs handelte, nicht um eine der über vierhundert umzäunten und bewachten Siedlungen, die man heute in Warschau antrifft. Ihre Zahl wächst ständig, ebenso wie die Zahl der installierten Videokameras. Zum Vergleich: In Berlin gibt es keine zehn solcher Ghetto-Siedlungen.

Ich fuhr also mit der U-Bahn nach Ursynów und marschierte zum Hochhaus meiner Bekannten. Leider hatte ich vergessen, mir ihre Wohnungsnummer aufzuschreiben. Das kommt in Polen, wo es an den Türklingeln keine Namen, sondern nur Nummern gibt, einer Katastrophe gleich. Ratlos stand ich unten am Eingang, pfiff und rief zunächst laut, probierte dann aufs Geratewohl ein paar der Klingeln aus, doch war mir kein Glück beschieden: Es meldeten sich fremde Menschen. Ich bat sie, mich zumindest einzulassen, da ich mich dunkel erinnerte, dass meine Bekannten im fünften Stock wohnten. Niemand öffnete. Da änderte ich meine Strategie, klingelte noch einmal und stellte mich abwechselnd als Briefträger, Pizzalieferant oder Hausmeister vor, wiederum erfolglos. Ich verfluchte die ganze Situation.

Schließlich kam die Erlösung – ein älterer Herr, der gerade mit seinem Hund Gassi gegangen war. Er schloss die Tür auf und tat so, als mache es ihm nichts aus, dass ich hinter ihm das Haus betrat. Wir stiegen in den Aufzug ein. Der Herr wartete diskret, dass ich als Erster den Knopf betätigte. Ich drückte brav auf den fünften Stock, erst dann drückte er den siebenten Stock. Ich bezweifle aber, dass er dort tatsächlich ausstieg. Wenn er ein echter Pole war, bestimmte er sein Fahrtziel erst nach meinem Aussteigen.

Das alles ist traurig, aber, wie gesagt, verflixt ansteckend, ähnlich wie der polnische Aberglaube. Auch ich presse heute im Bus das Handy an mich, schließe selbst bei kurzem Aussteigen an der Tankstelle sorgfältig alle Autotüren ab, rede niemals in der Öffentlichkeit über Geld und wundere mich über die naiven Deutschen, die ihr Fahrrad einfach mal eben zwei Tage lang am Bahnhof abstellen – womöglich noch unabgeschlossen.

Oder bin ich sogar schon hoffnungslos paranoid? Es plagt mich diesbezüglich ein Erlebnis aus nicht ferner Vergangenheit. Nach einem Treffen mit Freunden am Freitagabend winkte ich mir im Warschauer Zentrum ein Taxi heran. Der Fahrer war jung und trug eine Igelfrisur. Das und seine fröhliche Begrüßung machten mich schon gleich beim Einsteigen misstrauisch.

»Guten Abend der Herr, wie ist das werte Befinden?«

»Gut soweit«, antwortete ich kurz angebunden. Diese jungen Galgenvögel haben keine Lust auf eine vernünftige Ausbildung und fahren lieber Taxi, weil sie auf fette Trinkgelder spekulieren.

Wir fuhren los, und schon nach einigen Metern versuchte er erneut, ein Gespräch vom Zaun zu brechen.

»Das Wetter ist schlechter geworden, nicht wahr?«

Ich schwieg. Eines habe ich in Polen gelernt. Wenn ein Taxifahrer übertrieben freundlich ist, darf man getrost davon ausgehen, dass er die Aufmerksamkeit des Kunden vom Taxameter ablenken will. Zwar kann ich nicht behaupten, mehr als zwei- oder dreimal mit manipulierten

Zählern betrogen worden zu sein – aber zwei Male reichen ja auch völlig.

Der Typ fuhr leutselig fort:

»Warschau ist um diese Zeit so leer, finden Sie nicht auch?«

»Ja, sehr leer«, murmelte ich.

In Deutschland habe ich immer gerne mit Taxifahrern geplaudert. In Polen notiere ich inzwischen heimlich die Wagennummer, für den Fall, dass ich später die Polizei rufen muss. Wie gesagt: ich bin ein gebranntes Kind und jetzt sehr auf der Hut. Der Fahrer sah, dass ich etwas schrieb, und fragte:

»Soll ich das Licht anmachen?«

Verdammt, wollte er sich vielleicht über mich lustig machen? Ich war kurz vor einem Wutausbruch. In diesem Moment erreichten wir meine Straße. Mit bebender Stimme fragte ich: »So, dann bin ich mal gespannt, was ich Ihnen schulde.«

»Achtzehn Zloty.«

»Wie viel? Achtzehn?«

Dieser Taxifahrer war offensichtlich noch viel cleverer, als ich gedacht hatte. Gewöhnlich zahle ich für die Strecke vom Zentrum bis zu meinem Haus zwanzig Zloty. Sein Trick war also: Die erste Fahrt billiger machen und dann, wenn man einen neuen Stammkunden angelockt hat, das Dreifache nehmen.

»Dann wollen Sie mir sicher Ihre Visitenkarte mitgeben, fürs nächste Mal?«, fragte ich spöttisch.

»Tut mir leid, leider habe ich keine dabei. Ich habe heute schon alle Karten an Kunden verteilt«, erwiderte der Fahrer bekümmert.

»Ach, sieh mal an, alle weg?«

»Ich kann Ihnen höchstens die Telefonnummer der Zentrale aufschreiben, wenn Sie möchten.«

»Nein, nein, vielen Dank!«

Ich bezahlte mit einer Zwanzig-Zloty-Note, ließ mir zwei Zloty herausgeben, stieg aus und blickte dem abfahrenden Taxi hinterher. Entweder war der Fahrer unwahrscheinlich naiv oder er hatte heute schon so viele Leute abgezockt, dass er von mir nichts mehr zu holen brauchte. Für alle Fälle rief ich aber doch die Polizei an und gab die Nummer seines Taxis durch.

Und jetzt meine Frage: War der Bursche nun kriminell oder nicht? – Nein, es ist furchtbar. Man weiß gar nicht mehr, was man von den Menschen halten soll.

Mut

Die folgenden Behauptungen kann ich durch keine Statistik belegen. Ich wüsste auch nicht, dass die Polen sich dieser Eigenschaft rühmen. Aber ich persönlich finde, dass sie sehr angstresistent sind, um nicht zu sagen: mutig.

Ich selbst bin in einer Gesellschaft aufgewachsen, die zur Hysterie neigt. Ich kann es meinen polnischen Bekannten nur schwer vermitteln, dass in der BRD zu Anfang der achtziger Jahre Hunderttausende weiße Bettlaken aus den Fenstern gehängt wurden, aus Protest gegen die amerikanischen Cruise Missiles und Pershing II. Junge Lehrer an meiner Wuppertaler Schule, denen die Angst den Schlaf raubte, organisierten in den Pausen Schweigeketten. Wir standen auf dem Schulhof und hielten uns an den Händen, in stillem Protest gegen die amerikanischen Imperialisten. Wenn ich meine Altersgenossen frage, wie sie diese

Jahre in Polen erlebt haben, ernte ich Lächeln und Kopf-schütteln.

»Kein Mensch hatte Angst vor Raketen. Wir hatten wahrlich andere Probleme hier: Es herrschte das Kriegs-recht, die Regale in den Geschäften waren leer. Ihr hattet eben viel freie Zeit zum Sorgenmachen.«

War die große Verunsicherung in Deutschland tatsäch-lich nur eine Folge des Wohlstands? Blieb die Angst in Polen nur aus, weil andere Probleme dringender waren? Ich bezweifle es. Die Deutschen sind Angsthasen, und die Polen blieben auch dann noch cool, als das Kriegsrecht längst aufgehoben war, die polnische Wirtschaft boomte.

Die stoische Ruhe, mit der die Polen die Terroran-schläge vom 11. September 2001 hinnahmen, ist bewun-dernswert. Außer dem feinnervigen Warschauer Schrift-steller Jerzy Pilch wüsste ich niemanden, der Angst gehabt hätte, mit der U-Bahn zu fahren. Ein Urlauber am Flug-hafen antwortete auf die Frage eines Fernsehteams, ob er seinen Flug nach Ägypten umbuchen wolle: »Um Gottes willen, nein!«

»Haben Sie denn keine Angst vor Terroranschlägen?«

»Doch, schon. Aber was ändert das? Ich bin sowieso Fa-talist. Mein Schicksal steht in den Sternen, daran kann ich eh nichts ändern.«

Eine junge Frau fügte trocken hinzu: »Ich habe keine Angst. Wer soll schon Warschau angreifen? Erst einmal müsste man Polens Landkarte ins Internet stellen, damit die Terroristen erfahren, wo unser Land überhaupt liegt.«

In Deutschland sah man die Situation doch wohl et-was weniger gelassen. Eine Bekannte meiner Eltern warf erst einige Jahre nach den Anschlägen ihren Vorrat an Weltraumkost-Dosen weg. Sie hatte sie direkt nach dem

11. September gekauft, für den Fall, dass sie die nächsten Monate in einem Atombunker verbringen müsste. Noch heute reagiert sie panisch, wenn sie Hubschrauber über ihrem Dach rattern hört. Sie läuft dann schnell auf den Balkon und guckt nach, ob es kein al-Qaida-Angriff ist.

Oder die heißen Wochen der Vogelgrippe. Als die Panik in Deutschland ihren Höhepunkt erreichte, stieg der Preis für das rare Impfmittel in deutschen Internetauktionen bis zu achthundert Euro an (der normale Preis lag bei zwanzig Euro). In Polen interessierte sich kaum jemand

Dortmund, WM 2006 Deutschland – Polen: Mit Brüdern und Vater in der polnischen Fankurve

dafür. In der Gazeta Wyborcza vom 6. März 2006 waren folgende Aussagen von Warschauer Bürgern zu lesen:

»Wir knutschen doch nicht mit den Enten«, lachte gestern Hanna Lemańska-Węgrzecka und warf den Vögeln im Łazienki-Park Brotkrümel hin. »Im Ernst, niemand würde sich doch beim Füttern der armen Enten anstecken. Ich sterbe eher an einem Herzinfarkt als an der Vogelgrippe.«

»Wir haben eine Weile hin- und herüberlegt und dann festgestellt, dass es eigentlich keine Gefahr gibt«, so Wioletta und Adam, die dieses Jahr zum ersten Mal zusammen mit ihrem kleinen Sohn den Łazienki-Park besuchten. Alle drei fütterten die Enten.

In der Zeit der SARS-Panik fragte ich mal eine Krakauer Bekannte, wie sie so ruhig im Garten sitzen und grillen könnte.

»Ach, nach dem Atomunfall in Tschernobyl haben wir ebenfalls weiter Pilze und Himbeeren gegessen. Was blieb uns denn anderes übrig? Es gab ja nichts. Und wie du siehst: Wir leben trotzdem noch!«

Ich schluckte meine Angstwarnungen hinunter und ließ mir eine Grillwurst geben.

Apropos Essen: Der Besitzer einer in Polen sehr bekannten Restaurantkette erzählte mir von den Problemen, die er bei der Gründung seiner ersten Filiale in Australien hatte.

»Die örtliche Mafia sorgte dafür, dass ich anonyme Bombendrohungen bekam. Die Leute erfuhren davon und mieden mein Lokal wie die Pest. In Polen war das ganz anders. Ich konnte die unvermeidlichen Mafiadrohungen komplett vernachlässigen. Selbst wenn die Polizei eintraf, um das Restaurant nach einer etwaigen Bombe abzusuchen, bestanden die Gäste darauf, ihr Schnitzel zu Ende zu essen. Bestellt sei bestellt.«

Woher kommt es, dass die Polen auf Schlimm-News so gelassen reagieren? Ignorieren sie das Problem – wie Kinder, die sich die Augen zuhalten? Mir kommt es eher so vor, dass sie ganz einfach ihren gesunden Menschenverstand einschalten und abschätzen, wie groß die Bedrohung wirklich ist. Zur Hilfe kommen ihnen dabei zwei sehr wichtige Eigenschaften: Zum einen ihre angeborene Skepsis gegen jedwede Stimmungsmache von Medien und Politikern, zum anderen der polnische Trotz: »Soll doch alles explodieren! Aber vorher esse ich mein Schnitzel zu Ende. Noch ist Polen nicht verloren.«

Wir Deutschen (und anscheinend auch die Australier!) haben uns hingegen daran gewöhnt, Probleme defensiv anzugehen. Wir delegieren sie, sei es an den Staat, sei es an das Technische Hilfswerk oder an das Tropen-Institut. Eine diffuse Gefahr am Horizont genügt, und schon hängen wir weiße Laken aus dem Fenster: »Ich kapituliere!«

Ich sehe jedenfalls in Polen keine wirkliche Zukunft für al-Qaida.

Nachschreiben, Nachfeiern, Nachbessern

Als Deutschlehrer am Königin-Hedwig-Lyzeum in Warschau hatte ich so meine Probleme mit den Schulgepflo-
genheiten. Es begann damit, dass ich den Schülern verbot,
mich mit dem üblichen »Herr Professor« anzureden.

»Ich bin Magister und sonst nichts.« In einer Art Pri-
vat-68er-Revolte wollte ich den Muff von tausend Jahren auskehren. Der Erfolg war, dass meine Autorität
gleich zu Beginn einen irreparablen Schaden erlitt. Kein
Schüler nahm mich mehr ernst. Aber es sollte noch
schlimmer kommen. Ich hatte keine Ahnung vom polnischen Notensystem. Das Problem lag keineswegs darin,
dass die »1« nun auf einmal die schlechteste und die »6«
die beste Note sein sollte – so weit war ich in der Lage
umzudenken. Aber es gab eine Art von Nachprüfung,
die mir aus der deutschen Schulzeit gänzlich unbekannt
war. Eines Tages, nachdem ich die erste Klassenarbeit
zurückgegeben hatte, kamen nach dem Unterricht vier
Schüler zu mir. Sie hatten alle eine »eins« erhalten und
wollten nun einen »mündlichen Verbesserungstermin«
mit mir abmachen. Ich war verdutzt. Was sollte das bedeuten? In Deutschland kann man sich erst bei der
nächsten Klassenarbeit verbessern – und eventuell noch
durch fleißige Mitarbeit im Unterricht! So sagte ich es
ihnen auch. Die Schüler ließen aber nicht locker: Wir
seien hier in Polen, und sie würden mich inständig bit-

ten, ihre miserablen Noten nicht ins Klassenbuch zu schreiben. Was sollte die Klassenlehrerin von ihnen denken? Bittebitte erst die verbesserten Noten eintragen! Es blieb mir nichts anderes übrig, als mich überzeugen zu lassen. Sie erklärten mir den Ablauf; wir machten einen mündlichen Nachprüfungstermin aus. Zu Beginn der nächsten Stunde erhoben sich die vier Schüler von ihren Plätzen; ich stellte ein paar simple Fragen zur deutschen Grammatik und gab aus Bequemlichkeit jedem eine »4«, also die drittbeste Note. In der Klasse rumorte es. So einfach war es also bei dem Deutschen, ein miserables in ein glänzendes Ergebnis zu verwandeln? Bei der nächsten Klassenarbeit erschien die Hälfte der Schüler erst gar nicht. Am nächsten Tag kamen sie dann an, zeigten irgendwelche Arzt-Atteste vor und baten mich unschuldig um einen »mündlichen Verbesserungstermin«. Doch auch ich war gewitzter geworden. Diesmal ging es nicht so glimpflich aus. Ich ließ sie alle hart an einer »2« vorbeischrammen, auch wenn sie sämtliche Fragen beantworten konnten. Von diesem Tag an erfüllte ich immerhin das Klischee vom Deutschen: ich hatte mich als SS-Mann enttarnt. So endete mein Ausflug in die Achtundsechziger-Zeit.

Ein dem »Verbesserungstermin« verwandtes Phänomen existiert bei polnischen Hochzeiten. Am Sonntag nach der Hochzeit wird nämlich ebenfalls nachgebessert – und zwar der Kater vom Vortag. Essen ist noch reichlich übrig – saure Gurken, Schmalz, Landwurst, Wodka –, und so wird ab nachmittags bis in den Montagmorgen hinein verbessert, was noch nicht ganz ruiniert war. Statt Montag kann es übrigens auch schon einmal Mittwoch werden. Ein englischer Freund, Steve Terrett, hat es mit folgenden Versen veranschaulicht:

Am Samstag trank ich mit den Polen,
am Sonntag war ich dem Tode nahe.
Am Montag trank ich wieder mit den Polen,
am Dienstag bereute ich, dass ich am Sonntag nicht
gestorben war.

Was sich auf Hochzeiten bewährt, funktioniert auch auf Ämtern oder in der Politik. Heute weiß ich, dass man in Polen alles widerrufen, ändern, verschieben oder absagen kann. Sogar Zeugenaussagen vor einem parlamentarischen Untersuchungsausschuss lassen sich neu bewerten, wenn den Zeugen in der Zwischenzeit eine bislang völlig verdrängte Erinnerung heimsucht. Nichts ist endgültig, immer findet sich irgendwo noch ein Hintertürchen. Generell gilt das Gesetz: Jeder hat das Recht auf eine fünfte Chance.

Diese Vorläufigkeit, unter der die polnischen Dinge stehen, mag manchem als Unentschiedenheit oder gar Unzuverlässigkeit vorkommen. Eine Folge sind außerdem die für Polen charakteristischen Open-End-Diskussionen, weil niemand etwas unwidersprochen hinnimmt.

Trotzdem sehe ich insgesamt größere Vor- als Nachteile. Das polnische Modell ist menschlicher. Oh du, ausgehungerter Student, der du kurz nach Ladenschluss noch einen Laib Brot kaufen willst: Während du in Polen eine Diskussion mit dem Verkäufer führen kannst, die garantiert gut für dich ausgeht – da auch Ladenschlusszeiten nichts Heiliges sind –, wäre eine solche Diskussion in Deutschland völlig sinnlos. Der Verkäufer wird den Laden abschließen und dich vor der Tür eines elenden Todes sterben lassen. Und auch du, säumiger Steuerzahler, der du zu den Leuten gehörst, die nachts noch schnell einen Brief beim Finanzamt einwerfen, in dem sie um Aufschub bitten, weil sie den morgigen Abgabetermin nicht einhalten können – all ihr Trödler, Langschläfer, Schussel: Zieht nach Polen, hier werdet ihr gnädige Aufnahme finden!

Zum Abschluss gestatte man mir einen philosophischen Exkurs: Die ewigen Nachbesserungen sind, wie ich finde, das Pendant zur vielgerühmten polnischen Improvisations-Fähigkeit. Wer gern improvisiert, zeigt damit, dass er ein gespanntes Verhältnis zur Zukunft hat. Bis zur letzten Minute glaubt er nicht daran, dass sie wirklich kommt. Das Verbessern, Widerrufen, Nachschreiben, Nachfeiern dagegen bezieht sich auf die Vergangenheit. Man will sich nicht damit abfinden, dass die Zeit unwiderruflich vergangen sein soll. Improvisation und Nachbessern sind also ein weiteres Beispiel für die typisch polnische Lust am Revoltieren – diesmal gegen den unerbittlichsten Herrn dieser Welt, gegen die eiserne Zeit. Es ist eine sinnlose Revolte, aber gerade dadurch hoch sympathisch und tief romantisch.

Namen

Für einen Polen beginnen deutsche Steifheit, Unflexibilität und Obrigkeitshörigkeit bereits bei den Vornamen. Die Deutschen nennen einander doch tatsächlich so, wie es in ihren Personalausweisen abgedruckt ist! »Georg Müller« wird von seiner Frau »Georg« gerufen. Das wäre für einen Polen unvorstellbar phantasielos. »Jerzy Kowalski« wird von seiner Frau niemals »Jerzy« genannt, sondern meistens

»Jurek« und in besonders zarten Momenten »Jureczek«. Umgekehrt nennt Jerzy Kowalski seine Frau Anna niemals »Anna«, sondern meistens »Ania« und manchmal »Anulka«, aber auch »Anusia«, »Anka«, »Aneczka« oder »Aniuszka«. Weitere Verkleinerungsformen sind, je nach Liebe, bis ins Unendliche möglich.

Kurz: Polen rufen einander beim Kosenamen – auch in der Schule, auch in der Arbeit. So hat man in Polen fünf oder sechs oder zehn Identitäten, während sich deutsche Liebende so nennen, wie auch die Verkehrspolizei sie im Register führt. Gekost wird nicht, jedenfalls nicht linguistisch. Meine Mutter rief immer: »Steffen, Mittagessen!« Und wenn es nicht half, blieb ihr nur die Steigerung: »Steffen Möller, Mittagessen!«

Leider besaß ich diese grundlegende Information nicht, als ich kurz nach der Ankunft in Warschau meinen Job als Deutschlehrer im bereits erwähnten Lyzeum antrat. Bereits in der ersten Stunde kam es zur Katastrophe.

Ich bat die Schüler, ihre Namen und Vornamen auf Zettel zu schreiben. Dann sammelte ich alle Zettel ein und las die Namen vor, damit ich mir auf diese Weise schon mal die Gesichter merken konnte. Jeden Namen auf den Zetteln verglich ich mit der offiziellen Liste im Klassenbuch. Schon beim dritten Namen geriet ich in Verwirrung. »Ola Lewandowska« stand auf dem Zettel, aber im Klassenbuch fand ich nur »Aleksandra Lewandowska«.

»Wo ist denn die Aleksandra?«, fragte ich die Schüler.

Die Schüler schauten sich an, kicherten leise und riefen dann: »Krank!«

Ich machte einen Eintrag ins Klassenbuch: »Aleksandra heute krank«.

»Es ist verrückt«, wandte ich mich dann an Ola Lewandowska, »aber du existierst hier im Klassenbuch gar nicht. Offensichtlich hat eure Klassenlehrerin vergessen, dich einzutragen. Naja, kann passieren. Das Schuljahr ist ja noch jung!« Mit sauberen Druckbuchstaben schrieb ich ans Ende der Namenliste »Ola Lewandowska«.

Außer bei Ola wiederholte sich diese unglaubliche Nachlässigkeit der Klassenlehrerin noch in zwei weiteren Fällen. Gośka Nowak und Piotruś Wolski waren in der Namenliste vergessen worden, während Małgorzata Nowak und Piotr Wolski krankheitsbedingt fehlten. Gewissenhaft brachte ich das Klassenbuch auf den neuesten Stand.

In der Pause, als ich gerade im Lehrerzimmer beim gemütlichen Plausch mit zwei Kolleginnen saß, stürmte die Klassenlehrerin herein.

»Hat jemand Tipp-Ex? Schnell! Mein Klassenbuch ist mir versaut worden!« Noch unangenehmer war, dass Ola, Gośka und Piotrek sich noch Wochen später den Bauch hielten, wenn sie von ihrer ersten Begegnung mit diesem unglaublich dämlichen Deutschen berichteten.

Doch das ist zum Glück lange her. Im Zuge meiner Polonisierung bin ich heute selber stolzer Träger einiger Spitz- und Kosenamen. Wer hätte gedacht, dass sich sogar aus dem drögen »Steffen« noch Funken schlagen lassen? Polnische Phantasie macht's möglich. Und so gibt es heute Personen, für die ich »Stefek« bin, andere nennen mich »Stefcio«. Eine besonders hochgestellte Person im polnischen Fernsehen nannte mich eines Tages sogar »Stefuś«. Das war wie ein Ritterschlag – und tatsächlich: zwei Wochen nach diesem »Stefuś« durfte ich die polnische Ausgabe von »Wetten dass . . .« moderieren. Bis zu jenem Tag, als ich ganz plötzlich wieder zu »Stefek« wurde – als ich nämlich die Moderation von »Wetten dass« niederlegte.

Ähnlich wie in Deutschland hat jede polnische Generation ihre Mode-Vornamen.

Generation 1900–1920: Maria, Helena, Witold, Rozalia, Jadwiga, Tadeusz, Stefan

Generation 1920–1940 (betont slawisch): Zdzisław, Mieczysław, Sławomir, Wisława, Gromosław, Bożydar

Generation 1940–1960: Jerzy, Krystyna

Generation 1960–1970: Grażyna, Ewa, Janina, Henryk, Adam, Jan

Generation 1970–1990: Agnieszka, Anna, Magda, Małgosia, Joanna, Marek, Michał, Piotr

Seit 2000: Julia, Wiktoria, Zuzanna, Kacper, Maciej, Jan

Der allerneueste Trend geht wieder zu Namen der Jahrhundertwende: Maria, Helena, Stefan, Tadeusz

Deutschland 2007: Leon, Leonard, Leo, Lucas/Lucca, Noah, Marc, Jonas, Julian

Lena, Lea, Lara, Leonie, Alina, Sarah

Interessant ist die kaum glaubliche Fülle polnischer Nachnamen. In Deutschland genügen circa dreißig Nachnamen für siebzig Prozent der Bevölkerung: Hartmann, Schmidt, Müller, Schuster etcetera. Das ist in Polen ganz anders. In meinen Kursen an Schule und Uni kam es nur ganz selten zu mehrmaligem Auftreten eines Nachnamens. Gäbe es nicht die schöne Sitte, dass man auch fremde Leute per Vornamen anredet, hätte ich mir Hunderte verschiedener Nachnamen merken müssen.

Der häufigste polnische Nachname ist »Kowalski«, danach folgt »Nowak«, doch treten sie viel seltener als »Müller« oder »Schmidt« auf.

Grund für den Unterschied: Die meisten deutschen Nachnamen werden von Berufen abgeleitet, während polnische Nachnamen sich meist von Ortschaften herleiten. Und Ortschaften gibt es Millionen – Berufe nur einige Dutzend.

Neugier

Alle Ausländer sind sich einig: Überall in Polen, ob beim Stadtbummel, im Bus und sogar im Auto an der Ampel fühlt man sich intensiv beobachtet. Anfängliche Irritation darüber, dass man anscheinend kilometerweit als Ausländer erkennbar ist, weicht allmählich der Erkenntnis, dass die Polen sich auch untereinander genau mustern, jedenfalls viel genauer als das in Berlin, Paris oder gar New York der Fall ist. Ein junger Amerikaner meinte mir gegenüber sogar, dass es ihm bei jungen Polinnen mitunter schwerfalle, unschuldige Neugier von einem koketten Augenflirt zu unterscheiden.

Ich kenne aber niemanden, dem diese Neugier nicht schon nach kurzer Zeit gefallen hätte. Man fühlt sich einfach wichtiger. Übrigens sehen dadurch auch Klamottenmuffel plötzlich einen Sinn darin, sich ein bisschen netter anzuziehen. Gut nachvollziehbar ist allerdings, dass Polen und vor allem Polinnen in Deutschland über Depressionen klagen, weil sie von niemandem mehr angeguckt werden. Ich habe es an mir selber beobachtet. Wenn ich in ein deutsches Einkaufszentrum gehe, frage ich mich nach einer Stunde, ob die Blicke der Passanten nur aus Pietät an mir vorbeizielen oder ob ich ganz einfach aus Glas bin.

Nörgelei

Gelegentlich habe ich in Warschau den Eindruck, dass die meisten Deutschen von ihrem Chef zwangsversetzt oder mit einer Polin zwangsverheiratet worden sind. Anders kann ich es mir nicht erklären, dass sie jede Gelegenheit zum Meckern nutzen – worüber? Über Polen und die Polen natürlich. Ich vermeide diese Gesellschaft und treffe mich lieber mit denjenigen Landsleuten, die freiwillig gekommen sind, obwohl es auch da schwer erträgliche Exemplare gibt. Gemeint sind die Hyper-Enthusiasmierten, die Polen-Fanatiker, die von versifften Milchbars schwärmen, heruntergekommene Provinz-Bahnhöfe abfotografieren und am liebsten jeden polnischen Schnauzbart abküssen würden. Ihnen möchte ich jetzt zur Abwechslung einmal ein bisschen die Suppe versalzen und ein paar kritische Sachen über Polen sagen. Soll mir niemand vorwerfen, ich sei ein Schönfärber und Allesschlucker!

Was ich in Polen bisweilen vermisse, sind ein paar optimistische, konstruktive Worte, sei es im Zeitungs- oder Fernsehkommentar, in der Politik oder am Arbeitsplatz. An den Schulen und Universitäten wird viel zu wenig gelobt. Anstatt sich zu helfen, macht man sich gegenseitig das Leben schwer. Ich will im Stammland der Skepsis kein »positives Denken« predigen und erwarte auch nicht, dass ich von jedem Taxifahrer in lustiger Sonntagsstimmung begrüßt werde, am besten noch Montag morgens. Aber manchmal wird es einfach langweilig, wenn alle immerfort jammern und klagen. Das Klagen ist so verbreitet, dass ich während eines Gesprächs oft schon vorhersagen kann, was die Leute als Nächstes sagen.

»Die Politiker ... die Korruption ... die hohen Wohnungspreise . . .« Alles wird in einen ironischen Pessimismus oder – je nach Laune – in eine pessimistische Ironie getunkt. Sechs Tage in der Woche gefällt mir diese Lebenseinstellung, aber am siebenten sehne ich mich nach einem ironiefreien deutschen Lokalpolitiker.

Eine andere Sache, die mir bisweilen fehlt, ist Großzügigkeit – im Umgang mit Geld wie auch mit Zeit. Zu selten trifft man Menschen, die freiwillig eine Parkbank finanzieren, ihre alte Schule unterstützen oder sich in einer wohltätigen Stiftung engagieren (freilich, es gibt sie vereinzelt, etwa die Kinderkrebs-Stiftung »Fundacja Spełnionych Marzeń« von Tomasz und Małgosia Osuch). Auch Sportvereine gibt es nur in verschwindend kleiner Zahl. Die Zeiten sind angeblich so hart, dass es sich scheinbar nur lohnt, in die eigene Karriere oder die der eigenen Kinder zu investieren. Geiz ist ähnlich verbreitet wie Pessimismus. Überall spricht man nur von Sonderangeboten, Sparmöglichkeiten, Last-Minute-Preisen. Zwar sind die Polen zu Recht für ihre warme Gastfreundschaft bekannt, doch erfährt man sie meist nur in der Familie oder unter Freunden, aber selten in der Öffentlichkeit. Straßenfeste und andere Nachbarschaftsaktionen – etwa Ankauf gemeinsamer Hofblumentöpfe – existieren da und dort, aber selten. Wer will sich schon die Mühe der Organisation machen? Die Litanei über die schweren Zeiten dient nur allzu oft der Rechtfertigung für Egoismus.

Eine dritte Unannehmlichkeit ist das Buckeln in Hierarchien. Sehr selten trifft man hier Menschen, die den Mut haben, sich ihrem Vorgesetzten zu widersetzen. Alle sind überaus brav und korrekt und sagen nicht das, was sie in

Wirklichkeit denken. Schüler haben Angst vor ihren Lehrern, Studenten riskieren kein kritisches Wort gegenüber Professoren; Priestern wird wie Heiligen gehuldigt, und zu Hause zerreißt man sich den Mund über sie. Ebenso ist es in Firmen: Man bauchpinselt den Chef, aber keiner nimmt den Kollegen in Schutz, der vom Chef offen schikaniert wird. Und diejenigen, die in der Karriereleiter eine Stufe emporklettern, vergessen in Bälde, wie sehr sie noch vor kurzem vor ihrem Vorgesetzten gezittert haben. Statt etwas zu verändern, passen sie sich nahtlos dem System der Einschüchterung an. Fatale Folge davon ist der Mangel an Entscheidungskompetenz, den man überall in Polen antrifft. Eine Mitarbeiterin meines Reisebüros in Warschau sagte mir, dass sie in ihren täglichen Anrufen bei der polnischen Fluglinie LOT Horrorszenarien erlebe, da es meist Stunden oder sogar Tage dauere, bis sie eine verbindliche Antwort bekomme. Kein Sachbearbeiter sehe sich in der Lage, die Verantwortung etwa für eine Stornierung zu übernehmen. Jegliche Entscheidung müsse von drei höheren Chefs gegengezeichnet werden. Welche Labsal dagegen, bei KLM oder British Airways anzurufen, wo die Mitarbeiter dazu ausgebildet würden, innerhalb von Minuten eigenständige Entscheidungen zu treffen.

So. Das musste mal raus. Jetzt habe auch ich mal gemeckert. Trotzdem werde ich aber auch die nächste Einladung zum deutschen Stammtisch in Warschau wieder ablehnen!

Organisieren

Polen könnte auch »Plan B-Land« heißen. Vorsätze, Ziele, Pläne sind dafür da, umgestoßen und durch eine Improvisation ersetzt zu werden. Ein Narr, wer beharrlich an Plan A festhält. Und wenn auf dem Weg zu Plan B oder auch Plan C mal ein wichtiges Ersatzteil fehlt oder die Apotheke geschlossen hat, bleibt noch der Notausgang: Das Organisieren. Denn alles lässt sich irgendwie auftreiben, besorgen, erledigen – um Himmels willen niemals aufstecken! Wenn ein Deutscher jammert: »Wo soll ich denn am Sonntagabend Windeln herkriegen? Nicht mal in der Tankstelle gibt es noch welche!«, dann fängt's bei einem Polen erst an zu rattern. Denn nun wird organisiert.

Ein Schelm, wer das polnische Wort für Organisieren, »Załatwić« (sprich Sawatwitsch), mit Schattenwirtschaft assoziiert. Es bezeichnet die ganz legale Fähigkeit, in jeder Notlage ganz legal jemanden zu kennen, der jemanden kennt, dessen Schwiegermutter mit einem wichtigen Menschen zur Schule gegangen ist. Im Grunde genommen geht es um das urälteste menschliche Kulturgut, den steinzeitlichen Tauschhandel. Während dieser »wichtige Mensch« im Kommunismus aber ein Klempner, Türsteher oder Metzger war, geht es in der Demokratie eher um Klempner, Türsteher oder Rehabilitations-Fachschul-Direktoren.

Herr Grzegorz, Abteilungsleiter beim Warschauer Wasserwerk, hatte Anfang der neunziger Jahre ein schönes

Baugrundstück im Warschauer Vorort Anin erworben. Als er endlich mit dem Bau seines Hauses beginnen wollte, stellte sich heraus, dass die Baugenehmigung erloschen war. Herr Grzegorz legte Widerspruch beim Planungsamt ein. Der Widerspruch wurde abgelehnt.

Zum Glück hatte Herr Grzegorz einen Bekannten, der im Planungsamt einen sympathischen Beamten kannte. Der Beamte war auch tatsächlich bereit, Herrn Grzegorz bei der Baugenehmigung zu helfen, jedoch nur unter einer Bedingung. Da er gerade dabei sei, ein Wochenendhäuschen bei Płock zu bauen, wäre er dankbar für deutlich billigere Holzbalken als die aus dem Baumarkt. Herr Grzegorz versprach, ihm billige Holzbalken zu organisieren. Er rechnete dabei mit seinem Onkel, der Förster im nordostpolnischen Waldgebiet Puszcza Augustowska war. Er hatte Glück. Tatsächlich konnte der Onkel helfen. Er organisierte die Balken nämlich bei einem Bekannten, der Holzfäller war. Der Beamte in Warschau bekam seine Balken direkt aus dem Wald, und als Dankeschön ließ er Herrn Grzegorz einen neuen Widerspruch schreiben, der dieses Mal akzeptiert wurde. Die Baugenehmigung wurde verlängert; der Bau des Hauses in Anin konnte beginnen.

Zwei Monate später, an einem Samstagabend, klingelte es bei Herrn Grzegorz an der Haustür. Als er aufmachte, standen sieben Personen vor ihm. Sie sagten, sie kämen aus Augustów in Nordostpolen und baten um Einlass, heißen Tee und Unterkunft für zwei Nächte. Nach einiger Verwirrung begann Herr Grzegorz zu verstehen, was hier gespielt wurde. Bei den sieben Personen handelte es sich um die Großfamilie des Holzfällers, bei dem der Förster-Onkel in der Puszcza Augustowska die Balken besorgt hatte. Was der Onkel allerdings vergessen hatte, Herrn Grzegorz auszurichten: Auch er hatte dem Holzfäller für die Holzbalken eine kleine Gefälligkeit versprochen. Da die jüngste Tochter des Holzfällers sich gerade um einen Platz an der Rehabilitations-Fachschule von Konstancin bei Warschau bewarb, musste er dem Holzfäller versichern, dass sein Neffe im Falle eines Scheiterns dieser Bewerbung Hilfestellung leisten würde. Und nun war dieser schlimme Fall tatsächlich eingetreten. Die Tochter war bei der Aufnahmeprüfung an der Rehabilitations-Fachschule mit Pauken und Trompeten durchgefallen. Ihre ganze Familie geriet ob der Zukunft des Mädchens in helle Aufregung und fuhr geschlossen nach Warschau, um vom Neffen des Försters die versprochene Hilfeleistung zu fordern.

Was blieb Herrn Grzegorz anderes übrig, als sieben Bettstellen zu organisieren? Nachdem er der Großfamilie am darauffolgenden Sonntag die Reize Warschaus gezeigt hatte, brauste er gleich am Montagmorgen nach Konstancin, um beim Direktor der Rehabilitations-Fachschule vorstellig zu werden.

»Guten Tag, Grzegorz Kowalski, Abteilungsleiter im Warschauer Wasserwerk. Wir haben da ein kleines Problem. Eine Bekannte von mir, ein junges Mädchen namens Zosia, hat vor kurzem bei Ihnen die Aufnahmeprüfung verhauen. Das Mädchen braucht Hilfe. Es kommt aus einer armen Holzfäller-Familie in der Nähe von Augustów. Die Gegend ist berüchtigt für ihre hohe Arbeitslosigkeit. Zosia stammt noch dazu aus einer kinderreichen Familie und ist, mangels Spielzeug, mit Hirschen und Wisenten aufgewachsen. Hier wird einem jungen Menschen die Zukunft verbaut, zumal das Mädchen sehr begabt ist, besonders auf dem Gebiet der Rehabilitation. Gott allein weiß, warum es die Prüfung nicht bestanden hat. Und nun meine Frage an Sie: Ließe sich nicht doch noch irgendwie ein Studienplatz für sie organisieren?«

Der Direktor musterte ihn nachdenklich. Dann langte er zu einem Aktenordner und blätterte darin herum.

»Moment mal, lassen Sie mich nachprüfen, wie der Fall konkret aussah. Ah, ich sehe schon. Ihre Zosia hatte einfach nicht genügend Punkte. Tja, ein schwerer Fall. Aber warten Sie mal. Sie sind vom Wasserwerk, sagten Sie? Sehen Sie, wir haben da nämlich ein kleines Problem. Unsere Schule hat vor einem halben Jahr den Antrag gestellt, ans Warschauer statt ans lokale Konstanciner Wasserversorgungsnetz angeschlossen zu werden, doch der Antrag wurde abgelehnt. Könnten Sie da nicht irgendwas machen?«

»Kein Problem, das lässt sich organisieren. Legen Sie einfach Widerspruch ein – beim nächsten Mal wird Ihr Antrag bewilligt.«

»Sie hat mir der Himmel geschickt! – In Ordnung, sagen Sie dem Mädchen, sie soll Widerspruch gegen die Ablehnung einlegen. Jedes Jahr werden zwei Widersprüche positiv beschieden. Zosia wird Glück haben.«

Und so löste sich alles in Wohlgefallen auf. Das Mädchen Zosia bekam seinen Studienplatz, Herr Grzegorz baute sein Haus in Anin zu Ende, ebenso wie der Beamte des Planungsamtes sein Wochenendhäuschen bei Płock. Die Rehabilitationsschule in Konstancin wurde an die Warschauer Wasserversorgung angeschlossen – und alle waren glücklich.

In solchen Momenten versteht man einfach nicht, warum die Apparatschiks aus Brüssel ständig über die Korruption in Polen jammern. Höchste Zeit, dass die polnische Regierung gegen diese Schikanen Widerspruch einlegt.

Partys

Auf manchen Gebieten hat meine Polonisierung schon sehr anständige Fortschritte gemacht, auf anderen sind meine Bemühungen kläglich steckengeblieben. Einer der Bereiche, in denen ich noch viel nachzuholen habe, sind Partys. Insgeheim träume ich davon, einmal eine zünftige polnische Party zu geben, doch vorerst sieht es auf meinen Partys ziemlich deutsch aus. Ohnehin finden sie nur noch im Takt der Olympischen Spiele statt.

Schwerfällige deutsche Tradition ist es bereits, wenn ich am Abend vorher brav einen Zettel im Treppenhaus aufhänge. »Liebe Nachbarn, morgen feiere ich eine Party. Ich bitte Sie um Verständnis, wenn es etwas lauter wird.« Kein Pole würde sich im Vorhinein für eine Party entschuldigen. Sollen sich die Nachbarn doch ruhig aufregen – das macht die Party erst schön!

Mein Zettel ist umso alberner, da es später kein bisschen lauter wird. Wenn sich überhaupt irgendwelche Gäste blicken lassen, stehen sie steif in den Ecken herum, balancieren ein Glas Wein in der Hand, greifen müde nach den Chips und unterhalten sich darüber, wie man die Mehrwertsteuer für Badezimmerkacheln abschreiben kann. Der Siedepunkt der Stimmung wird gegen Mitternacht beim Thema Euroskeptizismus auf Island erreicht.

Freilich, im Lauf der Jahre habe ich mir von meinen diversen polnischen Gastgebern einige Tricks abgeguckt.

So stelle ich etwa zu Beginn des Abends alle Gäste einander vor. Um Himmels willen keine Anonymität zulassen. Danach mache ich eine Flasche Wodka auf. Um Punkt elf Uhr drehe ich fetzige Musik auf, nach Mitternacht werden auch die Herumsitzer aus der Küche zum Tanzen gescheucht.

Alles umsonst. Bei mir kommt niemand auf die Idee, sich zu betrinken, wild zu tanzen oder andere Partygäste anzumachen. Gegen ein Uhr morgens verlassen die letzten Gäste meine Wohnung. Nur die wenigsten von ihnen müssen sich aus Promillegründen ein Taxi bestellen. Nein, auf meinen Partys wird einfach nicht ordentlich gefeiert.

Ich habe lange gegrübelt, was der Grund dafür sein könnte. Das Ergebnis war bitter: Ich erfülle nicht die wichtigste Bedingung eines polnischen Gastgebers. Ich bin nicht authentisch. Ich markiere den wilden Party-Macher, kann aber meinen Zivilisationsballast nicht einmal ansatzweise abwerfen. Ich simuliere wildes Tanzen, halte in der einen Hand eine Zigarette und in der anderen eine Flasche Bier – denke aber die ganze Zeit nur daran, welchen Eindruck ich auf meine Gäste mache. Ich bin ein Pseudo-Tarzan, ein Feigling, der wild sein, aber gleichzeitig das Gesicht wahren möchte.

Der wahre polnische Gastgeber – und unwahre habe ich in diesem Land verflixt wenige kennengelernt – ist in der Lage, jegliche Kultur-Bagage über Bord zu werfen. Er ist zunächst ein formvollendeter Gastgeber, will sich aber später auf der eigenen Party genauso gut wie auf fremden Partys vergnügen. Seine Gäste spüren das. Bis zur Öffnung der zweiten Wodka-Flasche muss er sie einander vorstellen – ab Mitternacht entbinden sie ihn von allen Pflichten. Nun darf er träge herumsitzen oder monoman auf einen besonders hübschen Partygast einreden; das befördert nur die Ungezwungenheit. Um ein Uhr morgens tanzt der Bär. Schluss mit polnischer Distanz, es kommt der nackte Mensch zum Vorschein. Krawatten landen in der Ecke, auch der steifste Banker springt auf den Tisch. Ja, tatsächlich: In Polen wird noch sprichwörtlich auf den Tischen getanzt, in vielen Klubs auch auf der Theke.

Im allgemeinen Taumel zerschellt an dieser Theke sogar, unter leichter Nachhilfe von Alkohol, die sonst in Polen so unerlässliche Bescheidenheit. Nur auf Partys kann man erleben, wie Polen zu den größten Angebern werden. Einmal war ich Zeuge, wie ein gewisser Franek sich trotz verminderter Zurechnungsfähigkeit auf seine sonst so eisern geübte Selbstdisziplin besann. Minutenlang versuchte er auf rührende Weise, sich für gewisse vorangegangene Exzesse zu entschuldigen.

»Sorry, Alter, ich bin total betrunken, aber es ist nicht meine Schuld. Jemand hat mir einfach . . . einfach . . . einen Trichter in den Mund gesteckt.«

Als ich einmal einem polnischen Bekannten von meinen Problemen mit Partys erzählte, von meiner verflixten deutschen Verklemmtheit, von den Hintergedanken beim scheinbar hypnotisierten Tanzen, unterbrach er mich kurzangebunden.

»Um wie viel Uhr fängst du denn an, den Wodka aufzumachen?«

»Um zehn Uhr.«

»Um zehn Uhr? Fang um acht an. Und lass den Tiger in dir raus.«

Leicht gesagt – Tiger. Die werden in Deutschland im Zoo gehalten, hinter dicken Käfigstäben, und schon vom bloßen Herumgehen wird ihnen der Blick so müde.

Pessimismus

Ein alter polnischer Witz geht so: Was ist der Unterschied zwischen einem Optimisten und einem Pessimisten? Der Optimist klagt: »Es hat doch alles keinen Sinn. Was auch immer wir anfangen – morgen kommen die Russen und deportieren uns nach Sibirien.« Worauf der Pessimist antwortet: »Was bist du doch für ein hoffungsloser Optimist! Deportiert werden wir? Nein, zu Fuß müssen wir laufen!«

Die historische Begründung, die der Witz gibt, ist ungerecht. So manches Bubenstück mögen die Russen auf dem Kerbholz haben – an den gigantischen Ausmaßen des polnischen Pessimismus tragen sie nicht die Alleinschuld. Der hat sich längst von irgendeiner greifbaren, irdischen Ursache entfernt und ist metaphysisch geworden, das heißt, er besitzt den Rang einer Religion.

Ein fröhliches »Ach, wie ist die Welt so schön!« gilt in Polen denn auch nicht etwa nur als Naivität oder als Verstoß gegen den guten Ton – sondern als Sakrileg.

So mancher deutsche oder amerikanische Positivitäts-Missionar kann sich damit nicht abfinden. Auch ich wollte am Anfang noch ganz Polen mit meinem gesunden Optimismus anstecken. Ich erinnere mich, wie ich einmal demonstrativ gutgelaunt ins Taxi stieg.

»Tolles Wetter heute, oder?«

Der Fahrer blickte mich misstrauisch im Spiegel an.

»Von der anderen Weichselseite her ziehen schon dicke Wolken herüber.«

»Aber der Schnee schmilzt. Noch drei Tage, dann haben wir Frühling!«

»Ja, und dann kommt der ganze Müll zutage, den die Leute im Winter weggeworfen haben.«

»Gucken Sie mal, diese Straße, die wir gerade entlangfahren: die war früher löcherig – jetzt ist sie neu asphaltiert!«

»Ja, hundertfünfzig Meter. Und zwar, weil um die Ecke der Premierminister wohnt.«

»Und jetzt achten Sie mal darauf, was für große Autos uns überholen. Ich kann mich erinnern, wie die polnischen Straßen vor zehn Jahren ausgesehen haben. Nur Trabants und Fiats. Hier, bitte schön, ein Volvo, und da vorne ein Mercedes!«

»Auf Kredit gekauft oder geklaut.«

»Dafür läuft's im Fußball gut. Polen hat eine tolle Serie hingelegt. Sechs Siege in Folge!«

»Richtig! Gegen die Faröer-Inseln und Aserbajdschan sind wir unschlagbar.«

»Und der Zloty ist schon seit Jahren stabil.«

»Das verstehe ich auch nicht. Aber warten Sie nur: bald kommt raus, welcher Politiker wieder daran verdient hat.«

Kein Pole wird vor einem wichtigen Fußballmatch seines Landes laut über einen Sieg nachdenken. Damit würde er das Schicksal auf unverantwortliche Weise herausfordern. (Für dieses »Herausfordern« gibt es übrigens ein polnisches Wort, das ins Deutsche gar nicht übersetzbar ist: »zapeszyć«, englisch: jinx.) Abends unter der Bettdecke betet er zwar genauso inständig wie irgendein deutscher oder brasilianischer Fan um den Sieg, aber wenn dann zu Beginn des Matches etwas schiefläuft, ist der mühsam erbetete Glaube rasend schnell hinfällig. Ich habe es selbst in einer Kneipe bei mir in der Straße erlebt. Zusammen mit etwa zwanzig Leuten schaute ich mir ein Spiel zwischen Polen und Griechenland an. Während der ersten fünf Minuten waren alle noch gut gelaunt. In der siebenten Minute fiel ein Tor für die Griechen. Die Hälfte der Zuschauer begab sich an die Bar. Kurz vor der Pause schossen die Griechen das zweite Tor. Die Dagebliebenen forderten, den Fernseher aus dem Fenster zu werfen, und begaben sich ebenfalls an die Bar. Wie durch ein Wunder gelang Polen noch vor dem Pausenpfiff der Anschlusstreffer. Auf die Barhocker machte das aber keinen Eindruck.

»Keine falschen Hoffnungen, das holen wir sowieso nicht mehr auf!« In der zweiten Halbzeit saß ich quasi alleine vor dem Fernseher. Am Ende hieß es 3:2 für Polen. Zehn Prozent der Leute, die an diesem Abend in die Kneipe gekommen waren, haben es gesehen.

Im Bestreben, um Himmels willen nicht als Optimist dazustehen, haben viele Polen ein metaphysisches Schimpftalent entwickelt. Was ist das – metaphysisches Schimpfen? Ein befreundetes deutsch-polnisches Ehepaar beschrieb mir das so: Während der deutsche Ehemann sich stets um konstruktive Kritik bemüht – dass die Vase nicht auf den Tisch, sondern auf das Fensterbrett gehört und die Kinder früher zu Bett gehen sollten –, meckert seine polnische Ehefrau am liebsten über Dinge, die man sowieso nicht ändern kann. Kein Geld im Portemonnaie, das Klavier stört beim Staubsaugen, die hohe Zahnarztrechnung, das schlechte Wetter und so weiter.

Hat man einmal akzeptiert, dass der von jeder realen Ursache losgelöste Pessimismus religiöse Dimensionen angenommen hat, wird man auch seine höchste, abstrakteste Ausprägung verstehen. Dieser Höhepunkt einer jeden Religion ist die Apokalypse. Zwischen Oder und Bug hat man ein stärkeres Bewusstsein von der kommenden Auslöschung aller Dinge.

»Hier, Tantchen, wir haben einen guten Wein für dich.«

»Ist er denn wirklich gut?«

»Ja, und er wird noch besser, wenn man ihn ein Weilchen stehenlässt.«

»Na, ob er wohl *so* lange stehenbleibt?«

PKP

Die PKP (Polskie Koleje Państwowe/Polnische Staatsbahnen) gilt in Polen als das Letzte. Wer es sich irgendwie leisten kann, fährt Auto. Im Zustand ihrer Eisenbahn sehen die Polen ein Symbol für den angeblichen Zustand des ganzen Landes: Schmutzig, verspätet, vom postkommunistischen Schlendrian regiert und bis in die Haarspitzen korrupt. Jedermann kennt die scherzhafte Ausformulierung des Kürzels PKP: »Płać konduktorowi połowę«, zu Deutsch: »Zahl dem Schaffner die Hälfte« – gemeint ist: die Hälfte des offiziellen Fahrpreises.

Es ist in Polen eine fette Provokation, wenn ich mich hinstelle und sage, dass es keinen größeren Fan der PKP gebe als mich. Mit diesem Outing mache ich mich auf polnischen Partys etwa so beliebt wie auf Kreuzberger Partys mit dem Bekenntnis, George-Bush-Fan zu sein. Ich federe das auch keineswegs durch Ironie ab. Nein, es ist wirklich so. Ich fahre in Polen gerne mit der Bahn! Nicht, weil sie so herrlich alt und marode wäre – das ist sie durchaus, und das hat manchmal durchaus keinen Charme. Ich habe auch keinerlei nostalgischen, albanienverklärenden Hintergedanken. Ganz ehrlich: Ich möchte keinen einzigen der Tausende von Kilometern missen, die ich bis jetzt mit der PKP zurückgelegt habe – na gut, sagen wir: allenfalls ein paar hundert.

Und das sind meine Gründe:

1. Das polnische System der Fahrkartenreservierung ist flexibler als das deutsche. Während man in Deutschland 10 Minuten vor der Zugabfahrt am Bahnhof sein muss, um eine Platzkarte zu bekommen, kann man in Polen noch fünf Minuten vor Abfahrt des Zuges eine solche Reservierung erhalten. Sie ist sogar Pflicht, da sie an die Stelle des IC-Zuschlags tritt. Vorteil für kurzentschlossene Reisende: Sie wissen sofort, wo ihr Platz ist, und müssen nicht mehr, wie ich jedes Jahr zur Weihnachtszeit in deutschen ICEs, zitternd durch den ganzen Zug irren.

Nachteil: Da in Polen niemand die Reservierungen vorher an den Plätzen anbringt, sehen grundsätzlich alle Plätze frei aus. Wer nach Abfahrt des Zuges in ein anderes Abteil wechseln möchte, zum Beispiel wegen eines laut bellenden Hundes, muss bei frei gebliebenen Plätzen damit rechnen, dass am nächsten Bahnhof eine ganze Fußballmannschaft ankommt und den Platzwechsler grölend vertreibt – so als hätte er es wissen können.

2. Merkwürdigerweise sind die polnischen Züge fast immer pünktlich – jedenfalls deutlich pünktlicher als die um Lichtjahre moderneren ICEs. Vielleicht liegt es daran, dass nicht an jedem Bahnhof auf irgendeinen blöden Anschlusszug aus Bummelhausen gewartet wird. Und das hat wieder damit zu tun, dass die polnischen Schaffner keine drei Diensthandys besitzen, über die sie permanent mit der Leitstelle konferieren. Ein polnischer Zug ist so schnörkellos wie ein Interview mit Lech Wałęsa: Er kommt an und fährt wieder ab – ohne viel Federlesens zu machen.

3. Eine Überraschung erlebt man am Warschauer Zen-

tralbahnhof: Alle Ansagen werden in vier Sprachen gemacht, Polnisch, Englisch, Deutsch, Russisch. Man hat den Eindruck, sich in einer multinationalen Metropole zu befinden. In Berlin dagegen wird bei internationalen Zügen alles nur auf Deutsch und auf Englisch angesagt. Nicht nur polnische Touristen gucken dann in die Röhre.

4. Ein riesiger Pluspunkt sind die polnischen Schaffner. Sie sind, so unglaublich es auch klingen mag, Menschen. Auf den ersten Blick natürlich streng blickende Beamte, die aber nach kurzem Gespräch auftauen. Besonders schätze ich die weiblichen Schaffnerinnen. Der Kontrast zu ihren deutschen Kolleginnen könnte nicht größer sein. Sie bleiben nicht nur Menschen, sondern auch noch Frauen. Während sie den einen Fahrgast anfauchen, lachen sie den nächsten aus und unterhalten sich mit dem übernächsten über Kindererziehung.

Einmal fuhr ich nach einem Auftritt mit dem Spätzug nach Warschau. Ich muss müde ausgesehen haben; die Schaffnerin holte mitleidig den Vierkantschlüssel aus der Tasche.

»Damit können Sie sich in Ihrem Abteil einschließen. Dann wird niemand Sie stören. Geben Sie ihn mir bitte kurz vor Warschau zurück.«

5. Stichwort Abteile: Aufgrund irgendeiner kalten Kostenkalkulation wird in deutschen ICEs die Großraum-Misere gepflegt. Abteile gibt es nur noch in spärlicher Zahl, wenn, dann sind sie eng, Mutter-und-Kind-blockiert und ohne die Intimität, die nur Gardinen gewähren können. Ganz anders polnische Waggons. Sie haben Abteile, Gardinen, Fenster, die man herunterschieben kann – und sind außerdem noch lange vor meiner Geburt produziert worden, was bewirkt, dass ich mich verdammt jung fühle.

6. Das nächste Argument, das für die PKP spricht, ist der Speisewagen – mein geliebtes WARS-Restaurant. Das ist ein Ort der Ruhe und Stabilität. Die Speisekarte hat sich seit fünfzig Jahren nicht verändert. Wenn der Kellner kommt, rassle ich meine Bestellung herunter, egal zu welcher Tages- oder Jahreszeit: Würstchen mit Meerrettich und dazu Spiegeleier. – Nun muss man wissen, dass Spiegeleier in europäischen Speisewagen nach EU-Norm verboten sind. Es droht irgendeine fiese Ansteckungsgefahr, wegen Hygiene oder was weiß ich. Offiziell darf der Kellner mir nur Rührei bringen. Zum Glück greift aber auch hier wieder der menschliche Faktor: Ich zwinkere dem Kellner zu, der Kellner zwinkert mir zu – und Brüssel ist weit weg.

7. Die Zugtüren werden noch per Hand geschlossen. Zuspätkommer haben, anders als beim seelenlosen ICE, die Chance, die Tür noch einmal aufzureißen und sich in den fahrenden Zug zu schwingen.

So weit meine kleine PKP-Hymne. Sie ist völlig für die Katz. Selbst wenn ich sie in Verse umformuliere und eine eingängige Melodie dazu komponiere – kein Pole wird sich überzeugen lassen. Man würde hier auch dann noch über die Bahn klagen, wenn jeder Fahrgast im WARS kostenlos ein fünfgängiges Menü serviert bekäme. Prestige hat nun einmal nur das Auto, die Bahn gilt als kommunistisch. Schade: Den Autofahrern (diesen Umweltverschmutzern – ein Argument, das ich mir in Polen spare, weil es niemanden interessiert) bleibt so auch das Beste, das Arkanum der PKP verschlossen. Die Rede ist von:

8. beschrankten Bahnübergängen, ebenfalls einer in Deutschland fast ausgestorbenen Bahn-Perle. Dem Tem-

po-250-Gebot in ICEs ist ein köstlicher Triumph der Zug-reisenden geopfert worden. Ich meine jenen Moment, wo der Zug zwischen Bahnschranken hindurchfährt, die Autos mit ausgeschalteten Motoren dastehen, viele Fahrer ungeduldig ausgestiegen sind und einen wütend anstarren. Das ist doch einfach unbezahlbar. Da bin ich immer versucht, das Fenster herunterzuschieben und den Wartenden zuzuwinken, wie einst Polens Nationalheld Piłsudski winkte, als er nach mehrjähriger Festungshaft 1918 in Warschau einfuhr und die polnische Republik ausrief. Welche Erniedrigung für die Umweltzerstörer ... und welches Prestige für mich, der ich lässig aus dem Waggonfenster hänge!

P – K – P: Prestige – Komfort – Personalnettigkeit.

Polenwitze

Ja, ich erzähle bei meinen Auftritten in Krakau oder Danzig gerne auch mal einen Polenwitz. Meistens ist es der Witz vom Teufelchen und dem Schäufelchen. Erstens habe ich im Polnischen eine schöne Entsprechung für den deutschen Reim »Teufelchen/Schäufelchen« gefunden, nämlich »jestem diabełkiem z moim małym kubełkiem« (wörtlich: »Eimerchen«), zweitens ist der Witz in Polen völlig unbekannt und ein Riesenbrüller.

Gleich hinterher schicke ich aber stets einen Witz aus meiner in Polen aufgeschnappten Anti-Deutschland-Sammlung, meistens den recht deftigen Witz vom deutschen Touristen im polnischen Jagdgeschäft. Auch er gefällt den Leuten sehr, doch ist das Gelächter beim Teufelchen-Witz noch um einige Dezibel lauter.

Gerechter Proporz also ... Heißt das, dass auch ich schon zerfressen bin von der Political Correctness?

Proporz ja – aber aus eigener Erfahrung, und zwar gerade deshalb, weil die ganze Sache eben rein gar nichts mit Political Correctness zu tun hat, allenfalls mit Höflichkeit.

Ende der neunziger Jahre, als die polnische Verärgerung über deutsche Polenwitze hochzukochen begann, war ich eine Zeit lang der Meinung, die Polen sollten gefälligst mal ein bisschen Sinn für Spaß haben und sich nicht benehmen wie hyperempfindliche Chomeinis, die hinter jeder Karikatur eine Gotteslästerung wittern. Wer eine Witzezensur verlangt, hat einen dicken Minderwertigkeitskomplex.

Zwei Beobachtungen haben mich aber doch schließlich dazu gebracht, Polenwitze sparsam und noch dazu stets im Doppelpack mit einem Deutschlandwitz zu bringen.

Erstens ist in der deutschen TV-Comedy-Szene eine gewaltige Feigheit zu spüren. Weil Polen aus irgendwelchen Gründen nicht von der Political Correctness geschützt wird, darf man fleißig dreinschlagen. Was man sich gegenüber Juden, Muslimen oder Schwarzen niemals erlauben würde – bei Polen ist man witzig, hier darf man's sein. »Komm nach Polen, dein Auto ist schon da.« Endlich muss man keine Ächtung durch einen aufgebrachten Friedmann fürchten, keine Fatwa aus Teheran, keine irren Selbstmordattentäter. Man wird allenfalls mal, wie Harald Schmidt vor Jahren, zu einer lustigen Rüge bei Kaffee und Kuchen in die polnische Botschaft gebeten. Also immer feste druff, dieser Lacher ist billig zu haben. Stefan Raab über ein deutsches Schmuggelschiff in Swinemünde: »Ein polnisches Küstenwachschiff hat einen deutschen Ausflugsdampfer beschossen. Mit Leuchtraketen! Die Attacke hatte auch einen Namen: Operation Spargelernte.«

Der zweite Grund, weshalb ich Polenwitze einschränken würde, ging mir genau an solchen Raab-Witzen auf. Die meisten Polenwitze sind einfach nur noch dämlich. Sie erinnern mich in ihrer Abgedroschenheit an Blondinenwitze – nein, bitte nicht.

Ganz schmerzhaft wurde es aber, als die Polen begannen, sich zu revanchieren. Infolge der Kaczyński-Kartoffel-Karikaturen der TAZ riefen polnische Zeitungen und Magazine bei polnischen Kabarettisten an und baten um Revanche-Gags über Deutschland.

Schmerzhaft war dies insofern, als die Ergebnisse beklagenswert bemüht wirkten. Sichtbar wurde, dass die Polen gegenüber uns Deutschen ein flagrantes Witzproblem haben. Seit 1945 sind bedauerlicherweise keine Klischees über Deutsche mehr hinzugekommen, aus denen sich Witze schmieden ließen. Heil-Hitler-Witze bitteschön – in rauen Mengen. Aber keine Erika Steinbach hat ihren Witz gefunden, kein Vertriebenen-Zentrum, kein Gerhard Schröder, keine Gasleitung. Die Polen haben ganz einfach den Fehler gemacht, ihre gewaltige Witzkreativität in den letzten fünfzig Jahren gegen Russland und vor allem gegen sich selbst zu richten.

So lauteten die dürftigen Ergebnisse etwa: »Komm nach Deutschland, die Kunstsammlung deines Großvaters ist schon da.« Am besten gefiel mir noch der: »Warum müssen deutsche Männer stets zwei Viagra-Pillen einnehmen? Weil nach einer Pille nur der rechte Arm hochgeht.«

Und es geschah etwas Seltsames: Beim Anhören dieser und noch vieler anderer, schlichtweg unwitziger Deutschlandwitze ertappte ich mich dabei, dass ich aggressiv wurde.

»Hört doch auf mit diesen Dämlichkeiten. Fällt euch denn nichts Neues ein?«

Egal, ob man mein Unbehagen nun humorlos oder moralinsauer nennen will – ich verhielt mich jedenfalls schon wie ein Pole, der die Nase voll hat von den ewigen Spargel- oder Klauwitzen.

Das Teufelchen sitzt in der Hölle und brütet über einen neuen Anschlag auf die Menschheit. Endlich nimmt es sein Schäufelchen, gräbt sich einen Gang hinauf an die Erdoberfläche, kommt in Amerika heraus und ruft: »Hallo, hallo, ich bin das Teufelchen mit meinem kleinen Schäufelchen, und ich nehme euch jetzt alles Geld weg!« Die Amerikaner winken müde ab.

»Bitte sehr, kannst alles mitnehmen. Wir haben sowieso viel zu viel davon!«

Das Teufelchen ist enttäuscht, gräbt einen neuen Gang und kommt diesmal in Russland heraus. »Hallo, hallo, ich bin das Teufelchen mit meinem kleinen Schäufelchen, und ich nehme euch jetzt alles Geld weg!«

»Oh, gut, dass du gekommen bist«, rufen die Russen. »Du kannst uns suchen helfen. Wir haben nämlich nichts!«

Wütend gräbt das Teufelchen zum dritten Mal einen Gang nach oben, kommt in Polen heraus und ruft: »Hallo, hallo, ich bin das Teufelchen – und wo ist bitte mein kleines Schäufelchen?«

Ein deutscher Tourist geht in ein polnisches Jagdgeschäft. »Haben Sie Messer?«, fragt er den polnischen Verkäufer.

Der betrachtet ihn aufmerksam und fragt: »Sind Sie zufällig Deutscher?«

»Ja.«

»Wir haben keine Messer.«

Der Tourist verlässt das Geschäft, bleibt aber draußen nachdenklich stehen. Keine Messer? Er hat sie doch genau gesehen, in der Vitrine hinter dem Verkäufer! Also dreht er um und betritt das Geschäft noch einmal.

»Entschuldigung, haben Sie vielleicht Pistolen?«

»Sie schon wieder! Nein, wir haben keine Pistolen.«

Der Deutsche wird misstrauisch. In der Vitrine hinter dem Verkäufer sind sehr genau Pistolen zu erkennen.

»Und haben Sie vielleicht Granaten?«

»Aber nein«, ruft der polnische Verkäufer belustigt, dabei liegen die Granaten direkt neben den Pistolen.

»Entschuldigung, dann muss ich Sie doch mal fragen: Haben Sie etwas gegen Deutsche?«

»Ja«, sagt der Pole ruhig. »Messer, Pistolen und Granaten.«

PRL

Im ehemaligen Palast der Polnischen Vereinigten Arbeitspartei (PZPR) befindet sich heute die Warschauer Börse. Vom Dach des Gebäudes leuchtet eine große Versicherungswerbung herab: »Sicherheit, Vertrauen, Tradition«. Der Sieg des Kapitalismus scheint doppelt und dreifach besiegelt.

Und doch gibt es heute auch in Polen Ostalgie-Partys. Die Gäste reisen in wunderbar instand gehaltenen Syrenka-Autos an (polnisches Fabrikat der siebziger Jahre); statt Eintrittskarten werden alte Lebensmittel- oder Seifenkarten akzeptiert; an den Wänden hängen ausgestopfte Fasane; man sitzt auf Betten, die aus der »Möbelwand« herausgeklappt werden, isst »warmes Eis« (schokoübergossene Waffeln), trinkt aus Kristallgläsern »Ptyś« (Orangeade), »das Lächeln des Traktoristen« (aus Denaturat gebrannten Wodka) oder »Polocockta« (colaähnliche Brühe) und stößt auf das Wohl des Proletariats an.

Die Ostalgie verwundert weniger, wenn man weiß, dass die Polen gegenüber dem Kommunismus ein relativ entspanntes Verhältnis hatten. Sie fühlten sich von vornherein als Opfer von Jalta, sahen sich stets im Widerstand und waren stolz darauf, »die lustigste Baracke im Lager« zu sein. Nach einer leicht verständlichen Anfangsbegeisterung für den Wiederaufbau (gut beschrieben in Max Frischs »Tagebuch 1946–1949« anlässlich einer Visite bei Warschauer Städteplanern) gelang es, die polnisch-nationale, katholische, agrarische Identität so unbeschadet wie kein anderes Land durch den Kommunismus hindurchzuretten. Die »Solidarność«-Bewegung beweist es. Wäre sie in Rumänien oder Tschechien möglich gewesen? Nein, dort reichte die Gehirnwäsche viel tiefer.

Als das mit Abstand schlimmste »sozialistische Bruderland« galt übrigens die DDR. Das waren nicht nur Deutsche – schlimm genug, also Krypto-Faschisten –, sondern auch noch Moskau-hörige Spitzel, die allen Ernstes an Marx und Engels glaubten. Eine fatale Mischung, zu der bei Fahrten in den Westen noch Schikanen durch die DDR-Grenzer hinzukamen. Wie oft musste ich mich in Polen bei der Frage, wo ich herkomme, mit der Präzisierung beeilen: »Aus Wuppertal – aber das liegt nicht in der Ex-DDR, sondern in der Nähe von Köln, also in der BRD!« Erst daraufhin folgte ein erleichtertes Aufatmen.

Diese resolute Distanzierung vom Kommunismus – fast jeder gehörte ja der Solidarność-Gewerkschaft an und durfte sich als Opfer des Kriegsrechts fühlen – hatte für Polen paradoxerweise unangenehme Spätfolgen. Nach 1989 gab es keine entschlossene Auseinandersetzung mit dem Geheimdienst. Zu gering war der Hass auf die Kommunisten. Im Taumel des Sieges wollten viele Polen gar nicht glauben, wie groß auch in ihrem Land das Ausmaß der Geheimdiensttätigkeit gewesen war. Hier tickte eine Zeitbombe, die erst fünfzehn Jahre später explodierte – und die Gebrüder Kaczyński an die Macht brachte, weil sie rigorose Aufklärung versprachen.

Wie tief sind also die Abdrücke, die der Kommunismus trotz allem in der polnischen Seele hinterlassen hat? Sollten sie gar – ketzerische These – genauso tief reichen wie der Marienkult oder das Trauma der blutigen Aufstände?

Tatsache ist, dass die polnische Wirklichkeit immer noch in vielen kleinen und großen Dingen von den fünfundvierzig Jahren »PRL« geprägt wird (»Polska Rzeczpospolita Ludowa« = »Volksrepublik Polen«). Sicherlich: die sichtbaren Attribute sterben aus, so wie die billigen Milchbars oder die Syrenka- oder Warszawa-Autos. Die typischen Polski-Fiats (im Volksmund »Maluch« genannt) sieht man aber noch häufig auf dem Land, so wie die Supermärkte »Społem«.

So schnell nicht abzureißen sind natürlich auch die sozialistischen Trabantenstädte, die jede polnische Stadt verunstalten. Bei meiner Übersiedlung nach Warschau im Jahr 1994 wohnte ich zunächst vier Wochen lang in einem solchen Riesenwohnblock. Das war eine Umstellung. Der zartbesaitete Wessi erlitt keinen schlechten Schock, als die Außentemperaturen fielen und die Zentralheizung trotzdem kalt blieb. Es stellte sich heraus, dass es noch immer den »Heizzeitraum« gab, der vom Direktor des nächsten Kraftwerkes festgelegt wurde. Vor dem 1. Oktober bestand keine Chance auf warme Heizkörper. Frostbeulen hatte man gefälligst in Decken einzuwickeln. Als die Heizungen dann endlich angingen, glühten sie dafür sechs Monate lang auf Höchststufe. Abschalten war nicht, weil Thermostate nicht existierten. An vielen Heizungen in Hochhaustreppenhäusern gibt es sie übrigens bis heute nicht, sodass dort im Winter tropische Temperaturen herrschen.

Gewöhnungsbedürftig war auch, dass ich meine Tomaten in einer Küche ohne Fenster schnibbeln musste. Ich fühlte mich wie im Hamsterkäfig.

Ebenfalls kein Fenster hatte die Toilette – dafür aber gab es eines in der Toilettentür, damit mehr Licht in das dunkle Kabuff einfiel. Das war seltsam. Sicherlich, es handelte sich um ein Milchglasfenster – aber trotzdem, wie unangenehm! Permanent hatte ich Angst, dass jemand von außen seine Nase ans Fenster presste. Ich hängte jedes Mal Handtücher davor, die meine schamlosen Mitbewohner dann wieder abnahmen. Dazu kam noch, dass die Tür keinen Schlüssel mehr besaß. Ob die Toilette besetzt war oder nicht, erkannte man lediglich daran, dass man durch die Fensterscheibe das Licht brennen sah – oder nicht. Das verlangte wiederum strikte Disziplin von allen Mitbewohnern. Wer die Toilette verlässt, muss das Licht ausknipsen, sonst schleicht sich Ungenauigkeit ein.

Beides – Toilettentüren mit Milchglasfenstern und fehlende Schließvorrichtungen – hat sich aus dem Kommunismus in die gegenwärtige polnische Wirklichkeit hinübergerettet. Ich habe mich so daran gewöhnt, dass ich bei Deutschlandbesuchen Probleme kriege. Ich vergesse ganz einfach, die Badezimmertür zuzuschließen. Wenn dann der Gastgeber hereinplatzt, sage ich: «Oh, sorry, ich komme aus Polen! Da existieren keine Schlüssel.«

Wo wir schon beim Thema Toiletten sind, möchte ich dem Leser nicht noch länger die möglicherweise wichtigste Information dieses Buches vorenthalten. Auf vielen öffentlichen Toiletten gibt es in Polen weltweit singuläre Symbole für Männlein und Weiblein. Eines der beiden Symbole ist ein Dreieck, das andere ein Kreis. Und nun darf geraten werden, welches Symbol für welches Geschlecht steht. Die Chancen stehen 50:50, da es keinerlei Assoziationshilfen gibt. Einmal lud ich meinen Bruder in ein Warschauer Restaurant ein. Als er zur Toilette ging, vergaß ich leider, ihn entsprechend zu instruieren. Nach drei Minuten kam er leichenblass zurück.

»Los, gehen wir nach Hause, ich will hier nicht länger bleiben. Ich bin in die Damentoilette reingestürmt. Eine Frau hat mir gerade eine Szene gemacht, als ob ich ein Stalker wäre – woher sollte ich auch wissen, dass der Kreis für ›Damentoilette‹ steht. Warum haben denn Männer Dreiecke und Frauen Kreise?«

Ich habe keine Ahnung. Bis heute habe ich auch keine Ahnung, welcher Designer, vermutlich irgendwann in den Fünfzigern, diese Idee hatte. Er/Sie muss ein fortschrittlicher Sozialist gewesen sein. Geschlechtsneutrale Symbole: das ist der definitive Triumph der Emanzipationsbewegung. Schluss mit dem chauvinistischen Klischee unserer westlichen Piktogramme, wo eine Frau am Rock erkennbar ist. Im Sozialismus trugen Frauen Hosen, fuhren Traktor und konnten als Chemiker im Labor arbeiten. Und das war auch gut so!

Befremdlich für Deutsche ist auch eine andere sozialistische Hinterlassenschaft. Man trinkt den Kaffee in Polen auch heute noch meistens ohne Papierfilter, in löslicher Pulverform. Das war ursprünglich der puren Not geschuldet, bürgerte sich aber dauerhaft ein. Schauderhaft!

Die Art des Teetrinkens dürfte übrigens zur Abwechslung einmal keine indirekte Folge des kommunistischen Manifests sein. Tee trinkt man in Polen niemals aus der Kanne, sondern aus dem Becher (oder auch aus henkellosen Gläsern – Polen und Russen haben Finger aus Asbest). Dabei gilt die für sparsame Deutsche höchst schmerzhafte Formel: »Ein Becher Wasser erfordert mindestens einen Teebeutel, gerne auch drei.«

Dafür sind die zahllosen grünen Kiosks, zu deren winzigen Fensterchen man sich tief wie zum Sultan von Samarkand hinunterbeugen muss, dann wieder ein Relikt aus kommunistischen Zeiten. Nach zweijähriger Recherche fand ein deutscher Journalist heraus, dass die Ursache für die unpraktische Höhe dieser Kioskfensterchen in schlichtem Geiz lag. Geplant war vom zentralen Planungsbüro, dass die Kioskgestelle auf einem Betonfundament von einem halben Meter Höhe ruhen sollten. Die Kioskbesitzer störten sich aber nicht an dem Entwurf und stellten ihre Bude umstandslos auf die blanke Erde. Schneller, billiger, polnischer.

Eine weitere Einzelheit aus dem Alltag, die an vergangene Zeiten erinnert, sind die Sammelbriefkästen in den Wohnblocks. Sie haben keine Schlitze. Der Briefträger steckt die Post also nicht von außen hinein, sondern schließt den gesamten Riesenkasten auf und steckt die Briefe von hinten in die Fächer. Vermutlich sollte das Entstehen von konspirativen Nestern verhindert werden – die Privatleute konnten sich mangels Briefkastenschlitz keine heimlichen Botschaften übermitteln. Außerdem wurde vorsorglicher Hass unter den Hausbewohnern gesät. Der psychologische Mechanismus ist raffiniert; ich habe ihn an mir selbst beobachtet. Wenn – wie es immer wieder vorkommt – durch ein Versehen des Briefträgers mal ein Brief für den Nachbarn in meinem Kasten landet, muss ich diesen Nachbarn persönlich aufsuchen und ihm den Brief geben. Zwei Mal tue ich es. Beim dritten Mal ist der Nachbar nicht in der Wohnung, und beim vierten Mal wird es mir zu blöd. Ich horte zu Hause die fehlgeleiteten Briefe – so lange, bis ich von meinem eigenen schlechten Gewissen aufgefressen werde und ich mich freiwillig beim KGB als inoffizieller Mitarbeiter melde. Kaum habe ich die Dienstverpflichtung unterschrieben, stürme ich nach Hause und mache über einer Kerze die Briefe an den Nachbarn auf. Dieser Blödmann, der nie zu Hause war – ich kriege ihn dran!

Zum Schluss noch eine Bemerkung des Ex-Deutschlehrers: Diejenigen Studenten, die noch bei kommunistischen Kadern das Schreiben gelernt hatten, verfügten über eine wesentlich lesbarere Handschrift als die verwöhnten Bengel des Computerzeitalters.

Polnische Schimpfwörter

Das Lieblingsschimpfwort der Polen heißt »Kurwa« (Nutte) und ist beliebt wie unser »Scheiße«, wenn auch zwei Spuren härter. Es hat eine derartige Karriere gemacht, dass manche Leute, besonders im Bauarbeiter- und Fernsehmilieu, keinen Satz mehr ohne das berühmte K-Wort bilden können. Wichtig ist, dass man das »r« schön rollt, sonst wird's ein Lacher. Auch sonst herrscht im Polnischen kein Mangel an Flüchen und Schimpfworten. Alle der nachfolgend aufgeführten Ausdrücke werden gerne und häufig benutzt. Ich garantiere bei meinem nichtvorhandenen Slawistik-Doktortitel, dass kein einziger von ihnen stubenrein ist. Es gibt hier also bestimmt keinen literarischen Abturner wie »du Schalk« oder »du Esel«.

Langjährige Erfahrung als Sprachlehrer hat mir gezeigt, dass auch der phlegmatischste Student beim Thema Schimpfworte aus dem Tiefschlaf erwacht und schier unglaubliche Energie beim Aufspüren von Bedeutungsnuancen entwickelt. Ich habe mich deshalb entschlossen, die polnischen Schimpfwörter hier ohne deutsche Übersetzung aufzulisten. Möge ein jeder sich mit einem Bleistift bewaffnen und in irgendeiner Stettiner oder Warschauer Eckkneipe auf eigene Faust nach Bedeutung, Anwendung und Etymologie fragen. Ich verspreche, dass jegliche Kontakthemmungen im Nu verschwinden werden. Vielleicht wird die nachfolgende Liste also zu einem ganz neuen Fundament des deutsch-polnischen Dialoges.

Kurwa, Dupek, Chuj, Kutas, Ciota, Pedał, Cwel, Mam cię w dupie, Pierdolić, pierniczyć, jebać, Ja pierdolę, Ja pierniczę, Ty popierdolony kutasie, Ty zjebany chuju, Ja ci urwę jaja, aż popiszczysz, Ty pieprzony Szwabie!, Dupojebak, Masz w dupie robaki!, Sukinsyn, Co ty pieprzysz?, Odjebało ci?, Ty pieprzony pedale!, Ty cioto, Ty stara pizdo, Gówno prawda, Ty popaprany cwelu.

Vulgär und doch intellektuell: Warschaus bestes Graffiti
auf dem Westpfeiler der Śląsko-Dąbrowski-Brücke. Adäquate
Übersetzung bitte an info@steffen.pl

Wochenendstudium für Berufstätige

Zweimal im Monat fahren Tausende von jungen Berufstätigen durch das Land. Es zieht sie in die großen Universitätsstädte Krakau, Warschau, Danzig, Breslau, wo sie den ganzen Samstag und Sonntag über Wissen büffeln, sei es Wirtschaft, Medizin oder Germanistik. Es gibt mehrere Gründe, weshalb sie kein normales Tagesstudium absolvieren. Die einen haben schlichtweg keinen staatlichen, kostenlosen Studienplatz bekommen und müssen jetzt das kostenpflichtige Wochenendstudium absolvieren, bei dem jeder genommen wird, der zahlt. Die anderen haben bereits ein dreijähriges Fachhochschulstudium abgeschlossen und wollen jetzt in weiteren drei Jahren den Magistertitel erwerben. Unter der Woche arbeiten sie in Schulen oder Firmen und haben häufig schon Familie. Kein Wunder, dass sie am Wochenende weder Lust noch Kraft übrig haben, um sich noch großartig in die Wissenschaft zu stürzen. Man könnte diese Art von Studium deshalb eine Farce nennen, doch hat mir der Unterricht mit diesen eher pragmatisch orientierten Leuten großen Spaß gemacht. Kein Zweifel: Polen tut eine sozialdemokratische Universitäts-Gründungs-Welle à la Duisburg, Bochum, Wuppertal not.

Radio Maryja

Radio Maryja ist ein Radiosender, der polenweit sendet, seinen Sitz in Toruń hat und Anfang der neunziger Jahre von einem Redemptoristen-Pater namens Tadeusz Rydzyk gegründet wurde. Der Sender bemüht sich, katholische Werte zu vermitteln, bringt Vorträge im Volkshochschulstil, dazu bissig-konservative Zeitgeistglossen; es wird aber auch ganz sanft gebetet und vor allem mit den (überwiegend bereits im Ruhestand befindlichen) Zuhörern telefoniert. Radio Maryja ist spätestens durch die zusätzliche Gründung eines Fernsehsenders namens »Trwam« und einer Journalistenschule zu einer politischen Macht geworden. Die Wahlempfehlungen des guruähnlich verehrten Pater Rydzyk werden von mehreren hunderttausend Hörern befolgt, wovon bei der Sejm-Wahl 2005 vor allem die Partei »Recht und Gerechtigkeit« des späteren Ministerpräsidenten Jarosław Kaczyński profitierte. Später kam es aber zum Zerwürfnis zwischen Rydzyk und den Kaczyński-Brüdern, da der Radio-Priester sich zu einer unflätigen Bemerkung über die Gattin von Präsident Lech Kaczyński hinreißen ließ und sich partout nicht dafür entschuldigen wollte.

Wenn es irgendwo in Polen so etwas wie Fanatismus geben sollte, dann im Lager der Radio-Maryja-Hörer. Sogar ich bekam ihn zu spüren. Während eines Kabarettauftritts, bei dem ich von einer unsympathisch herumspionierenden Radio-Maryja-Hörerin erzählte, stand eine ältere Dame auf, kam an die Bühne, drohte mir lächelnd mit dem Zeigefinger und sagte laut vernehmlich: »Oh nein, Herr Steffen, Sie wissen genau, dass das nicht wahr ist!«

Über mehrere Jahre hinweg absoluter Liebling von Polens Kabarettisten, ist das Thema Radio Maryja inzwischen vollständig abgenudelt, so wie in Deutschland Blondinen-witze oder WG-Parodien. Nicht nur die Öffentlichkeit – am glänzendsten repräsentiert durch Lech Wałęsa, der sich durch einige erfrischend offene Worte sämtliche Radio-Maryja-HörerInnen zum Feind gemacht hat –, sondern auch die Konferenz der katholischen Bischöfe Polens hat längst die Geduld mit dem Antisemiten Rydzyk verloren, in dessen Garage zuverlässigen Berichten zufolge ein May-bach steht.

Statt vieler Worte seien hier also nur einige Highlights aus den Radio-Maryja-Sendungen zitiert:

Ein Hörer: In Auschwitz gab es niemals Gaskammern. Das ist doch nur Propaganda der amerikanischen Homo-sexuellen-Lobby.

Pater Piotr: Wohl eher der jüdischen Lobby!

Hörer: Läuft das nicht auf dasselbe hinaus?

Hörerin: Ich bin Urszula. Ich habe Ihre Sendung gehört und muss leider sagen, dass das alles auf einem sehr niedri-gen Niveau war, geradezu peinlich niedrig.

Pater Rydzyk: – Seht ihr . . . Da ruft der Satan bei Ra-dio Maryja an, wenn auch mit weiblicher Stimme. Und wenn es nicht der Satan ist, der anruft, dann doch sein Gehilfe mit Namen Urszula.

Eine Hörerin:

Meine halbe Rente werde ich meinem geliebten Radio Maryja abgeben.

Pater Jerzy: Das ist schön. Und wie hoch ist Ihre Rente?

Hörerin:

– Ich habe mir selber ein Gebet ausgedacht. Darf ich es sagen?

– Wir bitten darum . . .

– »Wie gut, dass es dich gibt, Pater Rydzyk, wie gut, dass deine Mutter dich geboren hat, die unbefleckte . . .«

Hörerinnenanfrage bei Radio Maryja:

»Ich ging die Straße entlang und sah mehrere sechzehnjährige Nutten, wie sie Bordell-Reklamezettelchen hinter die Scheibenwischer von parkenden Autos klemmten. Einen Moment später sah ich, wie unser Herr Pfarrer daher kam und sich so einen Zettel wegnahm. Na, da fragte ich ihn sofort, wozu er denn diesen Zettel bräuchte? Und der Pfarrer hat geantwortet, dass er ihn als Lesezeichen für seine Bücher gebrauchen kann. Jetzt weiß ich nicht, was ich davon halten soll.«

Aus dem Internet, betreffend Wohnungsangebote für Studenten in Posen:

»Hallo! Ich warne davor, bei einer Frau einzuziehen, die folgende Wohnungsannonce aufgegeben hat: ›061- . . . Zimmer für eine Person, abzugeben an einen berufstätigen Herrn oder einen Studenten in der Siedlung Pod Lipami. Sehr gute Bedingungen, freier Zugang zu Küche und Bad.‹ Die Besitzerin dieser Wohnung ist 74 Jahre alt und äußerst pingelig. Nachts hört sie leidenschaftlich Radio Maryja, und zwar so laut, dass man nicht schlafen kann. Beim Einzug fordert sie vierhundert Zloty für das Zimmer und vierhundert Zloty Kaution, die man nie wiedersieht, weil sie sie mit Toilettenpapier, Domestos und irgendeinem verbogenen Löffelchen verrechnet!! Wasser darf man nur so viel »wie ein Christenmensch« verbrauchen, und das heißt konkret: Man darf sich in einem Trog waschen, und das Schmutzwasser kippt die Besitzerin dann, »im Rahmen von Sparmaßnahmen«, in den Toilettenspülbehälter. Das ist wahr!!! Ich empfehle diese Wohnung niemandem, außerdem knarrt der Fußboden, und es gibt null Intimität. Soviel in Kürze.«

Die definitive Radio-Maryja-Verspottung stammt von Kabarettist und Skandalnudel Krzystof Skiba. Mit seinem Song »Moherowe Berety« spießt er die Lieblingskopfbedeckung der Rydzyk-Fans auf: die bunten Angora/Mohair-Barette. Der Song hat Kultstatus. Wenn er morgens um vier Uhr in einem Studentenclub gespielt wird, schleift sich auch der Müdeste noch einmal aufs Parkett, um mitzuskandieren.

Setz dir, Oma, dein Barett auf
Dein Mohair-Barett
So wie jeden Sonntag
Heute geht es wieder auf in den Kampf
Die Kolleginnen und der Ehemann
Die Familien-Liga schließt die Rosenkranz-Reihen
Das ist der Kriegspfad
Also marschiere und falle
Auf dass Rydzyk herrsche

Und du mit ihm
Damit Ordnung ist
Sorge auch selber dafür
Dass alle TRWAM gucken

Mohair-Barette – beherrschen die Welt
Mohair-Barette – beginnen ihren Kreuzzug
Mohair-Barette – Sieg und Macht
Im Mohair-Barett wird es besser auf der Welt

Auf dem Barett-Pfad
Fließt wieder Blut
Die Omas vernehmen wieder
Den Ruf der Revolution
Trinken Tee
Und bekämpfen das Böse
Der Premierminister hat den Mohair-Geruch
Schnell gewittert
Mohair das ist Macht
Mohair das ist Kraft
Der Mohair-Käppis
Niemals verraten
Mohair gibt Jugend
Und trägt den Wind großer Veränderungen mit sich
Das Mohair-Barett beherrscht die Welt

Romantik

Dass die Polen ein Volk von Romantikern sind, dürfte sich spätestens seit den Nocturnes von Frédéric Chopin herumgesprochen haben. Überraschen könnte allenfalls, dass

dieser Sinn für Romantik sich durch alle späteren Fähr-
nisse der polnischen Geschichte erhalten hat.

Die romantische Tradition ist tatsächlich noch überall
zu spüren. Ich persönlich halte sie sogar für tiefer verwurzelt als die scheinbar so übermächtige Skepsis. Ließe sich
nicht sagen, dass Skepsis in ihrem Wesen nichts anderes als
enttäuschte Romantik ist? Zuerst kommen die großen
Hoffnungen, dann die kalte, romantik-resistente, grausame Welt – und daraus folgt dann erst die Skepsis.

Oh, wie romantisch waren meine zwanzigjährigen
polnischen Studenten an der Warschauer Universität veranlagt. Damit meine ich nicht nur schmachtende Blicke
und Rosen, die verliebte Studentinnen von ihren Anbe-
tern erwarten durften. Sie alle waren grenzenlos optimis-
tisch davon überzeugt, dass ein herrliches Leben mit einer
Schar von Kindern und einer Villa am Stadtrand auf sie
warte.

Ein deutscher Uni-Kollege las einmal in der Vorweih-
nachtszeit die Reportage einer Berliner Stadtzeitschrift
über die Gefühle junger Berliner an Weihnachten vor. Der
Tenor war: Weihnachten ist ein spießiges Fest in miefiger
Familienatmosphäre, bei dem alle verrückt werden und
man nur um des lieben Friedens willen die kleinbürger-
liche Scheinwelt ein paar Tage lang erträgt.

Die Studenten waren entsetzt. Eine Weile habe, so erzählte mir Andreas, betroffenes Schweigen im Seminar
geherrscht. So desillusioniert hatten sich die Polen ihre
deutschen Altersgenossen nicht vorgestellt. Für sie war
Weihnachten die Erfüllung aller Sehnsüchte: Endlich wieder bei den Eltern! So ist es tatsächlich. Nach dem letzten
Seminar vor den Ferien wird selbstverständlich der nächste
Zug nach Hause genommen, man spricht von Vorfreude

und Liebe, geht täglich gemeinsam in die Kirche und verbringt zwei Wochen lang jede Minute zusammen.

Warum heiraten junge Polinnen immer noch relativ früh? Weil sie romantisch sind und beim ersten Mann sofort an die große Liebe glauben. Deutsche Frauen planen ihr Leben um einiges praktischer. Sie warten mit dem Heiraten bis zum vierzigsten Lebensjahr, wenn die Karriere gesichert ist und sie den Partner bis in die Handtuchfarbe ausgetestet haben. Polinnen haben da bereits die Scheidung hinter sich – dafür aber vierzehnjährige Kinder.

Romantik bedeutet in Polen nicht nur traurige Lieder am Lagerfeuer oder eine Rose beim ersten Rendezvous. Die romantische Grundstimmung hat auch die in Polen noch sehr starke Pfadfinderbewegung hervorgebracht; sie ist verantwortlich für die hohe Einschaltquote bei Herz-Schmerz-Serien, deren Helden dreimal heiraten und trotzdem jedes Mal an die Liebe ihres Lebens glauben.

Sollte auch die polnische Neigung zum Absurden vielleicht nichts anderes als ein Zerrspiegel der Ur-Romantik sein?

Romantik verbirgt sich schließlich sogar hinter dem allgegenwärtigen Aberglauben. Anfällig für Aberglauben sind doch vor allem diejenigen, die insgeheim von einem Ritter auf weißem Pferd träumen, aber an jeder Ecke Angst haben, dass es anders kommen könnte.

Aber Romantik heißt nicht nur rosarote Innerlichkeit. Sie ist auch verantwortlich für die zahlreichen polnischen Aufstände, von 1793 über 1830, 1863, 1944 bis zur Solidarność-Zeit 1980. Jeder Pole lernt es in der Schule: Die polnischen Helden konnten die Demütigung durch die Besatzer nicht mehr aushalten und griffen zu den Waffen. Zwar haben viele Völker derartige Besatzungen erlebt, doch sie rebellierten nicht so oft wie die Polen. Die Polen waren einfach romantischer veranlagt. Eigenschaften wie Stolz und Mut mögen ebenfalls eine große Rolle gespielt haben, doch kann vielleicht niemand so explodieren wie ein wahrer Romantiker, wenn er sich unterdrückt fühlt.

Ein moderner Romantiker ist für mich Jerzy Owsiak, ein Mann, der Anfang der neunziger Jahre eine Wohltätigkeitsstiftung namens »Großes Festorchester« gegründet hat, die jeweils nur an einem einzigen Sonntag im Jahr, Anfang Januar, eine landesweite Spendenaktion organisiert. Tausende von Jugendlichen ziehen dann mit Sammelbüchsen durch die Straßen; unzählige Wohltätigkeitskonzerte und Versteigerungen finden statt, das zweite Fernsehprogramm TVP 2 bringt den ganzen Tag über Live-Schaltungen in die kleinsten polnischen Städte, wo gerade wieder eine Schokoladentorte für zehntausend Zloty oder ein Prominenten-T-Shirt für einhundertachtzig Zloty versteigert wurde. Der Erlös in Höhe mehrerer Millionen Euro kommt Kinderkrankenhäusern zugute. Es ist unglaublich, wie ein einzelner Mensch ein Vierzig-Millionen-Volk dermaßen mobilisieren kann.

Ein anderes Beispiel für ungebrochene polnische Romantik ist das alljährliche, ebenfalls von Owsiak organisierte Rockfestival »Haltestelle Woodstock«, das mehrere Hunderttausende Jugendliche in die polnische Provinz zieht (2007 in Küstrin/Kostrzyn). Im nostalgischen Hippie-Geist werden hier »Liebe, Freundschaft, Musik« beschworen. Owsiaks Autorität geht so weit, dass er sogar den Toten Hosen bei einem Gastkonzert den Strom abschalten konnte, weil sie die vertraglich festgelegte Auftrittsdauer überschritten hatten. Jeder andere außer Jurek Owsiak wäre für diese Tat gelyncht worden.

Ich vermute sogar, dass die massenhafte Auswanderung der Polen mit ihrer romantischen Einstellung zusammenhängt. Warum wandern weniger Menschen aus anderen osteuropäischen Ländern aus, obwohl die wirtschaftliche Lage dort noch miserabler ist? Es ist wieder einmal der Traum vom Glück, der die Polen mobilisiert.

Übrigens ist es auch ein Pole, der diesen Traum am heftigsten verspottet, Polens bedeutendster Schriftsteller des zwanzigsten Jahrhunderts. Witold Gombrowiczs Werk kann durchaus gelesen werden als eine einzige große Abrechnung mit der polnischen Romantik und ihren Auswüchsen.

Schleimspuren

»Ein Tag ohne Vaseline ist ein verlorener Tag« spotten die Polen gerne, denn in diesem Punkt haben sie schmerzhafte Erfahrungen gesammelt. Nach den Phrasen des Kommunismus gibt es eine höllische Aversion gegen jede Form von Propaganda, Schmeicheleien oder Lobhudeleien. Schon eine Überdosis an Begeisterung macht argwöhnisch.

Das scheint allerdings nur für bestimmte Situationen zu gelten, etwa im Privatleben oder für Politiker-Ansprachen. Als Moderator von Konzerten, Firmenpartys oder Gala-Veranstaltungen habe ich auch das andere Extrem erlebt. Ich musste aktiv teilnehmen an so manchem Medaillen- und Ordenregen, der sich über die anwesenden VIPs ergoss. Höhepunkt der Schleimerei war die Eröffnung der fünfzigsten Warschauer Buchmesse, als jeder zweite Verleger im Saal eine oscarähnliche Statue verliehen bekam. Die hochtrabenden Laudationes und gerührten Danksagungen dauerten länger als der eigentliche Festakt.

Ähnlich läuft es auf internationalen Kongressen ab, die in Polen abgehalten werden. Teilnehmer aus dem Ausland wundern sich oft, dass die erste halbe Stunde der Eröffnungsveranstaltung ausführlichen Danksagungen gewidmet ist – dem Herrn Direktor, dem Herrn Wojewoden . . . Wenn wenigstens mal dem Catering-Service gedankt würde!

Unsagbar auch die Auszeichnungsrituale, wenn Fernsehpreise vergeben werden – dann kommt mir ganz Polen wie eine Gesellschaft für gegenseitige Schleimerei vor.

Oder geht da in mir der nüchterne Protestant durch? Was unsereinem als hohle Phrase erscheint, wird in Polen mitunter als echte Gefühlsaufwallung, als »Wärme« empfunden. Wir sind stolz auf Understatement, aber die Wirkung in Polen ist verheerend. Wenn der deutsche Chef seiner polnischen Belegschaft in einigen dürren Worten dankt, wird das jedenfalls mit Befremden aufgenommen.

»Mag er uns etwa nicht?«

Gemischte Gefühle erzeugt in mir ein Brauch, den ich bis jetzt nur in Polen angetroffen habe. In polnischen Zeitungen gibt es neben Todesanzeigen auch Kondolenzanzeigen, und zwar nicht hinten, im Lokalteil, sondern auf Seite zwei oder drei, für horrende Preise.

Sinnvoll finde ich diese Anzeigen dann, wenn sie vom Premierminister oder vom Präsidenten-Ehepaar geschaltet werden, etwa beim Tod berühmter Persönlichkeiten oder aus Anlass nationaler Katastrophen (Bus- oder Grubenunglücke).

Oft aber merkt man, dass diese Form der Beileidsbekundung ganz offensichtlich dazu benutzt wird, um sich bei jemandem beliebt zu machen. Ist der oder die Verstorbene Vater oder Mutter einer einflussreichen Person, erscheinen tagelang Kondolenzanzeigen, eine ganze Beileidslawine, von allen großen Firmen des Landes. Ich stelle mir dann immer den Abteilungsleiter morgens bei der Zeitungslektüre vor.

»Wie, was lese ich da? Die Mutter des Innenministers ist gestorben? Komm, Kasia, setz eine Anzeige rein!« Und das klingt dann so: »Wir möchten dem Herrn Minister unser tiefstes Beileid zum Tod seiner Mama aussprechen.« Das ist einerseits sympathisch – es wird daran erinnert, dass auch Minister nur Menschen sind und eine Mama und einen Papa haben (nicht etwa das kühle »Vater« und »Mutter«). Andererseits spürt man die Absicht dahinter – und ist verstimmt.

Sieben Regeln für eine deutsch-polnische Podiumsdiskussion

(bei der die Deutschen Gastgeber sind und Gesine Schwan in letzter Minute per Helikopter eingeflogen wird):

1. Reden Sie Ihre polnischen Mitdiskutierer um Himmels willen nicht mit Nachnamen an, also etwa »lieber Herr Kowalski«. Das wird als steif und typisch deutsch empfunden. Polen reden sich mit »Herr/Frau« plus Vornamen an, also etwa »Lieber Herr Piotr« oder »Frau Agnieszka«. Wenn Sie den Vornamen jetzt noch in eine der zahlreichen Koseformen übersetzen, wirken Sie unwiderstehlich herzlich. »Lieber Herr Piotrek« oder »Piotruś« und »Liebe Frau Aga« oder »Agunia«.

2. Seien Sie gastfreundlich. Schenken Sie Ihrem polnischen Sitznachbarn ständig Mineralwasser nach, geben Sie ihm von Ihren Salzstangen ab. Falls Sie Ihre Zigarettenpackung oder Ticktack-Dose herausholen: Passen Sie sich den polnischen Gepflogenheiten an und bieten Sie allen Beteiligten reihum davon an! Nehmen Sie es auch nicht ernst, wenn die Polen Ihr freundliches Angebot aus Höflichkeit zwei Mal ablehnen werden. Sie warten auf das dritte Mal, bei dem Sie im Ton eines Unteroffiziers schreien müssen: »Nehmen Sie das gefälligst!«

3. Nehmen Sie Rücksicht auf allerlei polnischen Aberglauben. Begehen Sie also zum Beispiel nicht den Schnitzer, die Handtasche Ihrer polnischen Nachbarin vom Stuhl auf die Erde zu stellen. Das wäre ein Sakrileg, denn nun wird das Geld aus der Tasche heraus- und davonlaufen. Wundern Sie sich auch nicht, wenn Polen bei einem freundlichen Wunsch Ihrerseits, wie »Ich wünsche gutes Gelingen für Ihre Pläne!«, ganz seltsam »Ich sage nicht danke« erwidern. Das ist nicht gegen Sie persönlich gerichtet, sondern soll das Glück nicht vor den Kopf stoßen.

4. Lachen Sie auch über Witze, die Sie nicht verstehen. Finden Sie sich damit ab, dass Polen einen etwas feiner entwickelten Sinn für Humor haben und auch im ernstesten Gespräch ohne Vorankündigung ganz plötzlich eine absurde Bemerkung einflechten können. Falls Sie selber mit Humor gesegnet sind, können Sie sich auf die Diskussion freuen. In Polen muss man nicht, wenn man einen Scherz plant, fünf Minuten vorher ein Schild hochhalten, auf dem steht: »In fünf Minuten erfolgt ein Scherz«. Spontanität gewinnt.

5. Seien Sie höflich und vermeiden Sie teutonische Ehrlichkeit, vor allem das brutale Wörtchen »nein«. Sagen Sie freundlich »Mal sehen«, »Ich rufe Sie morgen zurück« oder »Ich glaube, wir meinen im Grunde dasselbe«, und wenn jemand Sie absolut zu einer klaren Antwort drängen will, lassen Sie sich allenfalls zu einem »Nicht unbedingt« oder »Tja, ich weiß nicht« hinreißen. Wenn Sie es sind, der vom polnischen Gesprächspartner eine klare Antwort erheischt, lassen Sie sich nicht durch polnisches Lavieren aus der Fassung bringen. Achtung: Das polnische Lieblingswort »No« heißt nicht »Nein«,

sondern ist, wie in Sachsen das »nu«, ein Wörtchen irgendwo zwischen »Ja« und »Nein«, etwa »well«.

6. Sparen Sie sich am Ende der Diskussion billigen Optimismus à la »Ich bin sicher, dass wir alle Hindernisse überwinden werden«. Das gilt in Polen als oberflächliche, amerikanische Floskelhaftigkeit. Wenn Sie authentisch wirken wollen, müssen Sie radikal realistisch mit einer leicht pessimistischen Tendenz reden.

7. Verabschieden Sie sich von Ihrem polnischen Diskussionspartner herzlich, das heißt: küssen Sie die Damen dreimal auf die Wange, schütteln Sie den Herren die Hand und sagen Sie dann alle Abschiedsworte, die Ihnen in den Sinn kommen. Mit »Tschüss und auf Wiedersehen« ist es nicht getan. Das wirkt kalt und förmlich. Polen verabschieden sich fünf Minuten lang, mit einem unerschöpflichen Wortschatz für diese Gelegenheit, von denen die zwei aussprechbarsten Tschüsswörter lauten: »hej, pa!«

Sprache

Es wundert mich nicht, dass polnische Schüler und Studenten bei internationalen Mathematik- und Informatikwettbewerben stets sehr gut abschneiden. Wie könnte es anders sein, wenn man schon ab dem zweiten Lebensjahr eine so schwierige Sprache erlernen muss? Mich wundert nur eins, nämlich dass UNICEF noch nicht eingegriffen hat. Wie kann man die süßen Kleinen zwingen, pro Tag etliche tausend grammatische Kombinationen vornehmen zu müssen, wenn sie nur den harmlosen Wunsch nach etwas Milch zum Ausdruck bringen wollen? Das ist Grausamkeit.

Rechnen wir mal zusammen. Es gibt im Polnischen sieben Fälle. Jedes polnische Substantiv hat also sieben verschiedene Endungen im Singular und sieben im Plural, das macht zusammen vierzehn. Greifen wir ein harmloses Beispiel heraus: *mężczyzna* (Mann). Wirklich harmlos? Harmlose Worte gibt es leider in der polnischen Sprache nur verflixt wenige. Das Wort für »Mann« ist in Wahrheit eine seltsame Ausnahme, weil es phänotypisch ein Femininum ist, erkennbar an der Endung »a«. Männer werden im Polnischen wie Frauen dekliniert.

Lassen wir die polnischen Männer also lieber beiseite und wählen ein etwas unverfänglicheres Substantiv. Man braucht nur etwa zwanzig Minuten zu überlegen, dann hat man etwas gefunden, das regelmäßig dekliniert wird. Zum Beispiel *rower* (Fahrrad). Der Singular lautet in den sieben Fällen: *rower, roweru, rowerowi, rower, rowerem, rowerze, rowerze!* Der Plural: *rowery, rowerów, rowerom, rowery, rowerami, rowerach, rowery!* Das macht vierzehn Formen, von denen zehn unterschiedlich sind. Viel Spaß beim Auswendiglernen.

Wobei man sich als Deutscher noch Glück wünschen darf. Wir haben ja immerhin auch vier Fälle, vom Nominativ bis zum Akkusativ. Am meisten taten mir in meinen Polnischkursen immer die Engländer leid, die bloß »bicycle« und »bicycles« kannten. Die Armen verstanden wahrhaftig nicht, wozu man außer diesen beiden noch zwölf andere Wörter braucht.

Das ist aber erst der Anfang. »Rower/Fahrrad« ist zwar ein maskulines Substantiv, aber ein unbelebtes Ding, was einen gravierenden Unterschied ausmacht. Ein belebtes Wort, etwa »der Fahrradfahrer«, wird im Genitiv und Akkusativ ganz anders dekliniert.

Weiter: In allen Sprachen werden Substantive gerne mit Adjektiven verbunden, etwa: »das kleine Fahrrad«. Da es Substantive auf Polnisch aber in drei Geschlechtern gibt, männlich, weiblich, sächlich, müssen die Adjektive angeglichen werden. An dieser Stelle nimmt das Polnische die Form einer griechischen Tragödie an, denn die Adjektive werden ganz anders als die Substantive dekliniert und haben natürlich auch drei Geschlechter. Gehen wir mal schnell in den Akkusativ-Singular. Wir sehen zum Beispiel »wen? oder was?« – *mały rower* (ein kleines Fahrrad), *małą kobietę* (eine kleine Frau) oder *małe dziecko* (ein kleines Kind). Man muss also sechs Formen allein im Akkusativ-Singular kennen, dazu noch einmal sechs im Plural – und das Ganze auch in den übrigen sechs Fällen. Macht zusammen . . . 84 Formen.

So, und jetzt kommt noch das Verb. Zwar gibt es nur drei Zeiten, Vergangenheit, Gegenwart, Zukunft (also nicht sechs, wie im Deutschen), doch hat jedes Verb zwei Formen, die sogenannten »Aspekte«. Hierbei handelt es sich um das peinigendste Folterwerkzeug der polnischen Sprache. Jedes polnische Verb hat zwei Formen, eine vollendete und eine unvollendete. Welche der beiden man gerade benutzen muss, hängt davon ab, was man zum Ausdruck bringen möchte: Findet eine Tätigkeit mehrfach statt oder ist sie bereits abgeschlossen? Hier braucht es ein gutes Ohr, um die feinen Unterschiede herauszuhören. Als ich einmal eine Freundin fragte, ob sie bereits das neue Buch von Dorota Masłowska gelesen habe, antwortete sie naserümpfend: »Czytałam« (habe ich gelesen). Ich fragte sie, wie sie den Schluss gefunden habe. Sie schaute mich mitleidig an: »Steffen, ich habe zwar gesagt, dass ich es gelesen habe – nicht aber, dass ich es DURCHgelesen habe.« Sie hatte in der Tat die unvollendete Form »czytałam« benutzt und nicht die vollendete Form »przeczytałam«. Für jeden polnischen Hörer war damit klar, dass sie wohl mal da und dort in dem Buch geblättert, es aber keineswegs beendet hatte.

Übrigens heißt das natürlich auch, dass man im Grund- und Aufbauwortschatz im Grunde nicht tausend, sondern zweitausend Verben zu lernen hat. Bei einigen, wie im Fall von »lesen« und »durchlesen«, lassen sich die beiden Aspekt-Formen noch leicht voneinander ableiten. Manchmal aber scheinen sie überhaupt nichts miteinander zu tun zu haben, wie bei *zakładać* (regelmäßig anziehen) und *założyć* (einmal anziehen).

Ersparen wir uns Einblicke in Zahlwörter, Straßennamen, Satzstellung.

Es muss ganz einfach, wie auf Zigarettenpackungen, klar gewarnt werden: Die meisten Ausländer erleben in ihren Polnischkursen einen ungeheuren Frust. Auch bei regelmäßigem Unterrichtsbesuch liegt die Wahrscheinlichkeit, in den ersten zwei Jahren einen fehlerfreien Satz zu konstruieren, im Sechser-im-Lotto-Bereich. Zum Trost darf allerdings verraten werden, dass die Polen einem auch nach siebzehn Fehlern in zwei Sätzen noch um den Hals fallen. Hauptsache, man sagt IRGENDWAS auf Polnisch. Mein Tipp: Sagen Sie »Język polski to dla mnie bułka z masłem.« Zu Deutsch: »Die polnische Sprache ist für mich ein Brötchen mit Butter«, sprich: »ein Pappenstiel«.

Unvollständige Liste polnischer und deutscher Wörter, die es in der jeweils anderen Sprache nicht gibt.
Ergänzungen bitte an den Autor: info@steffen.pl

Apfelschorle
Beifahrer
erfolgreich
Geisterfahrer
guten Morgen
Heimweh
Nachkömmling
Ohrwurm
Rückmeldung
Schadenfreude
scheitern
Scherbe
Sternschnuppe
Tankwart

Und umgekehrt:
Asertywny – die Fähigkeit »nein« zu sagen, den eigenen
Willen durchzusetzen
Ażurowe – etwa: durchbrochen, zum Beispiel ein
Lampenschirm oder eine Gardine
Chałtura – ein Geld-Job unter meinem Niveau
Częstować – jemandem gastfreundlich etwas zum Essen
anbieten
Doba – 24 Stunden
Interesowny – einen eigennützigen Hintergedanken haben
Kilkanaście – einige zehn: also zwischen 12 und 19
Maczałka – Schwämmchen zum Befeuchten von Briefmarken
Zapeszyć – das Glück verderben, berufen

Stalingrad

Jedermann kennt Roman Polańskis oscarprämierten Film »Der Pianist«. Weniger bekannt ist leider, dass auch ich in diesem epochalen Streifen mitgewirkt habe. Mein Name erscheint nämlich nicht im Abspann. Die Sache lief etwas unglücklich.

Als ich in der Zeitung las, dass Roman Polański für seinen neuen Film Statisten suchte, meldete ich mich sofort zum Casting. Vor der Kamera machte ich allerlei komische Verrenkungen, um an eine Rolle zu kommen – mit Erfolg. Zusammen mit zweihundert anderen jungen Männern durfte ich einen deutschen Kriegsgefangenen spielen. Stolz stellte ich fest, dass ich der einzige echte Deutsche unter ihnen war.

Eines Morgens, Anfang April 2001, versammelten wir uns in Warschau, im Filmstudio an der Ulica Chełmska. Dort wurden wir eingekleidet. Jeder von uns bekam ein Paar schwere Stiefel, einen langen grünen Mantel und eine Soldatenmütze. In der Maske wurde mir eine leichenblasse Gesichtsfarbe aufgeschminkt.

Um sieben Uhr ging es in fünf Bussen zum Set, etwa vierzig Kilometer außerhalb der Stadt. Nur zur Erinnerung: es war Anfang April. In Polen herrschten noch Temperaturen kurz über dem Gefrierpunkt.

Als wir den Drehort erreichten, hatte das Produktionsteam schon den Holzzaun um das Gefangenenlager herum aufgebaut. Wir Statisten mussten uns auf die nackte, kalte Erde setzen. Dann begann der in eine dicke, rote Daunenjacke eingemummelte Roman Polański, uns in lebensechte Positionen zu bringen. Für jeden von uns dachte er sich eine Geschichte aus.

Als einziger deutscher Statist in Polańskis Film »Der Pianist«.

»Weißt du was«, wandte er sich an mich, »du könntest so auf der Erde liegen bleiben, einfach da liegen. Du bist krank, es geht dir nicht gut.«

Nun gut. Ich lag also so lange da, bis der Meister den übrigen 199 Statisten ihre Biographie erzählt hatte. Es war inzwischen etwa elf Uhr vormittags, die Temperatur war auf drei Grad über Null gestiegen.

Gegen 13 Uhr rief das Regie-Genie fröhlich:

»So, das war die Probe! Super gemacht! Mittagessen!«

In meinen klammen Gliedern regte sich eine Art Protest. Ich ging zum Produktionsleiter und sagte: »Das war nur die Probe? Ich dachte, dass wir mit der Szene bis zum Mittagessen fertig werden. Wie geht es denn danach weiter?«

»Wir arbeiten noch weiter an der Szene. Gegen 20 Uhr müssten wir fertig sein.«

So lange sollte ich noch auf der gefrorenen Erde sitzen bleiben? Siebzig Zloty Honorar hin oder her – das würde mich meine Gesundheit kosten. Ich beschloss zu desertieren.

Während meine Kollegen Schlange für eine warme Suppe standen, marschierte ich ausgreifenden Schrittes bis zur nächsten Straße in Richtung Warschau. Ich wollte per Anhalter fahren. Etwas beunruhigt war ich nur wegen meiner Uniform. Ich trug ja immer noch die grüne Soldatenmütze und den langen Mantel. Meine Zivilkleidung hing im Spind des Filmstudios. Ich sah, verflixt noch mal, wie ein ganz normaler Wehrmachtssoldat aus. Wer würde einen solchen Anhalter mitnehmen?

Meine Sorgen waren unbegründet. Ich hatte vergessen, dass ich in Polen war, im Königreich des absurden Humors. In Deutschland wäre ich wohl tatsächlich am Straßenrand verhungert, hier aber hielt bereits der erste Wagen. Es war ein alter orangefarbener Lieferwagen vom Typ »Żuk«. Der Fahrer öffnete die Tür.

»Nach Warschau?«

»Ja.«

Außer dem Fahrer saß noch sein kleiner Sohn im Wagen. Während der Vater gleichmütig den Wagen lenkte, warf der Sohn mir schreckerfüllte Blicke zu. Ich vermied jede Konversation. Es musste ja nicht unbedingt herauskommen, dass ich zu allem Überfluss auch noch ein echter Deutscher war. Als wir Warschau erreichten, ließ mich der Fahrer am Bankplatz raus. Lächelnd streckte er mir die Hand hin.

»Sie kommen wohl direkt aus Stalingrad, was?«

»Äh, ja, kann man so sagen. Danke und auf Wiedersehen.«

Sein Sohn schaute mir noch lange durch die Heckscheibe hinterher.

Es war etwa vier Uhr nachmittags. Aus dem Rathaus und dem hellblau glänzenden Hochhaus gegenüber strömten Sekretärinnen, Hunderte. Sie standen an der Fußgängerampel, warteten auf Grün und tauschten sich angeregt über ihre abendlichen Pläne aus. Ich dagegen stand auf der anderen Seite in meiner Uniform, zitternd vor Kälte und Angst. Welche Provokation! Ein Wehrmachtssoldat im Zentrum von Warschau!

Die Ampel sprang auf Grün. Alles setzte sich in Bewegung, auch ich. Nervös starrte ich auf den Asphalt vor mir, in der Erwartung, von einer Sekretärin am Ärmel gezupft und dann von der aufgebrachten Menge in Stücke zerrissen zu werden. Und nun umspülten mich Dutzende von Polen. Zum Glück waren meine Knie vom langen vormittäglichen Liegen noch zu verfroren, als dass sie hätten weich werden können. Sonst wäre ich dort mitten auf der Straße zusammengeklappt.

Und was geschah? Überhaupt nichts. Die Sekretärinnen marschierten schwatzend an mir vorbei, als ob ich ein ganz normaler Passant wäre. Nicht eine einzige schenkte mir mehr als einen kurzen Blick. Moment mal! Das gefiel mir nun auch wieder nicht. Langsam begann sich Ärger in mir zu regen. Was ist das für ein kaputtes, zynisches Land, in dem ein Wehrmachtssoldat mitten am helllichten Tag nicht die geringste Aufmerksamkeit erregt?

Ich änderte meinen Plan. Statt verstohlen mit einem Taxi zum Filmstudio zu fahren, schwang ich mich in einen öffentlichen Nahverkehrsbus. Und wieder: nichts. Weder die kleinen Schüler, ja nicht einmal die alten Herrschaften bekamen einen Schreck. Erst allmählich dämmerte es mir. Im aggressiven polnischen Kapitalismus, wo man täglich Dutzende von Werbeblättchen in die Hand gedrückt kriegt, hielt man mich für einen weiteren Kostümierungsgag. Die Leute waren froh, dass ich ihnen keine Zettel für eine neue Pizzeria aufnötigte. Ja, wäre das denn nicht eine Idee für all die aktionssüchtigen Pizzabäcker Warschaus?

»Bitte dreimal eine große Stalingrad, aber ohne Zwiebeln bitte, und bitte schicken Sie mir Ihren komischen Pizzaboten mit dem grünen Mantel.«

Die Geschichte endet leider ohne Happy End. Ein Jahr später bekam Roman Polański für seinen Film einen Oscar – auch ohne mich.

Tabus

Kritisiere niemals deinen Lehrer, Chef, Professor, Priester oder Wojewoden.

Frage niemals deinen Arbeitskollegen, wie viel er verdient.

Erzähle keine Witze über Karol Wojtyła. Über Joseph Ratzinger darfst du das.

Wenn du bei jemandem zu Gast bist und dringend telefonieren musst, sprich nicht länger als zwanzig Sekunden.

Und noch einmal: Frag niemanden, wie viel er verdient. Kauf dir lieber eine Zeitung – solche Informationen werden, meist in Form von Rankings, regelmäßig auch in seriösen polnischen Zeitungen und Magazinen veröffentlicht.

Sei nie der Erste, der eine Party verlässt.

Lehne weder das erste noch das zweite Glas Wodka ab. Erst bei der dritten Runde kannst du höflich Nein sagen.

Erwecke nicht den Eindruck, als ob du dein Geld verschwendest. Kauf nur Sonderangebote oder tu zumindest so.

Wage nicht anzuzweifeln, dass die polnische Wurst die beste der Welt ist.

Lobe das polnische Brot.

Bestreite niemals die Tatsache, dass die polnischen Frauen die allerschönsten sind.

Lobe weder Russland noch die russische Sprache. Die

deutsche kannst du gerne loben – es wird als Witz gewertet.

Sage nichts Schlechtes über Krakau.

Zweifle nicht die Institution der Ehe an.

Sag niemals einer polnischen Mutter am Telefon, dass du krank bist.

Sprich nicht offen aus, dass du die großen polnischen Filmkomödien wie *Rejs*, *Miś* oder *Seksmisja* nicht übermäßig witzig findest.

Fragt dich jemand nach der schönsten Musik der Welt, nenne nur einen Namen: Chopin.

Äußere dich nicht positiv über Politiker, die Polizei, die polnische Bahn, das polnische Gesundheitsamt oder die polnische Fußballnationalmannschaft.

Polnischer Witz über Benedikt XVI:

Bei der allmittwöchlichen Generalaudienz in Rom haben sich wieder viele tausend polnische Pilger auf dem Petersplatz versammelt und skandieren: »Benedikt, Benedikt!« Oben im Vatikan herrscht Aufregung. Der polnische Priester, der für den Papst sonst immer die polnischen Grußworte aufschreibt, ist heute nicht aufzufinden. Als die polnischen Pilger immer lauter nach dem Papst verlangen, sagt in letzter Minute ein alter deutscher Priester: »Also, wenn's denn sein muss. Ich war damals, '39, in Danzig dabei und kann mich an ein paar Wörter erinnern.« Er bekritzelt einen Zettel und reicht ihn dem Papst. Der tritt auf den Balkon, winkt den polnischen Pilgern zu und liest mit starkem deutschen Akzent ab: »Obrońcy poczty polskiej, wychodźcie, jesteście otoczeni!« Zu Deutsch: »Verteidiger der polnischen Post, kommt heraus, ihr seid umzingelt!«

Tannenberg

In Wuppertal gibt es bis heute, wie wahrscheinlich in den meisten westdeutschen Städten, eine »Tannenbergstraße«. Sie erinnert an eine vielumjubelte Schlacht des Ersten Weltkriegs, in der Generalissimus Hindenburg die russische Dampfwalze nach Ostpreußen stoppte und 90 000 Gefangene machte.

In Wahrheit spielte sich diese Schlacht gar fern der Ortschaft Tannenberg ab, wurde jedoch für die wilhelminische Öffentlichkeit kurzerhand dorthin verlagert, um eine gewisse historische Scharte auszuwetzen: Eben hier hatten »die Deutschen« nämlich im Jahr 1410 eine wichtige Schlacht gegen »die Polen« verloren. Und wenn es diesmal, fünfhundert Jahre später, nur um zaristische Russen ging – so waren sie doch verflixt noch mal ebenfalls Slawen! Und flugs hatte man die große Rache für die germanische Schlappe von Anno Dunnemals gezimmert.

Hundert Jahre später, zu Beginn des 21. Jahrhunderts, hat wohl kaum noch ein Deutscher eine Ahnung, was es mit diesem »Tannenberg« von 1914 eigentlich auf sich hatte. Hindenburg ist allenfalls noch als abgestürzter Zeppelin bekannt – und was jenes andere, mittelalterliche »Tannenberg« betrifft, so herrscht komplette Ignoranz. Die deutsche Geschichte des Mittelalters ist an deutschen Gymnasien so relevant wie Albanien zur Zeit der Pharaonen.

Ganz anders in Polen. Die Schlacht von Tannenberg ist zwar ebenfalls gänzlich unbekannt – nämlich diejenige von 1914. Umso präsenter ist aber jedem polnischen Schulkind bis heute die Schlacht von 1410, samt genauem Datum, 15. Juli, sowie allen historischen Umständen, bis hinein in die Formation einzelner Truppenteile um elf und um fünfzehn Uhr. Allerdings läuft das alles nicht unter dem Namen »Tannenberg«, sondern unter »Grunwald« (so wie kein Franzose »Waterloo« sagt, sondern »Belle-Alliance«). Kurioserweise gibt es auch in Polen in jeder zweiten Stadt eine »Grunwald«-Straße, wie zum Beispiel in Posen, oder einen Plac Grunwaldzki, wie in Breslau, oder eine Grunwald-Hochhaus-Siedlung, wie in Gnesen. Wir haben es hier mit einer weiteren schönen Parallele zwischen Deutschland und Polen zu tun (siehe »Deutsch-polnische Beziehungen«)

Grunwald dürfte der wichtigste polnische Geschichtsmythos sein. Und sein Schöpfer ist, wie das wohl nur im romantischen Polen noch möglich ist – ein Schriftsteller, vielleicht *der* polnische Schriftsteller: Henryk Sienkiewicz (1846–1916). Sein sechshundertseitiger Roman »Die Kreuzritter« beschreibt den Krieg des Deutschen Ordens gegen den König Jagiełło und wurde gegen Ende des 19. Jahrhunderts veröffentlicht, also zu einer Zeit, als es Polen nicht auf der Landkarte gab, weil es zwischen Preußen, Österreich und Russland aufgeteilt war. Für die Polen wurde das Buch zum Fanal gegen die bismarcksche Anti-Polen-Politik. Sienkiewicz beschwor Polen zur Zeit seiner höchsten Macht, als man es »den Deutschen« einmal richtig gezeigt hatte. Dass diese »Deutschen« eigentlich damals noch gar nicht als Nation existierten und der »Deutsche Orden« aus allen europäischen Ländern zusammengewürfelt war, spielte keine Rolle. Er hieß schließlich »Deutscher Orden«. Ulrich von Jungingen, der damalige Großmeister, der in der Schlacht von Tannenberg fiel, stand für den Polenhasser Bismarck.

Ich habe bereits erzählt, welches Vorwissen ich von Polen besaß, als ich zu meinem ersten Polnisch-Sprachkurs nach Krakau aufbrach. Nun muss ich zugeben, dass ich ein bisschen gelogen habe. Genau genommen war ich doch schon etwas besser im Bilde. Ich kannte nämlich den erwähnten Roman »Die Kreuzritter« – wenn auch nur in einer charakteristischen Modifikation.

Als ich zwölf Jahre alt war, durfte ich mir für die großen Ferien ein »schönes Buch« aussuchen. »Schön« hieß billig – deswegen fuhr ich zusammen mit meinem Vater ins Wuppertaler »Hertie«. Nach langem Hin und Her entschied ich mich für »Die Kreuzritter«. Zwei Dinge überzeugten mich: das Umschlagbild und der seltsame Schriftzug des Titels. Der bunte Buchdeckel zeigte Ritter mit bedrohlichen Helmen, erhobenen Schwertern und grimmigen Mienen, und der Titel war in Fraktur gedruckt, was den Schauder noch verstärkte – ging es hier doch offensichtlich um urälteste Zeiten, vielleicht sogar um die Nazis. Ein zusätzlicher Reiz war die Altersgrenze. Einem Hinweis auf dem Buchdeckel zufolge war das Buch für Jungen und Mädchen ab dreizehn Jahren bestimmt. Und ich war erst zwölf! Zum Glück übersah mein Vater die Mahnung. Oder wusste er gar nicht, wie alt ich genau war?

Zu Hause geschah Schlimmes. Das Buch faszinierte mich derart, dass ich es zur Gänze durchlas, ehe die Ferien richtig begonnen hatten. Schuld daran war nicht etwa bloß meine Ungeduld. Der Roman war spannend, aber ganz einfach zu dünn; er hatte nicht mehr als zweihundert Seiten. Zur Strafe verlebte ich anschließend furchtbar öde, buchlose Ferien. Mehr als EIN »schönes Buch« war nun einmal nicht drin!

Fünfzehn Jahre später, als ich schon in Polen wohnte, fiel mir das polnische Original der »Kreuzritter« in die

Hand. Ich fand es in einer Buchhandlung in Krakau, und ich wunderte mich über das Gewicht des Bandes. Hatte es sich nicht um ein dünnes Buch gehandelt? Und nun wog ich einen Ziegelstein von sechshundert Seiten in der Hand! Was wurde hier gespielt? Ich setzte mich in eine Ecke der Buchhandlung und begann, das Original mit meinen Erinnerungen zu vergleichen. Der Schock war grenzenlos. Seite für Seite erlebte ich Momente der Offenbarung, die ich niemandem wünsche. So etwa stelle ich mir die Lektüre der eigenen Stasi-Akte vor.

Ich war betrogen worden. In der deutschen Ausgabe hatte über die Hälfte des polnischen Originaltextes gefehlt! Manche Gestalten waren ganz aus dem Buch eliminiert worden, etwa diejenige des Großmeisters Ulrich von Jungingen (für viele Polen DER hässliche Deutsche schlechthin). Höhepunkt der Manipulation: Die gesamte Schlacht bei Tannenberg fehlte! Sie allein macht in der polnischen Ausgabe fast zweihundert Seiten aus, weil sie den Höhepunkt des Buches darstellt. Meine deutschen »Kreuzritter« für Jungen und Mädchen ab dreizehn Jahren endeten mit dem lakonischen Postskriptum, dass es viele Jahre nach den im Buch beschriebenen Ereignissen zur Schlacht bei Tannenberg gekommen sei. Die Schlacht habe mit dem Sieg von König Jagiełło geendet, »für den Orden bedeutete sie den Untergang«.

Warum haben die Herausgeber den Roman damals so radikal gekürzt? War es die Schande für Deutschland oder sollten zarte Kindergemüter vom Schlachtengetümmel verschont werden? Vielleicht gaben auch ganz banale Kostengründe den Ausschlag? Ich weiß es nicht. Eine bedeutende Lehre brachte mir das Ganze aber doch: Eine »schöne« Ferienlektüre sollte nicht nur billig sein und einen bunten Buchdeckel, sondern mindestens fünfhundert Seiten haben, sonst reicht sie noch nicht mal für die Fahrt zum Flughafen.

Tagheller Humor

Bis zum letzten Blutstropfen werde ich meine These verteidigen, dass wir Deutschen einen ganz normal entwickelten Sinn für Humor haben. Weil mir das aber trotz dieser Drohung kein Pole abnimmt, füge ich sofort hinzu: »Doch, es ist so! Aber nur abends.« Dann nämlich, wenn die Sonne untergegangen ist, wenn wir im Kabarett sitzen und ein teures Ticket in der Hand halten, auf dem fett »Kabarett« steht – dann wissen wir: In den nächsten neunzig Minuten ist mit einem erhöhten Aufkommen an Absurdität zu rechnen. Es darf gelacht werden.

Guter Humor gleicht sich überall; er ist ironisch, absurd, trocken. Von Land zu Land unterscheidet er sich nur durch seine Häufigkeit. Und der polnische Humor ist so häufig, dass man schon am helllichten Tag mit Ironie rechnen muss – und zwar völlig kostenfrei und seitens wildfremder Leute. Humor gilt nicht als unsachliche Kinderei, sondern als Zeichen von Esprit.

Einmal wurde ich im Zugkorridor von einem älteren Herrn angesprochen, der mit ausgebreiteten Armen auf mich zutrat: »Sind Sie nicht Stefan Müller aus der Serie M jak Miłość? Ich bin ein großer Fan von Ihnen! Allerdings habe ich Sie leider noch nie in einer Folge gesehen!« – »Wie können Sie dann mein Fan sein?«, fragte ich ihn misstrauisch. Um die Mundwinkel des Alten zuckte es: »Das ist so: Meine Frau ist ein noch größerer Fan von

Ihnen als ich. Und immer wenn Sie auf dem Bildschirm auftauchen, sagt sie zu mir: ›So, Alterchen, jetzt kannst du in deine Kneipe gehen. Ich brauche dich nicht mehr.‹ Und deswegen mag ich Sie so!« In Deutschland würde ich einen solchen Mann wegen persönlicher Beleidigung umgehend anzeigen. In Polen musste ich wohl oder übel mitlachen.

Eine polnische Freundin, Kasia aus Warschau, kam im Rahmen ihres Graduierten-Studiums für ein Jahr nach Berlin und mietete eine Wohnung in Charlottenburg. Der deutsche Wohnungsbesitzer sagte bei der Schlüsselübergabe zu ihr: »Das kostet 1000 Euro Kaution, aber keine Sorge: Kriegen Sie am Ende alles wieder!« Worauf Kasia mit bierernster Miene sagte: »Es sei denn, ich schlage alle Möbel kurz und klein, nicht wahr?« Der Wohnungsbesitzer erschrak fast zu Tode: »Ja, haben Sie das denn vor?«

Inzwischen ertappe ich mich selbst schon dabei, dass ich am helllichten Tag die Grenze zwischen Ernst und Spaß missachte – ein weiteres Indiz für meine Polonisierung. Am Berliner Hauptbahnhof wollte ich zum Beispiel eine Fahrkarte für den Euro-City nach Warschau mit einer niegel-nagel-neuen 100-Euro-Note bezahlen, die ich gerade aus dem Geldautomat gezogen hatte. Als die Schalterbeamtin meinen Schein misstrauisch beäugte – Polen-Reisenden wird genau auf die Finger geguckt! –, erlaubte ich mir einen kleinen Scherz: »Gerade frisch gedruckt!«

War das frech? Nein, mich deuchte, einen der ältesten Witze der Welt gemacht zu haben. Mein Fehler bestand aber darin, Polen mit Deutschland verwechselt zu haben. Die Frau blickte mich irritiert an und wandte sich dann panisch nach rechts und links: »Sabine, Frauke – kommt ihr mal bitte?« Und gemeinsam mit ihren beiden Kolleginnen, die einen seltsamen Apparat heranschleppten, durchleuchtete sie meine Banknote ganze acht Minuten lang. Fast hätte ich meinen Zug nach Warschau verpasst.

Noch schlimmer gingen die Pferde mit mir durch, als ich für einen deutschen Radiosender die nächsten Wahlen in Polen kommentieren sollte. In einer kleinen Abschweifung vom Thema erläuterte ich die Etymologie des Namens »Kaczyński«, der nämlich von »Kaczka« kommt – und das bedeutet »Ente«. Keine zehn Minuten nach dem Beitrag wurde ich vom Chefredakteur der Sendung angerufen: »Ich habe gerade das Interview gehört, das Sie meinem Kollegen gegeben haben. Ich wurde nicht schlau daraus, was Ernst und was Flachs war. Könnten wir das bitte noch mal wiederholen – und Sie entscheiden sich vorher, ob Sie flachsen oder ernst sein wollen, ja?« Ich entschied mich für durchgehenden Ernst. Keine Enten.

Wie würde der Herr Redakteur wohl erst gucken, wenn er die Visitenkarte meines Warschauer Klempners in die Hand bekäme? Das ist ein tüchtiger Handwerker, etwa vierzig Jahre alt, der auf seine Visitenkarten folgenden Werbe-Slogan gedruckt hat: »Piotr Szewczyński, Klempner – langsam, teuer, unsolide.« Wie er mir versicherte, benötige er außer diesem Spruch keinerlei Reklame. Die Kunden riefen ihn massenweise an, weil sie es schätzten, dass er selbstironisch mit dem schlechten Image seiner Zunft spiele.

»Tja«, sagte ich neidisch, »in Deutschland würden Sie Pleite gehen.«

Der Humor macht nicht einmal vor Warschauer Toiletten-Frauen halt. Das bemerkte ich, als ich in der Unterführung am Rondo Dmowskiego eine öffentliche Toilette betrat. Die obligatorische Omi, die gerade ein Kreuzworträtsel löste, sagte, ohne aufzusehen: »Złotówka!« Das ist die gängige Verkleinerungsform von »Ein Zloty«, heißt also: »Ein Zlotylein.« Von einer polnischen Laune angewandelt rief ich: »Gucken Sie mal da! Da hängt eine Kuh unter der Decke!« Und war mir sicher, dass die Dame erstaunt aufgucken und »woooo?« fragen würde. Eine deutsche Toiletten-Omi hätte es getan –, aber keine polnische! Ohne im Geringsten den Blick zu heben, sagte die Dame: »Eine Kuh? Dann melken Sie sie doch. Ein Zlotylein.«

In Polen kann man sogar Taxifahrer mit Humor antreffen. Einmal hatte ich per Telefon ein Taxi geordert. Beim Einsteigen sagte ich: »Bitte zum Österreich-Institut!« Der Taxifahrer schaute, als er meine Stimme hörte, verdattert in den Rückspiegel und drehte sich dann zu mir um: »Er ist es selbst!« – »Ja natürlich«, antwortete ich leicht pikiert. »Warum überrascht Sie das denn so? Mein Name wurde Ihnen doch von der Zentrale durchgegeben und steht sogar da auf dem Display.« – »Jaja!«, lachte der Taxifahrer, »aber wissen Sie denn nicht, wie das bei uns in Polen ist? Die Leute geben meist falsche Namen an, besonders abends, wenn sie gerade von ihrer Geliebten nach Hause fahren. Letzte Woche habe ich gleich drei Mal Stefan Müller aus ›L wie Liebe‹ befördert – und vier Mal König Władysław IV.!«

Nach so vielen Beispielen für den polnischen Humor möchte ich aber noch einmal betonen: Das alles wäre auch in Deutschland möglich, zumindest abends oder spät nachts. Und die folgende Geschichte zeigt, dass es gelegentlich sogar am frühen Morgen möglich ist – wobei ich bis heute argwöhne, dass ich einem Sprössling polnischer Auswanderer aufgesessen bin.

Ort der Handlung: Ein Berliner Hotel im Stadtteil Moabit. Um sieben Uhr morgens schleppte ich meinen

Koffer zur Rezeption und sagte dem jungen Trainee, der verschlafen aus einem Hinterzimmer trat, dass ich auschecken wollte. Gähnend schlurfte er zum Computer und fragte: »Haben Sie sich auf Ihrem Zimmer etwas aus der Mini-Bar genommen?« – »Ja«, bellte ich aggressiv, »ich habe mir eine Cola genommen, und wie ich das kenne, kostet mich das jetzt neunzig Euro extra.«

»Ja, fast richtig«, murmelte der Trainee, ohne den Blick vom Computer zu heben. »Zweiundneunzig Euro und siebzig Cent.«

»Nein!«, rief ich entsetzt aus, fast so entsetzt wie der Wohnungsbesitzer, dem meine Freundin Kasia die Zerstörung seines Mobiliars angekündigt hatte. »Das darf doch wohl nicht wahr sein!«

Da hob der Trainee den Blick und grinste müde. »Kleiner Witz am Morgen. Macht zwei Euro, siebzig Cent.«

Trotz

Ich finde, das deutsche Wort »Trotz« gibt den betreffenden Gemütszustand ganz gut wieder, besonders wenn man das »r« schön rollt. Noch saftiger klingt für meine Ohren aber das polnische Wort »przekora« (Pschekora) – und am allerschönsten ist die literarische Variante »Krnąbrność«. Allein schon die richtige Aussprache dieses Wortes verlangt jahrelanges Training, das ohne eine gute Portion Trotz nicht durchzuhalten ist. Klingen sollte es in etwa wie »Kchnombnoschtsch«.

Trotz ist – keinen Beobachter der Gebrüder Kaczyński wird es überraschen – eine wichtige Eigenschaft der Polen und kann sich rasch bis zum Jähzorn steigern. Woher er rührt, mag dahingestellt bleiben. Antreffen kann man ihn jedenfalls immer dann, wenn man einen Polen zu belehren versucht.

Liebe deutsche Oberlehrer! Seid in Polen bitte höllisch vorsichtig mit dem Emporstrecken des Zeigefingers. In diesem Land habe ich schmerzlich begriffen, dass ich als Oberlehrer nur existieren kann, wenn es auch den Musterschüler gibt, der sich brennend gern eines Besseren belehren lässt. Meutert der Musterschüler und gibt trotzige Widerworte, bricht dem Oberlehrer ganz schnell die Autorität weg. Und genauso ist es in Polen. Man vermeide hier besser jedwede Belehrung seiner Mitmenschen, weil diese so aggressiv darauf reagieren, dass es keinen Spaß mehr macht, Lehrer zu sein.

In einem Berliner Restaurant hörte ich folgenden Dialog zwischen zwei jungen Köchen. Der eine belehrte seinen Kollegen: »Kannst du bitte die Besteckschublade immer sofort wieder zumachen, sonst stoßen wir uns daran.«

Der andere nickte schuldbewusst und schrieb sich die Lehre beinahe sichtbar hinter die Ohren. Ich hätte mich fast totgelacht. In Polen wäre eine solche Kapitulation undenkbar. Der Belehrte hätte sofort wütend zurückgefaucht: »Mach die Schublade doch selber zu.«

Im Berliner Kaufhof am Alexanderplatz rufen eilige Rolltreppengänger, wenn sie schnell an müßigen Blockierern vorbeimarschieren wollen, ein schneidendes »Entschuldigung!«. Die Erwischten murmeln leise »klar« oder sogar »Entschuldigung« und treten nach rechts zur Seite. Sie erinnern sich wahrscheinlich schuldbewusst an den alten Rolltreppenspruch: »Rechts stehen, links gehen.« Auf den Warschauer U-Bahn-Rolltreppen gibt es ebenfalls Leute, die eilig hinaufstürmen wollen und sich über die Blockierer ärgern. Hier aber sind sie es, die in der Defensive sind. Im zaghaften Flüsterton entschuldigen sie sich für ihre Eile: »przepraszam«. Die Blockierer treten nur sehr widerwillig beiseite und gucken den Eiligen aufgebracht hinterher. »Unverschämtheit, sich hier so wichtigtuerisch aufzuspielen!« Eine wochenlange Aktion der Zeitung »Gazeta Wyborcza«, die den Leuten eben jenes »rechts stehen, links gehen« einbläuen wollte, ist nach meiner Beobachtung völlig ergebnislos geblieben.

Nach vielen Beispielen meiner Polonisierung – etwa Gastfreundschaft, Aberglauben oder auch Tanzfähigkeiten – ist hier der Moment gekommen, wo ich stolz behaupten darf, dass ich auf dem Gebiet des Trotzes noch niemals etwas von den Polen lernen musste. Trotz wurde mir in meine deutsche Wiege gelegt. Vielleicht war er sogar der Hauptgrund dafür, dass ich in Polen gelandet bin und es schon so lange hier aushalte.

»Was willst du denn in Asien?«, fragten mich meine

Berliner Bekannten ungläubig, als ich ihnen meine Entscheidung mitteilte, zu einem Polnisch-Sprachkurs nach Krakau zu fahren. Kein anderer Satz hat mich im Leben mehr motiviert. Bitte sehr – sollten sich meine hippen Kommilitonen doch um Stipendien in Harvard, Oxford, an der Sorbonne oder der University of Uppsala bemühen – ich würde gegen den Strom schwimmen.

Heute schwanke ich ein bisschen. Einerseits finde ich es skandalös, dass Warschau den meisten Deutschen unbekannter ist als Bangkok. Andererseits gefällt es mir, bei meinen Heimatbesuchen angeglotzt zu werden wie der verlorene Sohn.

Man könnte sicherlich lange darüber debattieren, wer im Leben mehr erreicht: die Trotzigen oder die Fügsamen. Ich persönlich kann nur sagen, dass mein Polen-Trotz belohnt wurde. Das war so am Lyzeum, an der Universität, im Kabarett-Milieu oder im Fernsehen.

Wie schön, wenn etwa am Warschauer Institut für Linguistik, an dem ich sieben Jahre lang deutschen Konversationsunterricht gab, die polnischen Studenten und Lektoren mit kniffligen Fragen zu mir kamen, weil ich nun einmal der einzige Native-Speaker war. Ob Erzählungen des frühen Thomas Mann oder die genaue Aussprache des »ozoapft«-Rufes beim Oktoberfest – meine Kompetenz kannte keine Grenzen. Und ins polnische Fernsehen wäre ich vielleicht niemals gekommen, wenn es in Warschau ähnlich viele Deutsche wie in Paris oder Budapest gäbe.

Okay, da bekommt man in Ermangelung anderer deutscher Deppen auch mal eine volle Breitseite ins Gesicht. Etwa dann, wenn bei meinem Betreten einer Kneipe der gutturale Ruf eines Betrunkenen durch den Saal gellt: »Nur ein toter Deutscher ist ein guter Deutscher«. Auch hier hilft mir aber wieder mein angeborener deutsch-polnischer Trotz. Ich murmele »Arschloch« und lache mit.

Lachen kann ich nur über deutsche Moralapostel, die sich ernsthaft aufregen über das Heil-Hitler-Gefeixe, das man sich als Deutscher nun einmal anhören muss. Selbst sind sie doch keinen Deut besser, halten Amerikaner für oberflächlich, Italiener für Womanizer und Franzosen für arrogant.

»Ein Franzose, ein Deutscher und ein Pole werden von den Indianern an den Marterpfahl gestellt. Man verkündet ihnen, dass man sie leider in die ewigen Jagdgründe befördern müsse, um ihnen dann die Haut abzuziehen und Kanus daraus zu fertigen. Als letzte Gnade dürften sich die Deliquenten allerdings selbst ihre Todesart aussuchen. Gut, der Franzose wählt ein Stilett, sticht sich in die Brust, fällt tot um – die Indianer ziehen ihm die Haut ab und machen sich daraus ein Kanu. Der Deutsche schießt sich in den Kopf, die Indianer machen sich das zweite Kanu. Der Pole beobachtet das alles und bittet dann um eine Gabel.

»Eine Gabel?«, fragen die Indianer erstaunt. »Wozu brauchst du denn eine Gabel?«

»Das werdet ihr schon sehen«, entgegnet der Pole mürrisch und fängt an, sich an hundert Stellen zu durchlöchern. »Ich mache euch ein schönes Kanu!«

Tumiwisismus

Ach, fühle ich mich miserabel. Auf gar nichts habe ich Lust. Ich glaube, ich bin krank. Vielleicht habe ich Fieber, aber sicher bin ich da nicht.

Und dann ist auch noch meine Mitbewohnerin Kasia sauer auf mich. Seit zwei Tagen hat sie kein Wort mehr mit mir gewechselt. Demonstrativ hat sie das Bad geputzt und den Abwasch gemacht. Klar, hätte ich gestern machen sollen, ich war dran mit Putzen und Geschirrspülen. Ich konnte aber nicht. Es ging mir nicht gut. Fieber – wäre zu viel gesagt. Eher Unlust. Eine Art Trägheit. Das kommt doch vor!

Vorhin ist sie schließlich einkaufen gegangen. Wahrscheinlich, weil wir nichts im Kühlschrank haben. Meine Schuld ist es nicht. Ich brauche ja auch seit Tagen nichts. In meinem Zustand gibt es für mich nichts auf der Welt außer weißer Schokolade. Und weiße Schokolade habe ich neben dem Bett.

Sie wirft mir vor, ich hätte mich total polonisiert. Die schlimmste polnische Krankheit hätte mich befallen, der Tumiwisismus. Man erkranke als Mann in Polen automatisch am Tumiwisismus, so wie in Russland am Alkoholismus und in Afrika an der Malaria. Und sie, die arme Kasia, müsse jetzt einkaufen und spülen und tun und machen. Sie spielt die Märtyrerin, damit ich an meinem schlechten Gewissen zugrunde gehe.

Nun, das werde ich nicht. Soll sie spielen, worauf sie Lust hat, ich fühle mich zu elend, um es ihr heimzuzahlen. Es ist eine Art Vorstufe zu Fieber, ein Drücken in der Magengrube, eine blödsinnige Nervenanspannung. Am besten wird mein Zustand im Lied von Kuba Sienkiewicz ausgedrückt, meinem Lieblings-Barden:

»Mir ist was hingefallen . . .
soll es doch liegenbleiben!
Mein Luxus ist das Gefühl,
es nicht aufheben zu müssen.
Stolpere ich halt später drüber.«

Ein Hammer-Lied. Sobald meine Mitbewohnerin vom Einkaufen zurückkommt, werde ich es ihr vorspielen. Ich sehe die Szene schon jetzt vor mir. Sie wird in mein Zimmer stürmen und mir eine Moralpredigt halten, so wie vorvorgestern, über Tumiwisismus. Ich werde überhaupt nichts sagen und ihr nur plötzlich das Lied vorspielen.

So wie schon dreißig Mal. Sie verlässt dann sofort den Raum. Play und tschüss. Sie kennt das Lied nämlich schon auswendig. Sie glaubt, dass es gegen sie gerichtet sei, gegen die fleißigen polnischen Frauen. Ein Unsinn. Es ist gegen niemanden gerichtet. Es beschreibt eine Lebensstimmung, die jeden überkommen kann, auch eine Frau, auch einen Tatmenschen, sogar einen Deutschen.

Es ist ein Lied über meinen augenblicklichen Zustand. Ein Quasi-Fieber, ein mentales Unwohlsein, ein latenter Kopfschmerz. Und so eine wahnsinnige Gleichgültigkeit, was andere von mir denken. Soll sie doch die Wände hochgehen, meine Kasia.

Ja, das Wort »Tumiwisismus« passt eigentlich ganz gut. Da hat sie schon recht. Es heißt wörtlich: »Hängt mir hier-ismus«, freier: »Ismiralleswurschtismus«.

Damit glaubt sie meinen deutschen Tatmenschenstolz anzustacheln. Aber da kann ich nur lachen, das provoziert mich nicht im Geringsten. Ich liege hier ganz ruhig im Bett und kann so einige Tage aushalten. Soll doch der Kühlschrank leer sein. Soll sich das Geschirr im Ausguss stapeln. Es ist mir unsagbar wurscht. Lasst mich alle in Ruhe. Verflixt, ja, am polnischsten fühle ich mich wohl dann, wenn ich diese undefinierbaren Proto-Fieberschübe habe. Da möchte ich nur noch singen: »Noch bin ich nicht verloren«, und mir schnell noch ein Stück weiße Schokolade in den Mund stecken.

Ulanen-Phantasie

Würde man einen Polen nach den fünf Haupteigenschaften seiner Nation fragen, fiele neben »Anarchie«, »Individualismus«, »Trinkfestigkeit« und »Gastfreundschaft« vermutlich auch die »Ulanen-Phantasie«. Gemeint ist eine Eigenschaft, die die Polen sich nicht ohne Stolz zuschreiben, nämlich den Hang zu romantischen, von keinem Kalkül getrübten Heldentaten. Ulanen, die Lanzenreiter, galten seit den napoleonischen Kriegen als besonders kühne Soldaten, weil sie im Spanienkrieg 1808 einige todesverachtende Attacken für ihren Abgott ritten und im Jahr 1830 den November-Aufstand gegen die russische Okkupation vom Zaun brachen. Jahrhundertelang träumte eine junge Polin davon, unter ihrem Balkon einen Ulanen singen zu hören.

Im Ausdruck »Ulanen-Phantasie« schwingt allerdings auch eine selbstironische Note mit, weil die Ulanen mit ihrem Kamikaze-Idealismus etwas von Don Quijote hatten – trieben sie doch sogar noch in der »September-Campagne« von 1939 ihre Pferde völlig hoffnungslos gegen deutsche Panzer.

Ulanen-Phantasie gegen deutsche Stahlplatten – so könnte man übrigens aus polnischer Sicht in einem einzigen Satz den Unterschied zwischen Deutschen und Polen charakterisieren.

Doch »Ulanen-Phantasie« beschränkt sich nicht auf martialische oder romantische Tollkühnheiten. Ein ganz anderes Beispiel für »Ulanen-Phantasie« habe ich selbst erlebt.

Eines Tages rief mich ein unbekannter Konzertveranstalter an und bat mich, eine große Open-Air-Show in Lublin zu moderieren. Der Stargast solle Paul McCartney sein, und das Event steige schon in wenigen Wochen. Ich müsse mich schnell entscheiden und sofort meine Honorarvorstellung mitteilen. Ich staunte nicht schlecht, ließ mir aber nichts anmerken und forderte ein Honorar in einer beatlesgerechten Größenordnung. Der Veranstalter akzeptierte meine Bedingungen widerspruchslos und bot sogar an, mir ein VIP-Zelt gleich neben dem von Sir Paul aufzustellen. Vorsorglich trug ich den Termin nur mit Bleistift in den Kalender ein.

Es kam so, wie ich befürchtet hatte. Ich hörte nie wieder von dem Mann. Böse war ich nicht im Geringsten; es hatte sowieso alles eher wie ein Phantasiegebilde geklungen.

Zwei Tage nach dem anberaumten Termin rief ich den Konzertveranstalter allerdings doch mal an, aus reiner Neugier.

»Dzień dobry!«

»Herr Steffen! Oh, ich habe ein schlechtes Gewissen! Ich hoffe, Sie sind mir nicht böse?«

»Nein, nicht im Geringsten. Ich bin einfach nur neugierig, ob die Show vorgestern stattgefunden hat oder nicht?«

»Ja, selbstverständlich, warum denn nicht?«

»Paul McCartney in Lublin?«

»Ach so! Nein, das nicht. Es hat sich dann leider herausgestellt, dass er an diesem Tag ein großes Konzert in Perth/Australien hatte, schon seit zwei Jahren geplant.«

320

Ich musste mir unwillkürlich das Grinsen von Sir Paul vorstellen, wie er eine Woche vor seinem Konzert in Perth einen Anruf mit der Einladung nach Lublin bekommt.

»Wir haben aber eine andere Band gefunden – Red Smaragd aus Lemberg. Super Jungs, die haben uns sogar Zuschauer aus der Ukraine angelockt. Es stellte sich nämlich heraus, dass sie bis nach Kiew und Charkow sehr bekannt sind.«

Da die Option McCartney/Möller ausgefallen war, sei der Schwager des Veranstalters eingesprungen und habe die Show dermaßen witzig moderiert, dass er es im nächsten Jahr wieder machen solle. Als Stargast erwarte man dann Jon Bon Jovi.

Verkleinerungen

Die medizinische Versorgung in Polen genießt nicht gerade den besten Ruf. Umso lieber nutze ich die Gelegenheit, ein Loblied auf die polnischen Ärzte anzustimmen. Zu deutschen gehe ich gar nicht mehr! Das hat aber weniger mit der Kompetenz zu tun.

Bei polnischen Ärzten fühle ich mich wohl, weil mein Polnisch immer noch nicht ausreicht, um ihr medizinisches Fachchinesisch zu verstehen. Diese Ignoranz hat eine wohltuend therapeutische Wirkung. Mag sein, dass die Schmerzen die gleichen bleiben – aber sie werden nicht mehr unnötig durch böse Wörter verdoppelt! Wenn mein Warschauer Arzt mir eine Diagnose stellt, ahne ich nur nebulös, worum es geht. Das Wort *Trzustka* etwa assoziiere ich mit »Pflaume«, es heißt aber in Wahrheit »Bauchspeicheldrüse«. Bei *Odra* denke ich an den schönen Fluss Oder und nicht an lästige »Masern«. Die ernste Miene, die mein Arzt bei solchen Wörtern machen kann, scheint mir immer merkwürdig unangebracht. Für mich klingen seine Diagnosen einfach nur kurios und manchmal geradezu niedlich, wie zum Beispiel *kamień żółciowy*. Zu Hause gucke ich dann im Wörterbuch nach: Es heißt »Gallenstein« – aber ein polnischer *kamien żółciowy* schmerzt mich wesentlich weniger als ein deutscher. Nach meinen Visiten bei polnischen Ärzten bin ich stets besser gelaunt, als ich es davor war. Viele Deutsche, besonders aus den grenznahen

Regionen, haben das schon lange begriffen und fahren zur Zahnbehandlung ausschließlich nach Polen. Niedrigere Kosten machen nur den kleineren Teil ihrer Motivation aus. Vor allem sitzen sie im Behandlungsstuhl ohne diese Grundpanik, die man bei heimischen Ärzten hat, wenn sie nur das Wort »Bohren« benutzen. *Wiercić* klingt doch viel angenehmer.

Aber sogar wenn ich ausnahmsweise einmal kapiere, worum es geht, fange ich nicht an zu zittern – und auch das verdanke ich den phantastischen Möglichkeiten der polnischen Sprache, genauer gesagt, ihren Tausenden Verkleinerungsformen.

Es gibt kaum ein Wort, dass sich nicht auf vielfältige Weise verkleinern ließe. Das beginnt bei den unzähligen Koseformen, die man für die Vornamen bastelt (siehe »Namen«). Doch die Verkleinerungsmanie erstreckt sich auch auf tausend Alltagsdinge. Aus »świeca« (Kerze) wird »świeczka« (Kerzchen); aus »lampa« (Lampe) wird »lampka« (Lämpchen) oder auch »lampeczka« (Mini-Lämpchen); aus »brudas« (Schmutzfink) wird »brudasek« (»Schmutzerchen«).

Im Polnischen lässt sich sogar das Wort »alles« (wszystko) verkleinern. Logisch gesehen habe ich nicht die leiseste Ahnung, wie man »alles« verkleinern kann, aber im Polnischen geht es: »Hast du heute schon alles erledigt?« – »Ja, alleslein!« (»wszyściutko«).

Theoretisch gibt es sicherlich auch im Deutschen etliche Verkleinerungsformen – aber erstens sind es nur wenige, zweitens benutzt man sie doch eher im Dialog mit Zweijährigen als mit dem Arzt.

Ich habe es nicht nachgeprüft, vermute aber, dass polnische Medizinstudenten ein regelrechtes Fach haben, das so etwas wie »sprachliche Schmerzlinderung« heißt, vielleicht auch »linguistische Hypnose«. Unübertroffene Meisterin dieser genialen Schmerzbehandlung ist meine Zahnärztin, eine liebe ältere Dame, die ihre kleine Praxis in Saska Kępa hat, im Villenviertel Warschaus, auf der anderen Weichselseite.

Sie begrüßt mich bereits mit einem herzlichen *Dzieńdoberek*, also einem »Guten Tagchen«. Dann bittet sie mich, auf dem *fotelik* (Sesselchen) Platz zu nehmen, und sagt, dass sie mir nun ein *śliniaczek* (Tüchelchen) umlegen werde.

»Nun sehen Sie mich nicht so erschrocken an, wir gucken nur mal mit einem Spiegelchen, was sich da bei Ihnen so tut. Aha, das Zahnfleischchen. Oh je, die Zahnhälschen sind nicht in Ordnung. Aber lassen Sie uns der Reihe nach durchgehen: Das Achterchen ist gut, das Siebenerchen hat ein Plömbchen . . .«

Ich weiß nie, von welchem Zahn sie gerade spricht. In Polen durchläuft aber jedes Kleinkind eine stomatologische Spezialausbildung, sodass es anschließend die genauen Nummern seiner zweiunddreißig Zähne auswendig kennt. Ich habe auf dem Spielplatz vierjährige Kinder erlebt, die ihren Spielkameraden zuriefen:

»Ich geh jetzt nach Hause, der untere Vierer tut mir weh.«

Ist das ein Überbleibsel des Kommunismus? Hatte es mit den Goldzähnen der KP-Mitglieder zu tun?

Plötzlich schüttelt meine Zahnärztin den Kopf.

»Ojojoj, das Sechserchen gefällt mir überhaupt nicht.«

»Karies?«, frage ich, soweit ich mich überhaupt mit dem Spiegelchen im Mündchen verständlich machen kann.

»Na, sagen wir, da fängt ein Karieschen an, aber ganz,

ganz klein. Nehmen Sie mal das Becherchen und spülen Sie aus.«

»Müssen Sie bohren?«

»Erstmal geh ich da mit einem Drähtchen ran«.

Ich schließe die Äuglein, während sie mit ihrem Drähtchen zu stochern beginnt.

»Köpfchen zu mir! Zu mir! Nicht wegdrehen! Achtung, jetzt tut's ein klitzekleines bisschen weh . . .«

»Aahh! Und ob das weh tut! Das war ein Nerv!«

»Ach was, das sind keine Nervchen! Das ist höchstens das Zahnschmelzchen. Sie sind doch sonst so ein tapferes Kerlchen! So, jetzt können Sie wieder mit dem Becherchen spülen.«

Die Behandlung ist vorüber. Ich muss ihr jedes Mal versprechen, dass ich mir meine Zähnchen in Zukunft dreimal täglich mit einem weichen Bürstchen putzen werde. Wenn ich mich dann verabschiede, vergesse ich nicht, ihr ein Komplimentchen zu machen – was in Polen immer gerne gesehen wird.

»Ich muss sagen, bei Ihnen hat man gar keine Angst! Sie sprechen so süß – das beruhigt einen regelrecht. Und Tschüsschen!«

»Momentchen, der Herr! Ein Sekündchen noch – die Rechnung!«

Tja, und hier, bei der Rechnung, hört das notorische Verkleinern dann schlagartig auf. Ich finde das ein bisschen falsch. Aber bitte – für die lieben Beißerchen beißt man halt mal ins saure Äpfelchen.

Zwillingswörter

Seit Jahren sammele ich Doppelwörter, sowohl im Deutschen als auch im Polnischen. Sie existieren in keinem Wörterbuch – und sind doch so wichtig. Vielleicht habe ich dieses Buch nur geschrieben, um meine Fundstücke irgendwo veröffentlichen zu können. Ergänzungen bitte an den Autor: info@steffen.pl

Trele-morele (pille-palle)

Bara-bara (Schnicksel-schnacksel)

Gadu-gadu (bla-bla)

Szmery-bajery (wischi-waschi)

Gili-gili (kille-kille)

Pitu-pitu (wischi-waschi)

Lelum polelum (phlegmatischer Mensch)

Fiku-miku (heia-heia machen)

Trach-trach (rucki-zucki)

Myk-myk (sich schnell davonstehlen)

Rach-ciach (ratz-fatz)

Bzyk-bzyk (fick-fick)

Pa-pa (bye-bye)

Puk-puk (klopf-klopf)

Fru-fru (flieg-flieg)

Łubu-dubu (remmi-demmi)

Hop-siup (schnell hingehuscht)

Obiecanki-cacanki (Schnick-Schnack)

Sralis-mazgalis (Pipi-kaka)

Szuru-buru (heimlich, still und leise)

Verschwörungstheorien

Manchmal habe ich den Eindruck, dass nur noch wenige Polen sich für normale, alltägliche Tatsachen interessieren. Nach langen Jahren der Manipulation durch kommunistische Geheimdienste hat die große Mehrheit den Glauben an das Einfache auf dieser Welt verloren. Entweder scheint ihnen ein Komplott dahinterzustecken oder aber sie finden es schlicht zu langweilig. Das Absurde macht in Polen jedenfalls eine größere Karriere als das Selbstverständliche. Unter dem Vorwand einer gesunden Skepsis blüht eine reiche Phantasiewelt, die eine ganze Reihe von Verschwörungstheorien hervorgebracht hat.

Wie oft habe ich in Polen Theorien über den bevorstehenden Weltuntergang gehört? Ich kann es nicht mehr zählen. Stattfinden sollte er zum Beispiel am 31. Dezember 1999, danach irgendwann im September 2000 (unvergesslich die Seminarstunde, als eine Studentin ein Referat über dieses Thema hielt und die Hälfte der Mädchen anschließend weinend den Raum verließ, um ihre Bankkonten aufzulösen). Dann noch einmal am 6. 6. 06 – einem erwiesenermaßen teuflischen Datum. Stattfinden sollte er auch, wie mir sonst sehr vernünftige Menschen mitteilten, einige Zeit nach der Wahl von Benedikt XVI. zum Papst. Der Deutsche werde allenfalls zwei Jahre amtieren, dann folge ihm ein Schwarzer auf den Stuhl Petri nach, und der werde der letzte Papst sein. Venedig gehe, ebenso wie Kalifornien, in Wasserfluten unter, und nur wenige Länder würden die Sintflut unbeschadet überstehen, darunter zum Glück auch Polen, allerdings nur so lange, wie »der Chinese seine Pferde an der Weichsel tränke«. Über die Bedeutung dieses letzten Zusatzes herrschte Uneinigkeit.

Vermutlich geht es, so erklärte mir mein früherer Vermieter, um geizige chinesische Investoren, die an der Weichsel, nicht weit von Włocławek, eine Fabrik für CD-Hüllen errichtet haben. Aus irgendwelchen EU-Gründen dürfte die polnische Regierung sie nicht aus Polen vergraulen, auch wenn sie geizig seien und den polnischen Arbeitern nur einen Hungerlohn zahlten.

Es hat auch nicht den geringsten Sinn, einen Polen zu fragen, wer der Mörder von John F. Kennedy war. Ich selber habe den Fehler schon mehrfach begangen; zuletzt vor einiger Zeit, als ich wieder einmal »JFK« von Oliver Stone gesehen hatte. Es war beim Frühstück am Set meiner Serie. Einige Kameramänner und der Regisseur saßen mit mir bei Rührei, Schinken und Schmalzbroten zusammen, und ich wagte, Stones Theorie von einer gigantischen Verschwörung in Frage zu stellen. Ich erklärte, dass Lee Harvey Oswald für mich ein Einzeltäter bleibe, ebenso wie Jack Ruby, der Oswald erschossen hatte.

Die ganze Crew brach ob meiner Naivität in Gelächter aus. Niemand hielt es für nötig, auf solche Greenhorn-Torheiten auch nur einen einzigen Satz zu erwidern. Es wurde lustig weitergeschmatzt.

Ich suchte mich zu verteidigen.

»Ihr glaubt doch nicht im Ernst, dass hinter dem Attentat die kubanische Emigration, Lyndon B. Johnson, das Pentagon, die Mafia, der militärisch-industrielle Komplex und wer weiß noch alles stehen?«

Der Regisseur, der mich mochte (obwohl er mich frecherweise immer »unseren Freund aus der DDR« titulierte), bequemte sich zu einer Antwort.

»Steffen, was können wir schon wissen? Uns sagen sie doch sowieso nichts!«

»Wer ist denn, bitteschön, SIE? Wenn sie sich alle zusammengeschlossen haben sollten – wie kann dann in den seither vergangenen vierzig Jahren nichts bekannt geworden sein? Wie sollte das in einem Land wie den USA überhaupt möglich sein, das von so vielen Geheimdiensten und der Presse überwacht wird?«

Einer der Kameramänner wischte sich mit einer Serviette den Mund ab und sagte, während er den Catering-Bus verließ, über die Schulter: »Du hast dir selbst die Antwort gegeben. Die Geheimdienste. Denk mal drüber nach!« Bumms, Türe zu.

Ich ließ mich nicht irritieren.

»Welches Motiv sollten die Täter denn gehabt haben? Was wollten sie ändern? Was hat sich nach Kennedys Ermordung für die USA und die Weltpolitik geändert? Nichts. Es war die Tat eines einzelnen Verrückten!«

Ein weiterer Kameramann beendete sein Frühstück und entfernte sich aus dem Bus, unter ostentativem Absingen der Worte »Stasi, Stasi, Stasi!«

Die Dagebliebenen sahen sich bedeutungsvoll an. Ich gab Ruhe. Für meine Arbeitskollegen hatte ich mich ein weiteres Mal als Einfaltspinsel aus dem ahnungslosen Westen entpuppt. Wären Waldorfschulen in Polen bekannter, hätte sich mein Regisseur eine imaginäre Geige an den Hals gelegt und verzückt gefidelt.

Um aber der Wahrheit die Ehre zu geben, muss ich zugeben, dass ich die hartnäckigste Verschwörungsobsession aller Zeiten zwar in Polen, allerdings bei einer Deutschen erlebt habe. Sie arbeitete in einem Warschauer Sprachen-Institut, das sich damals im zehnten Stock des Kulturpalastes befand. Ich hatte mich bei ihr als Deutschlektor beworben. Während des Einstellungsgesprächs raunte sie mir zu:

»Ich habe vom BND gehört, dass hier im Kulturpalast aus der Zeit des Kommunismus noch eine Menge Wanzen installiert sind. Es ist nicht auszuschließen, dass manche von ihnen noch funktionieren. Wir sollten vorsichtig sein. Kommen Sie bitte mit!«

Sie führte mich auf den Korridor. Dort blickte sie misstrauisch zur Decke und neigte sich dann ganz nah an mein Ohr.

»Ich habe eine gute Nachricht für Sie, Herr Möller. Ihre Kurse finden dienstags und donnerstags um 16 Uhr statt.«

Zum Abschluss noch ein kleines Geständnis. Auch ich glaube inzwischen an eine klitzekleine Verschwörungstheorie. Mein Bruder hat sie aus seinem Urlaub in Lateinamerika mitgebracht: Bin Laden soll sich in El Salvador aufhalten. Alle Einwohner des Nachbarlandes Honduras sind davon überzeugt. Und ich auch. Sehr wahrscheinlich versteckt sich der al-Qaida-Chef im Keller einer Fabrik für CD-Hüllen. Sie gehört Chinesen, und sie sind so geizig, dass Bin Laden nur noch bei Wasser und Brot schmachtet.

Eine Professorin der Universität Katowice teilte mir einmal interessante Erkenntnisse über das Lernverhalten polnischer Schüler mit. Langjährige Forschungen hätten gezeigt, dass es neben den sechs Lernhaupttypen – also etwa dem auditiven Typ, dem visuellen und so weiter – auch den so genannten »Verschwörertyp« gibt. Zu diesem Typ zählen vor allem Mädchen. Sie interessieren sich weniger für den Unterricht als für alles, was sich unter der Bank abspielt – also Liebesbriefe und geheime Fingerzeichen. Um solche Schülerinnen zu erreichen, müsste der Lehrer den Stoff idealerweise in Form eines Geheimcodes vermitteln. Anstatt vorne an der Tafel zu stehen, müsste er unter der Bank liegen und mit dem Messer in der Brust den Satz des Pythagoras ächzen – erst dann würden diese Girls endlich ihre Ohren spitzen.

Medienkaufhäuser

In Deutschland gibt es zwar da und dort Medienkaufhäuser, aber nicht im großen Stil, so wie die Empik-Kette in Polen. Vergleichbar ist sie am ehesten mit der französischen FNAC. Filialen gibt es in jeder polnischen Stadt, oft auf mehreren Etagen. Verkauft werden nicht nur CDs, Computerspiele und Bücher, sondern auch Zeitungen und Zeitschriften, darunter internationale Presse, von Armenien bis Zypern. Deutsche Medienkaufhäuser wirken dagegen provinziell, so wie ALDI-Märkte gegenüber den in Polen sehr präsenten französischen Hypermarché-Riesen Carrefour oder Auchan kleine Schoßhündchen sind.

Warschauer U-Bahn

Meiner Meinung nach gehört zu den Hauptattraktionen Warschaus neben dem Łazienki-Park und Stalins Kulturpalast auch die einzige polnische U-Bahn-Linie. Die ersten Pläne dazu reichen bis in die dreißiger Jahre zurück, allerdings standen dem Bau einige Probleme im Weg, zum Beispiel ein Weltkrieg, zwei Okkupationen sowie das Kriegsrecht in den Achtzigern. Das sich über Jahrzehnte erstreckende U-Bahn-Projekt ist ein Symbol für die komplizierte Geschichte nicht nur Warschaus, sondern ganz Polens. Zugespitzt kann man sagen: An der Strecke zwischen den beiden Endstationen Kabaty und Młociny lässt sich die gesamte jüngere Geschichte Polens ablesen. Und das Verrückte, für Polen ganz Untypische, ist: Trotz allem gibt es ein Happy End zu verzeichnen. Die Einweihung des Endbahnhofs Młociny ist für 2009 geplant.

Als ich 1994 nach Polen kam, spotteten die Warschauer über die angeblich nahe bevorstehende Eröffnung der U-Bahn. Genauso wollte niemand glauben, dass Polen jemals der NATO beitreten würde. Die Pessimisten mussten ihren Irrtum bald einsehen. 1997 wurden zwölf U-Bahn-Stationen eröffnet, kurze Zeit später trat Polen der NATO bei. Die Tatsache, dass im Zwei-Jahres-Abstand kontinuierlich weitere Stationen hinzukamen, spiegelt Polens Wirtschaftswunder wider – jährlich mindestens fünf Prozent Wachstum. Gleichzeitig kann man sehen, welche Dynamik in diesem Land steckt. Polen ist tausend Jahre alt und wirkt doch jünger als die sechzigjährige Bundesrepublik.

Inzwischen ist Polen nicht nur der EU beigetreten – auch die Endstation Młociny der ersten U-Bahn-Linie ist fertig geworden. Die Utopie eines normalen Landes ist in greifbare Nähe gerückt. Nicht ausgeschlossen, dass die Jüngsten unter den Lebenden sogar noch eine zweite U-Bahn-Linie erleben, nämlich hinüber auf das andere Ufer der Weichsel. Bereits jetzt sind die Grundstückspreise rings um die geplante Endstation weit im Osten von Warschau sprunghaft in die Höhe gegangen. Sollten die Polen etwa zu Optimisten mutieren? Nein, diesmal bin ich derjenige, der Skepsis anmeldet. Diesen totalen Mentalitätswechsel möchte ich nicht mehr miterleben. Zum Glück lautet der vorläufige Fertigstellungstermin 2050.

Für mich hat die Warschauer U-Bahn außer ihrer Geschichtssymbolik noch einen ganz besonderen Reiz, nämlich die Stationsansagen. Sie werden, und das dürfte eine Rarität weltweit sein, von einem Mann im vorgerückten Alter gesprochen.

»Nächste Station: Wierzbno.«

Am Anfang fand ich das merkwürdig. In den meisten Städten werden solche Ansagen doch von jungen Frauen hingehaucht. Mit der Zeit gefiel mir die Stimme, ja, es fiel mir ihre elegante Leichtigkeit auf.

Vielleicht sollte ich hier einfügen, dass meine besondere Aufmerksamkeit für U-Bahn-Ansagen nicht von ungefähr kommt. Als ich während meines Studiums einmal in Venedig war, lernte ich einen Serben kennen, der als Jongleur auf den Straßen Europas sein Geld verdiente. Er war gerade von einer dreitägigen Berlin-Reise zurückgekehrt. Auf meine Frage, ob ihm die Stadt gefallen habe, antwortete er:

»Ja, sehr. Ich bin drei Tage lang U-Bahn gefahren.«

»Wie bitte?«

»Na, ich bin die ganze Zeit mit der U 9 gefahren. Die Stimme der Ansagerin in der U-Bahn war so sexy. ›Nächster Halt: Rathaus Steglitz. Endstation, bitte alle aussteigen‹ – das war pure Erotik.«

Bis heute kann ich mir meine Reaktion auf dieses Geständnis nicht verzeihen. Ich sagte dem Jongleur, dass die charmante Deutsche überhaupt nicht existiere. Die Ansagen würden hundertprozentig von einem Computer generiert. Ich zitierte Cees Nooteboom: »Eine Frau aus weichem Aluminium, mit Lippen aus Mikrochips und einer Blutbahn aus durchsichtigem Zelluloid.« Der arme Serbe stieß den Kopf auf den Tisch, weil ich ihm, nicht ohne Häme, versicherte, die erotischste Deutsche aller Zeiten bestehe aus nichts als Bits und Bytes.

Ein paar Jahre später erfuhr ich dann aber von einem älteren Professor in Berlin, dass ich mich schlimm geirrt hatte. Die Frau existiere tatsächlich. Sie sei etwa sechzig Jahre alt, heiße Helga Bayertz und habe die Ansagen für viele U-Bahn-Linien in ganz Deutschland aufgenommen.

Von diesem Tag an begann ich auf menschlich bedingte Unterschiede in den U-Bahn-Ansagen zu achten. Und siehe da: Es erwies sich als eine Kunst für sich. Kleine Einblicke in ihre Geheimnisse bekam ich, als ich durch Zufall den Warschauer Sprecher persönlich kennenlernen durfte. Eines Tages nahm ich in einem Aufnahmestudio Aussprachübungen für ein Deutsch-Lehrbuch auf. Gerade saß ich vor dem Mikro und las langsam eine Telefonnummer vor: »acht-sieben-vier-neun-drei«, als ich durch die Scheibe des Studios einen älteren, distinguierten Herrn erblickte, der neben dem Toningenieur stand und mir nachdenklich zuhörte – so, als ob ich einen tiefsinnigen Essay vorläse. Als ich später das Studio verließ, sprach er mich an:

»Ich kann zwar nicht so gut Deutsch, aber mir scheint, Sie haben ein gutes Rhythmusgefühl.«

»Danke für das Kompliment, aber das war doch nur eine Telefonnummer.«

»Ich weiß, aber diese kurzen Sachen sind am schwierigsten. Vor kurzem habe ich die Ansagen für die Stationen der Warschauer U-Bahn aufgenommen. Jedes Mal bloß ein paar Worte. Jede Station muss man aber in einem anderen Rhythmus sprechen, damit die verschlafenen Fahrgäste morgens unbewusst, bloß nach diesem Rhythmus, erkennen, wann sie aus ihrem Halbschlaf erwachen müssen.«

Wie man sich vorstellen kann, höre ich seit diesem Tag bei Ksawery Jasieńskis Ansagen doppelt so genau hin. Die subtilen Modulationen seiner Stimme erstaunen mich immer wieder. »Racławicka« spricht er mit einer leichten Hebung der Endsilbe, »Służew« hingegen lässt er fallen wie einen reifen Apfel.

Wie mir Ksawery Jasieński übrigens erzählte, hat er bereits unter absoluter Geheimhaltung die Stationen der geplanten U-Bahn-Linie nach Warschau-Ost auf Band gesprochen. Sozusagen auf Vorrat, denn noch ist keine einzige Schiene verlegt.

Das ist eine Art von kleiner Unsterblichkeit, die mir imponiert. Irgendwann im zweiundzwanzigsten Jahrhundert, wenn aus Polen längst ein sattes, hypernormales Land geworden ist, mit Zehntausenden deutschen Gastarbeitern, wird Ksawery Jasieńskis Stimme noch immer durch die rot-blauen Wagen hallen: »Utopia, Endbahnhof, bitte alles aussteigen.«

Warschau und Krakau

Auf meinen Kabarett-Touren habe ich überrascht festgestellt, dass es in Polen nur so wimmelt von Städtefeindschaften. Köln und Düsseldorf, Nürnberg und München haben ihre Pendants in Bydgoszcz und Toruń, Kielce und Radom, Kattowitz und Sosnowiec, Gorzów und Zielona Góra. Mein zweites Kabarett-Programm bestritt ich fast zur Hälfte mit Sottisen, die ich auf den Fahrten zwischen irgendwelchen verfeindeten Städten aufgeschnappt hatte.

Da wird zum Beispiel in Gorzów (Landsberg an der Warthe) spöttisch gefragt: »Welches Stück von Tennessee Williams wird nonstop von allen Theatern in Zielona Góra (Grünberg) gespielt? – Antwort: A streetcar named desire.« Hintergrund: Die Grünberger besitzen im Unterschied zu den stolzen Landsbergern keine Straßenbahn.

In Kattowitz wiederum erfuhr ich die verbürgte Tatsache, dass ein großer Developer, der am Stadtrand ein Wohnhochhaus plant, die obersten Wohnungen wesentlich billiger als die mittleren verkaufen will. Grund: Da kein Kattowitzer Lust auf die Aussicht nach Sosnowiec hat, würden die obersten Wohnungen sonst nicht weggehen.

Der mächtigste Streit spielt sich aber zwischen den beiden Giganten ab – Warschau und Krakau. Hintergrund des nun schon bald vierhundert Jahre währenden Hasses:

Krakau erfreute sich bis ins siebzehnte Jahrhundert der polnischen Hauptstadtwürde. Erst König Sigmund verlegte die Hauptstadt aus fadenscheinigen Gründen nach Warschau – das bis dahin ein armseliges Fischerdorf gewesen war.

Bemerkenswert übrigens, wie viele Hauptstädte es in der tausendjährigen polnischen Geschichte schon gab. Jeder dritte Kabarettveranstalter erzählt mir voller Stolz, dass auch seine Stadt einige Jahre lang Polens Hauptstadt gewesen sei. So war es in Płock, in Lublin, in Kalisz, natürlich auch in Warschau und Krakau, ja sogar in London (Exilhauptstadt).

Während aber die meisten Ex-Hauptstädter ihre Degradierung demütig schlucken wie ehemals die Bonner Bürger, verzehren sich die Krakauer bis heute vor Neid und nehmen als Ersatz wenigstens die Rolle der polnischen Kulturhauptstadt für sich in Anspruch. Nirgendwo gebe es so viele Theater, Musikkneipen, Straßenkünstler. Auch ich glaubte diese Mär und zog nach sechs Jahren Warschauer Deutschlehrer-Dasein nach Krakau. Ich hatte mir ein Soloprogramm auf Polnisch ausgedacht, wollte eine Kabarett-Karriere starten und vermutete, dass es rings um den alten Marktplatz nur so wimmle von kultigen Kabarett-Kellern, in denen man irrwitzig neugierig wäre auf einen deutschen Spaßvogel. Das war ein Irrtum, und zwar in jeder Hinsicht. Abgesehen vom legendären Pod-Baranami-Keller, in dem heute leider nur noch schummrige Chansons gesungen werden, gab es bloß die Kabarett-Gruppe Camelot, und die fragte ich gar nicht erst, ob sie mich brauchen könnte, weil ihre Hauptlachnummer ein bayerischer Schuhplattler war, in dem alle Mitwirkenden Lederhosen und Federhütchen trugen.

Es endete damit, dass ich mir selbst einen Keller mietete. Ich erwähne ihn hier voller Dankbarkeit. Es war der Klub Molier in der ul. Szewska, Besitzer: Artur Dziurman. Saalmiete für einen Abend: 100 zl (25 Euro).

Vor meinem Debüt musste ich allerdings eigenhändig die Plakate herstellen und aufhängen. Einmal, als ich ausnahmsweise nicht im Schutz der Dunkelheit unterwegs war, sondern am helllichten Nachmittag Flugblättchen in der Krakauer Altstadt verteilte, lief mir sogar Ehren-Oscar-Filmregisseur Andrzej Wajda über den Weg.

»Ach, Sie sind Schauspieler?«, fragte er mich freundlich, ohne sich mein Werbezettelchen auch nur anzuschauen.

»Ich brauche für meine Filme immer mal wieder Deutsche. Ich werde auf Sie zurückkommen.«

Ich ahnte, welche Art von Filmen er mit mir besetzen wollte, kritzelte aber großmütig meine Telefonnummer auf ein Zettelchen. Leider wurde nichts draus, nicht einmal eine Nebenrolle. Wajda rief nämlich niemals an. Auch in meine Kabarett-Vorstellung kam er nicht, obwohl sie den lustigen Titel »Erwägungen über Faust« trug. Ein Jahr später rächte ich mich dafür mit einer Statistenrolle bei seinem schärfsten Konkurrenten, Polański (siehe »Stalingrad«).

Bei meiner Premiere im Juni 2001 war der Saal auch ohne Wajda gut gefüllt – nämlich mit meinen fünfzig Sprachstudenten aus dem Österreich-Institut, in dem ich damals aus Existenzgründen Deutsch unterrichten musste. Ich war ein beliebter Lehrer. Sprachliche Kompetenzen spielten keine Rolle. Wer in meinem Kurs die Gunst des Lehrers erringen wollte, musste lediglich mehrmals meine Vorstellung besuchen und mir danach versichern, dass die Pointen sich auch beim zweiten Hören noch nicht abgenutzt hätten.

Bald aber war der Pool meiner Studenten ausgeschöpft. Meine »Erwägungen über Faust« brachten es deshalb gerade mal auf drei Vorstellungen. Nach nur acht Monaten Krakau, in denen niemand, aber wirklich niemand mit ausgebreiteten Armen auf mich zugekommen war, um mich nach Hollywood zu verpflichten, ging meine Begeisterung für die Stadt in den Keller.

Apropos: Ich hatte auch die vielgerühmten Krakauer Kellerkneipen satt. Abgesehen davon, dass sie stets furchtbar verqualmt waren, hampelten in ihnen entweder nur Erstsemester-Studenten herum oder es kiffte die schwarzgekleidete Künstlerbohème. Doch für diese Leute hätte ich ja gar nicht den Prenzlauer Berg in Berlin verlassen müssen. Ich geriet in eine Krise. Immer hatte ich geträumt, einmal im herrlichen alten Krakau mit Europas drittältester Universität zu wohnen. Allein schon der Name: »Jagiellonen-Universität« – das machte mehr her als »Ruhr-Universität Bochum«! Und nun, da ich tatsächlich vor Ort wohnte, hatte ich alles satt: Die gotischen Tuchhallen, die Marienkirche mit dem holzgeschnitzten Veit-Stoß-Altar und vor allem den größten Marktplatz Europas. Er ist ein Magnet. Man kann gar nicht anders als ihn vier Mal täglich zu kreuzen. Morgens zur Arbeit, nachmittags beim Eisessen, abends auf dem Weg ins Kino – alle Straßen führen zum Marktplatz. Und bei drei von den vier Malen begegnet man irgendeinem alten Bekannten, der ebenfalls ins Kino eilt. Nach der zweiten Begegnung hebt man nicht einmal mehr die Hand zum Gruß.

Nein, es war nix mit mir und Krakau. Man verstehe mich nicht falsch. Krakau ist meine polnische Wiege, hier habe ich die ersten Schritte auf polnischem Boden gemacht, die ersten polnischen Graffitis entziffert, bin Mickiewicz, Wajda und Spielberg begegnet. Mein Leben lang hatte ich gejammert, dass ich stets in Städten ohne klares Zentrum wohnen musste. Wuppertal? Zerrissen zwischen Barmen und Elberfeld. Berlin? Auf jeder Party wird debattiert, ob Gedächtniskirche oder Alex das Zentrum ist. Und nun hatte ich mein klares, kerniges, altgotisches Zentrum – und merkte mit Schrecken, dass ich begann, unter Klaustrophobie zu leiden.

Fazit: Krakau ist wunderschön, aber nur für ein romantisches Wochenende. Oder im April, wenn die Stadt drei Tage lang vom PAKA-Festival regiert wird.

Schade, dass es das in Deutschland nicht gibt: Einen Kabarett-Wettbewerb von nationaler Bedeutung, wie den »PAKA« in Krakau. Im tiefsten Kommunismus als Studentenwettbewerb ins Leben gerufen, hat er inzwischen Kultstatus erlangt. Jedes Jahr bewerben sich mehr als einhundert Gruppen und Stand-up-Comedians um die Teilnahme. Nach regionalen Qualifikationsrunden werden im April etwa zehn Gruppen nach Krakau zum dreitägigen Finale eingeladen. Das 1000-köpfige Publikum rekrutiert sich überwiegend aus Krakauer Studenten, in der Jury sitzen Kabarett-Legenden, Comic-Zeichner, Filmregisseure. Die drei Erstplatzierten dürfen im Gala-Konzert auftreten, das vom zweiten Fernsehprogramm übertragen wird.

Für mich persönlich hatte sich die Stadt jedenfalls als Flop erwiesen. Ich zog enttäuscht nach Warschau zurück.

Zurück in der hässlichsten Hauptstadt Europas zerbrach ich mir den Kopf, wie es mit meiner Kabarett-Karriere weitergehen könnte. Die Auftrittsmöglichkeiten waren arg beschränkt. Es gab gerade mal einen einzigen Kabarett-Club, in dem regelmäßig Vorstellungen stattfanden, nämlich den Harenda-Keller. Dort moderierte ein Mal pro Woche der Kabarett-Chef des Radiosenders »Trójka«, Artur Andrus, seine Show mit wechselnden Gästen. Zu ihm begab ich mich und überreichte eine Demo-Kassette. Ohne sie auch nur anzugucken, lud Artur mich zum nächsten Talentabend ein.

»Du bist wirklich Deutscher? Ok, du bekommst zehn Minuten.«

Der Auftritt, im November 2001, war ein Achtungserfolg. Der Klub-Manager des Harenda erklärte sich bereit, mir den Keller für einen Soloabend zur Verfügung zu stellen. Saalmiete dieses Mal: 400 Zloty (100 Euro).

Da ich inzwischen zwecks Broterwerb zu meinem langjährigen Arbeitgeber, der Warschauer Universität, zurückgekehrt war, hatte ich keinerlei Probleme damit, den Saal wieder einmal mit Deutsch-Studenten zu füllen. Sie mussten mein zweites Soloprogramm beklatschen, das den Titel trug: »Ein Deutscher in Młociny«. Zweieinhalb Stunden lang erzählte ich unter Zuhilfenahme selbstgemachter Dias von einem Ausflug zur geplanten Endstation der Warschauer U-Bahn im Wald von Młociny. Auszüge des Programms durfte ich im April 2002 beim Kabarett-Festival PAKA in Krakau präsentieren und gewann sogar den zweiten Preis. Ein erster Fernsehauftritt war die Folge; er führte auf Umwegen (über eine Jugend-Show in Stettin) zur Teilnahme an der Comedy-Show »Europa lässt sich mögen« (seit Februar 2003).

Der Harenda-Keller in Warschau wurde meine Kleinkunst-Heimat. Hier nahm ich zwei CDs auf. Bei einer meiner Vorstellungen saß die Chefabteilung der Fernseh-Serie »M jak Miłość« (L wie Liebe) im Publikum. Einen

In der Comedy-Show »Europa da się lubić« (»Europa lässt sich mögen«). Niemand hat für die Bekanntheit der Bild-Zeitung in Polen mehr getan.

Monat später wurde ich zu Probeaufnahmen eingeladen und bekam die Rolle des deutschen Kartoffelbauern Stefan Müller angeboten. Da Andrzej Wajda bis dato nicht angerufen hatte, zierte ich mich nicht. Wer konnte auch ahnen, dass ich in nur vierhundert Folgen drei Ehefrauen zu verschleißen hätte.

Ich kenne weder Bukarest noch Tirana, würde aber unbesehen darauf wetten, dass Warschau zur Riege der hässlichsten Hauptstädte Europas gehört. Trotzdem liebe ich es. Im April 1993 stand ich erstmals auf der Aussichtsplattform des Kulturpalastes und überblickte den Moloch in seiner ganzen Hässlichkeit. Noch nie hatte ich eine Stadt gesehen, auf die der Ausdruck »Betonwüste« so gut passte. Das hat sich seither kaum verändert, auch wenn der Kulturpalast mittlerweile von Bürohochhäusern und Wolkenkratzerhotels umgeben ist. Warschau hat heute mehr Wolkenkratzer als Köln und Berlin zusammengenommen.

Das eigentliche Zentrum ist aber nach wie vor sehr klein. Die Ulica Marszałkowska und die parallel verlaufende Ulica Nowy Swiat werden durch die Ulica Chmielna verbunden. In einer halben Stunde schafft man es, diese H-förmige Strecke abzulaufen. Da aber die U-Bahn im Fünf-Minuten-Takt neue Menschenströme ausspuckt, vermeidet man das Krakau-Syndrom, das heißt, man begegnet keinem einzigen Gesicht zweimal.

Vier Vorzüge Warschaus

1. Warschau ist hervorragend geeignet zum Einkaufen, seit im Zentrum ein paar hypermoderne Einkaufs-Malls entstanden sind.
2. In Warschau herrscht bei weitem nicht so ein Verkehrschaos wie in anderen europäischen Metropolen. In Kra-

Von diesen Stalin-Palästen gibt es in Moskau weitere sieben.
Warschaus Kulturpalast ist aber der schönste von allen.

kau ist der Verkehr schlimmer, da es dort sehr viele Ein-
bahnstraßen gibt.
3. Keine Touristen. Das ist der Vorteil der Hässlichkeit.
Die Warschauer Plätze, Straßen und Einkaufszentren
sind deswegen nicht überfüllt. Wer herkommt, beschränkt seine Visite meist auf die Altstadt oder verliert
sich irgendwo zwischen Wilanów und Flughafen.
4. Wie in Hauptstädten üblich, treffen in Warschau alle

Bevölkerungsgruppen aufeinander. In der U-Bahn begegnet man Geschäftsleuten neben Politikern, Fernsehleuten und Fabrikarbeitern. Weil das Zentrum aber klein ist, kann man in Warschau bei einem einzigen Bummel gleich drei Prominente sehen.

Mein Lieblingspark ist der Park Krasińskich mit dem riesigen Monte-Cassino-Denkmal. Empfehlenswert ist auch der Ogród Saski (Sächsischer Garten). Nirgendwo habe ich so viele Parkbänke nebeneinander stehen sehen. Und das Beste ist: sie sind stets von Verliebten besetzt. Und stets graben in ihrem Rücken Heerscharen von öffentlichen Gärtnern die Blumenbeete um. Auch im Winter ist der Park schön, wenn die Enten aus dem Teich kommen und bis zur Straßenbahnstation an der Królewska-Straße watscheln. Der Schnee ist dann braun vom Brot, das die Rentner ihnen hinwerfen.

Die für Wien, Prag oder Lemberg typische hochherrschaftliche Gründerzeitarchitektur sieht man in Warschau kaum. Krakau ist bis heute von einem geheimnisvollen, schweren, mittelalterlichen Geist durchdrungen, während die Architektur des historischen Teils von Warschau eine gewisse Leichtigkeit besitzt. Sie wurde von der Epoche des letzten polnischen Königs Stanisław August Poniatowski geprägt, gegen Ende des achtzehnten Jahrhunderts. Als Beispiel betrachte man die leichten, bunten Häuser in der Krakowskie Przedmieście oder das Rathaus am Plac Bankowy.

Die Krakauer sind davon überzeugt, dass sie in der schönsten Stadt der Welt wohnen, vielleicht mit Ausnahme Rio de Janeiros. Derlei Selbstbewusstsein ist den Warschauern fremd. Sie fluchen eher über den Schmutz ihrer Stadt, den Lärm, die Wohnungspreise (2007 kostete der Quadratmeter durchschnittlich fast 3000 Euro, mehr als in Berlin), die Rüpeleien der Neuzugezogenen oder die Plattenbausiedlungen. Sie klagen über den längsten Arbeitstag in ganz Europa und träumen davon, übers Wochenende nach Krakau zu fahren.

Diese merkwürdige Beziehung der Polen zu ihrer Hauptstadt könnte man als Sadomasochismus bezeichnen. In Europa dürfte er einzigartig sein. In der Regel sind die Bewohner der Hauptstädte doch wohl eher stolz auf ihre Stadt. Für Berliner ist Berlin die coolste Stadt Deutschlands, in einer ganz anderen Liga als Köln oder Hamburg angesiedelt. Für Pariser ist keine andere Stadt wert, in einem Atemzug mit der unsterblichen Diva genannt zu werden. Römer würden ihre Stadt allenfalls mit dem himmlischen Jerusalem vergleichen.

Mir liegt der seltsame Sadomasochismus der Warschauer näher. Zugewanderte wie ich brauchen sich hier nicht wie Touristen oder Eindringlinge zu fühlen. Wir sitzen mit den echten Warschauern am Weichselufer und beneiden die Fluten, die nur wenige Stunden zuvor noch unter dem Krakauer Königsschloss vorbeigeströmt sind.

Ein großartiger Anblick sind die Nachtbusse, die ab Mitternacht im Halbstundentakt vom Warschauer Centralna-Bahnhof abfahren. Mehr als dreißig gelb-rote Busse donnern hintereinander her und verteilen sich dann nach links und rechts über die schweigende Stadt. Das erinnert an Showdowns amerikanischer Western, wenn die Kavallerie aus dem Fort prescht und den Finsterlingen den Garaus macht. Soziologen seien diese Busse für eine Studie über die polnischen Nachtschwärmer empfohlen. Eine Frage, der ich gerne einmal nachginge, wäre die, worin genau sich Berliner von Warschauer Nachtschwärmern unterscheiden. Meine persönliche Vermutung: in fast nichts.

»Wie geht's?«

Nach so vielen Jahren in Polen gibt es immer noch Kleinigkeiten, die mich aus der Fassung bringen können. Dazu gehört die polnische Abneigung gegen jede Art von oberflächlichem Smalltalk.

Neulich traf ich an der Kinokasse einen alten Bekannten, den ich seit mindestens zwei Jahren nicht gesehen hatte.

»Hallo Wojtek!«

»Hallo Steffen. Wie geht's?« (Polnisch: »Co słychać?«)

Da war sie wieder, die kleine Frage, die ich so sehr fürchten gelernt habe.

Jeder Europäer, egal ob Pole oder Deutscher, hat sich irgendwann mal über die oberflächliche Art der Amerikaner lustig gemacht, die auf die Frage *How are you?* stets mit einem sonnigen Lächeln jubeln: *I'm fine, thanks.*

In Polen wäre eine solche Pflicht-Begeisterung völlig fehl am Platz. Die Polen wollen – zumindest Freunden und Bekannten gegenüber – authentisch sein, sie hassen Masken. Sie fragen mit einem so ehrlichen Gesichtsausdruck nach meinem Befinden, dass ich sie unmöglich mit einer Floskel abtun kann.

Es bleibt nur eines übrig: Man muss mal eben seine ganze existenzielle Situation auspacken. Je lauter man klagt, desto ehrlicher kommt man beim Zuhörer rüber.

»Du, wir haben gerade eine dicke Ehekrise, außerdem wächst mir der Wohnungskredit über den Kopf, na, aber wenigstens der By-Pass arbeitet wieder halbwegs zuverlässig.«

An jenem Abend im Kino hatten wir kaum Zeit. In drei Minuten sollte der Film anfangen. Zum Glück war ich gerade gut drauf. Mit nachdenklichem Gesichtsausdruck murmelte ich:

»Du weißt ja selbst, wie es ist, Wojtek . . .«

Um dann mit breitem Grinsen hinzuzufügen:

»Es läuft halt irgendwie . . . keine Ahnung, wie lange das noch gutgeht!«

Ich war so stolz auf meine perfekte polnische Antwort, dass ich munter fortfuhr:

»Und dir, wie geht's dir, Wojtek?«

Wojtek schüttelte traurig mit dem Kopf.

»Seit einiger Zeit habe ich Probleme mit dem Einschlafen. Es sieht schlecht aus.«

Die Antwort verschlug mir die Sprache. In drei Minuten sollte unser Film anfangen, und der Junge deutete mir mit todernstem Gesicht eine schreckliche Geschichte an.

Ich hatte keine Wahl. Wir schickten unsere Begleiterinnen in den Film und setzten uns in eine Bar, wo mir Wojtek zwei Stunden lang eine schreckliche Mischung aus Berufsstress und überzogenem Hauskredit zum Besten gab.

Dies war einer der wenigen Tage, an denen ich die authentische polnische Art verflucht habe. Normalerweise mag ich sie nämlich sehr.

Wuppertal und Polen

Vor einigen Jahren trat ich in einem Warschauer Hotel anlässlich der Verabschiedung des deutschen Botschafters auf. Das Publikum war gemischt, etwa hundert Polen und hundert Deutsche. Kaum hatte ich mich als deutscher Kabarettist aus Wuppertal vorgestellt, brachen meine Landsleute in orkanartiges Gelächter aus. Die anwesenden Polen waren irritiert. Gab es eine großartige Pointe, die sie verpasst hatten? Es blieb mir nichts anderes übrig, als ihnen den Sachverhalt zu erklären.

»Wuppertal gilt in Deutschland als tiefste Provinz, obwohl es doch eine Stadt von der Größe Brombergs ist, also fast vierhunderttausend Einwohner hat. Nichts ist imstande, unseren Ruf zu verbessern, nicht einmal die Tatsache, dass aus Wuppertal zwei der größten Deutschen kommen, Friedrich Engels und Johannes Rau. Vor allem dank des Ersteren wird unsere Stadt bis heute mehrmals im Jahr von chinesischen und nordkoreanischen Delegationen aufgesucht, die Kränze an der Wiege des Denkers niederlegen.«

Einige Wochen nach jenem Abend – die Wunde war noch nicht vernarbt – hatte ich einen Auftritt in Kielce, einer Stadt in den Heiligekreuze-Bergen. Zur Begrüßung der im Żeromski-Theater versammelten Kielcaner sagte ich warm:

»Ich grüße Kielce! Ihr könnt euch gar nicht vorstellen, wie nah ich mich euch fühle. Ihr müsst nämlich wissen, dass ich aus Wuppertal komme, und wir gelten in Deutschland als ähnliches Kaff wie ihr in Polen!«

Ich meinte das völlig ernst, doch das Publikum schwieg verstört; nur zwei oder drei Leute kicherten. Nach been-

deter Vorstellung klopfte ein Mann an meine Garderoben-
tür.

»Ich wollte nur gratulieren zu Ihrem Auftritt. Die Begrüßung war das Beste. Ich komme nämlich aus Radom.«

Aus dem peinlichen Fauxpas war auf diese Weise noch
etwas Gutes geworden, nämlich meine erste Begegnung
mit dieser wohl erbittertsten Städtefeindschaft Polens. Die
beiden Städte liegen etwa neunzig Kilometer auseinander
und wetteifern um die führende Position im Niemands-
land zwischen Warschau und Krakau, so wie Wuppertal
mit Hagen ringt um die Vormachtstellung zwischen Ruhrgebiet und Sauerland. Seit hundert Jahren und aus Gründen, an die sich niemand mehr erinnern kann, nennen die
Radomer die Kielcaner »Taschenmesserchen«, und wenn
sie nach Kielce verschlagen werden, stecken sie sich ein
Taschenmesser ein, um es bei unmöglichster Gelegenheit
spöttisch aufschnappen zu lassen.

Ähnlich wie kein Deutscher Kielce oder Radom kennt,
stand es früher um den Bekanntheitsgrad Wuppertals in
Polen. Meine ersten Jahre waren diesbezüglich niederschmetternd. Wenn ich gefragt wurde, wo zum Teufel
diese Stadt eigentlich liege, antwortete ich meist »In der
Nähe von Köln« (nur zwei Mal rutschte mir aus Versehen
»Düsseldorf« heraus, aber wirklich nur zwei Mal).

Falls der Fragende dann die Stirn krauszog und weiter-
fragte:

»Und Köln? Ist das in Bayern? Oder in der Ex-DDR?«,
sagte ich nur: »Weder noch. An der A 46, zwei Stunden von
der französischen Grenze entfernt, so wie Warschau nur
zwei Stunden von der weißrussischen Grenze entfernt ist.«

Man muss es nämlich mal klar und deutlich sagen: Für
einige Polen ist Deutschland immer noch kein Traumur-

laubsland, sondern reine Transit-Schikane, spärlich aufge-
lockert durch Raststätten. Sie wollen nach Frankreich und
Spanien, um dort wundervolle Ferien zu verbringen, mit
Meer, Sonne und Mädchen – also all dem, was es angeblich in Deutschland nicht gibt. Und ihr Wissen beschränkt
sich auf die Kenntnis der deutschen Autobahnnummerie-
rungen.

Zum Glück hat aber so gut wie jeder Pole Verwandtschaft zwischen Kiel und Oberammergau. So kommt es
oft vor, dass ich auf einen landeskundlich gut bewanderten
Polen treffe, der mit Kennermiene sagt:

»Aha, verstehe, Wuppertal! Ruhrgebiet!«

Einem Deutschen springe ich für diesen Satz an die
Gurgel, aber bei einem Polen präzisiere ich geduldig:

»Wissen Sie: nicht genau. Uns trennen noch dreißig Kilometer vom Ruhrgebiet. Merken Sie sich den Namen
Hattingen. Dort beginnt nämlich das Ruhrgebiet, in Hattingen, südlich von Essen.«

Im Laufe der Jahre und nach einigen hundert Fernseh-
auftritten, in denen ich es nur selten versäumt habe, Wuppertal und die Schwebebahn zu erwähnen, ist es mir heute
gelungen, den Wissensstand der Polen auf ein akzeptables
Niveau anzuheben. Ich darf mich sogar rühmen, die eine
oder andere Postkarte erhalten zu haben, auf der mir un-
bekannte Polen versichern, ihre Reise nach Frankreich eigens für eine halbe Stunde unterbrochen zu haben, um
von der A 46 abzufahren und sich Wuppertal anzusehen.
Viele haben sogar nach meinem Lieblingsbrot gefragt,
Hallschlager, das ich stets als weltweit unerreichtes Brot
rühme. Sie konnten es aber meist nicht finden. Kein Wunder, man bekommt es nur in einer einzigen Bäckerei, und
zwar in der Friedrich-Ebert-Straße.

Wuppertal kennt jetzt in Polen jeder.

Einige Leute halten meine Erzählungen über die Schwebebahn allerdings auch für Humbug.

»Was sagen Sie da? Eine Straßenbahn, die Räder auf dem Dach hat? Das glaube ich nicht!«

»Doch, ehrlich!«, versichere ich stets. »Stellen Sie sich einen Fluss vor, die Wupper, über den auf einer Länge von 13 km ein grünes Gerüst gebaut ist. An diesem Gerüst hängt das sicherste Verkehrsmittel der Welt. Das ist jetzt kein Lokalpatriotismus, das sind harte Fakten aus dem Guinness-Buch-der-Rekorde. Sie wurde im Jahr 1900 gebaut, fährt also schon seit über hundert Jahren, und zwar unfallfrei!«

Nun ja, das ist nicht ganz wahr, aber zum Glück kommt es nur ganz selten vor, dass sich ein Pole an die Zeitungsnotiz von 1999 erinnert. »Moment mal, Herr Steffen! Vor einigen Jahren ist doch mal eine Schwebebahn hinuntergefallen, und es starben zwanzig Menschen!?«

»Fünf Menschen starben, nur fünf!«, korrigiere ich dann, um sofort überzuleiten zu dem süßen Elefanten Tuffi, der 1950 ebenfalls ins Wasser fiel, aber ohne dass ihm das Geringste zugestoßen wäre. Noch heute sei eine Joghurtfabrik in Wuppertal nach ihm benannt.

»Ach, und wussten Sie«, setze ich fort, »dass die Stadt Memphis ebenfalls eine Schwebebahn gebaut hat? Ja, richtig, das Memphis von Elvis Presley! Tatsächlich, Sie können mir glauben. Über den Mississippi-Fluss führt eine Schwebebahn, die die Innenstadt mit dem Vergnügungspark verbindet. Und das alles ist angelehnt an die Wuppertaler Bahn, nur kürzer.«

Zu kurz kommen in meinen Berichten über Wuppertal die beiden anderen Hauptattraktionen der Stadt, das Uhrenmuseum und der schöne Zoo, aber ich habe ja auch noch einige missionarische Auftritte vor mir.

Abschließend möchte ich ein Geheimnis verraten. Ich bin im Moment dabei, mir ein ganz neues Wuppertal-Marketing für Polen zu überlegen. Das werde ich dann in die Podiumsdiskussionen und Zeitungsartikel einschmuggeln, zu denen ich immer wieder gebeten werde. Und zwar möchte ich die Entwicklung meiner Stadt zum Paradigma der deutsch-polnischen Beziehungen erheben. Wuppertal ist ja bekanntlich ein Kunstgebilde, eine Synthese aus den beiden Städten Barmen und Elberfeld. Viele Jahrtausende lang waren sie selbständig, ehe sie so sehr ineinander wuchsen, dass 1929 ein Wettbewerb zur Findung eines neuen Städtenamens ausgeschrieben wurde. Ideen wie »Balberfeld« und »Elbarmen« wurden verworfen, weil je nach Herkunft des Wortschöpfers mehr Buchstaben aus der einen oder anderen Stadt überwogen. Schließlich einigte man sich auf ein völlig neues Wort, das streng aus der Geographie abgeleitet war: »Wuppertal«.

Man sieht sofort die Ähnlichkeiten zu Deutschland und Polen. Wenn da immer wieder über die gegenseitigen Vorurteile geklagt wird, kann ich nur müde abwinken. Wuppertal hat auf seinem langen Weg zur Einigung genau die gleichen Hürden überwinden müssen.

»In Barmen wohnen die Armen«, lästerten die Elberfelder, und die Barmer konterten:

»Und in Elberfeld ham se auch kein Geld.«

Doch diese schandbaren Rivalitäten gehören der Vergangenheit an. Es leben heute in Wuppertal Menschen, die nicht einmal mehr wissen, dass es um 1900 Elberfelder gab, die niemals einen Fuß nach Barmen gesetzt hätten.

Genauso wird es auch mit Deutschland und Polen kommen. Die Rolle der völkerverbindenden Schwebebahn wird dem Warschau-Berlin-Eurocity zukommen, und jetzt müssen wir uns nur noch einen neuen Namen für das vereinigte Deutschland/Polen überlegen. »Deutscholen« oder »Polschland« scheiden aus. Ich habe aber bereits, angelehnt an »Tal der Wupper«, eine Idee: »Oderland«. Gut, nicht wahr? Liegen nicht beide Länder an der Oder?

Ja, manchmal sind wir Visionäre im Dienst der Völkerverständigung, wir Wuppertaler. Wir haben gelernt, über den Tellerrand zu schauen.

Und deswegen verbitte ich es mir auch, dass gewisse Leute in Deutschland weiterhin grinsen, wenn sie das Wort »Wuppertal« hören. Unsere Stadt hat Dinge durchgemacht, von denen sich die reichen, versnobten, pseudo-coolen Düsseldorfer, die sich etwas darauf einbilden, dass sie ein paar tausend Einwohner mehr als wir haben und der Rhein ein paar Meter breiter ist als die Wupper, nicht einmal eine Vorstellung machen können. Ich möchte des-halb mit dem Appell schließen: Fahren Sie nach Polen. Aber setzen Sie niemals einen Fuß nach Düsseldorf.

Viva Polonia!

Hochwasser für Düsseldorf!!

Zeitzone

Polen hat einen großen Nachteil, der meines Wissens noch niemals irgendwo offen zur Sprache gebracht wurde. Idiotischen Regelungen zufolge gehört es nämlich zur selben Zeitzone wie Deutschland und Frankreich. Das ist nicht nur äußerst ungerecht, sondern auch höchst unpraktisch.

Über die geographische Lage Polens lässt sich lange diskutieren. Für die meisten Deutschen gehört Polen rein gefühlsmäßig tief nach Asien. Für Russen, die ja energisch beanspruchen, ein Teil Europas zu sein, liegt Polen in Mitteleuropa. Die Polen selbst verorten sich am liebsten in »Mittelosteuropa«.

Polens Spagat zwischen West und Ost zeigt sich am deutlichsten an der Uhrzeit. Zwar darf es zur mitteleuropäischen Zeitzone dazugehören – Warschau hat dieselbe Uhrzeit wie Berlin und Paris –, doch muss es dafür sozusagen büßen, indem es ganz an den östlichen Rand dieser Zone verbannt wurde.

Kein Land in unserer Zeitzone liegt östlicher. In Weißrussland und in der Ukraine geht die Uhr eine Stunde, in Moskau sogar zwei Stunden vor. Auch London liegt bereits in einer anderen Zeitzone. Warschau ist also die östlichste Hauptstadt mitteleuropäischer Zeit. Insofern passt der Ausdruck »Mittelosteuropa« nicht so ganz. Richtiger müsste es »Ostmitteleuropa« heißen.

Die Extrem-Monate sind für mich als Warschauer besonders schmerzhaft. Im Dezember beginnt die Dämmerung schon um 15 Uhr, quasi kurz nach dem Frühstück. Im Sommer hingegen dunkelt es in Zentralpolen eine ganze Stunde früher als in Berlin. Ich habe es Mitte Juni getestet beim Tischtennisspielen im Park: Gegen einundzwanzig Uhr war der weiße Ball beim besten Willen nicht mehr zu erkennen.

Das Unglück will, dass ich einen Bruder habe, der bei den schlimmsten Zeitzonen-Profiteuren Europas wohnt, in Paris. Gerade im Juni ist es schwer zu ertragen, wenn er mich gegen 22.30 Uhr anruft.

»Hallo, ich sitze am Eiffelturm und lese. Es ist herrlich! Ich bleibe noch ein Stündchen hier. Und was machst du so?«

Was habe ich davon, dass der polnische Tag dafür zwei Stunden früher als in Paris anfängt? Um vier Uhr morgens schlafe ich meistens. Zwar hat auch Polen die Sommerzeit eingeführt und den Tag damit um eine Stunde nach hinten verlagert – aber das genügt uns nicht. Wir Polen haben mindestens zwei Stunden aufzuholen. Soll die Sonne doch dafür ruhig erst um sechs statt um vier Uhr aufgehen. Wenn ich morgens zur Arbeit gehe, brauche ich sowieso kein Licht. Die Abende sind es, die das Leben lebenswert machen.

Mich wundert, dass keine der populistischen Parteien Polens bis jetzt auf die Idee gekommen ist, in Brüssel Entschädigung für die verlorenen Abendstunden zu fordern. Man könnte einen Entschädigungsfonds gründen, in den alle Gewinner der Zeitzoneneinteilung einzahlen müssen, neben den Franzosen auch Dänen, Schweizer, Norweger. Man könnte das Geld in Flutlichtanlagen für Parks und Fußballplätze investieren. Ich bin fest davon überzeugt, dass amerikanische, zeitzonenmäßig völlig neutrale Gerichte dieser Forderung stattgeben würden. Man müsste lediglich nachweisen, wie sehr die polnische Mentalität unter der ungerechten Einteilung der Zeitzonen leidet. Woher rührt die sprichwörtliche polnische Melancholie? Was ist die Ursache der hohen Scheidungsrate, der vielen traurigen Selbstmorde? Ein ewig dunkles Land, das von den Europäern in die Zeitzonenverbannung geschickt wurde. Und wenn diese Europäer nur spöttisch lächeln über Polens Forderung – nun ja, dann könnte Polen ja im Alleingang eine Verschiebung der Zeitzone vornehmen. Ein Stündchen weiter nach Osten – und man wäre in einem Boot mit Minsk. Zwei Stündchen – und man könnte die Uhren wieder nach der Kreml-Glocke stellen . . . Na, Brüssel? Ist das nicht eine schöne Drohung?

Zwei Ausflüge

Stellen wir uns zwei Reisebusse vor, die am Sonntag Morgen zwei Ausflugsgruppen in den nächstgelegenen Wald befördern. In dem einen Bus sitzen lauter Deutsche, im anderen lauter Polen. Alle deutschen Ausflugteilnehmer tragen blauweiße Trainingsanzüge und weiße Baseballkappen. Sobald sie aus dem Bus aussteigen, versammeln sie sich um einen Mann, den sie beim organisatorischen Treffen vor einem halben Jahr zum Gruppenleiter gewählt haben. Er breitet eine Landkarte vor ihnen aus und zeigt ihnen den Marschweg. Dort, wo ein rotes Kreuz eingezeichnet ist, wird für 15 Uhr eine zwanzigminütige Pause anberaumt; ein provisorischer Regenschutz ist schon gebaut, auch Kaffee und Kuchen sind bereits vor Ort. Trotz der genauen Wegbeschreibung bekommt jeder noch einen

Satellitennavigator um den Hals gehängt, damit sich auch wirklich niemand verläuft. Im Gänsemarsch geht es dann los in den Wald.

Zwei Stunden später kommen die Polen an. Sie haben sich verspätet, weil sie auf dem Busparkplatz noch auf einige Nachzügler warten mussten. Der Bus ist trotzdem halb leer geblieben, weil elf Leute überhaupt nicht erschienen sind, und zwar ohne auch nur Bescheid zu sagen. Die übrigen sind deswegen beleidigt und verfluchen im Stillen die anarchische Disziplinlosigkeit ihrer Landsleute. Müßig zu sagen, dass jeder so angezogen ist, wie es ihm beliebt. Als sie am Waldrand ankommen, reden sie immer noch nicht miteinander. Verbissen nimmt jeder sein Pilzeeimerchen und schlägt sich auf eigene Faust ins Unterholz. Der Busfahrer ruft noch hinterher:

»Wir sehen uns um achtzehn Uhr hier am Bus!«

Dann nimmt er sich eine Zeitung und bewacht seinen Bus. Er hat den Verdacht, dass irgendeiner der Ausflügler heimlich umkehren und mit seinem angeblichen Pilzeeimerchen Benzin aus dem Tank abzapfen wird.

Stellen wir uns nun die Rückkehr vor. Punkt achtzehn Uhr marschiert die deutsche Gruppe vor ihrem Bus auf. Nach dreimaligem Durchzählen – einem überflüssigen Ritual, denn niemand hat sich jemals mehr als zwanzig Meter von der Gruppe entfernt – sitzen alle Ausflügler zufrieden im Bus, jeder auf dem Platz, den er auch auf der Hinfahrt innehatte. Der Reiseleiter geht noch einmal durch den Gang, zählt die Anwesenheit zum vierten Mal nach und nimmt dankbare Händedrucke für seine besonnene Organisation entgegen. Dann gibt er dem Busfahrer das Signal zum Losfahren und moderiert über Bordmikrofon die Wahl des nächsten Ausflugsortes. Es gibt drei Alternativen: Holland, Masuren oder Paris-Disneyland. Die überwältigende Mehrheit votiert für Disneyland, weil man Holland von diversen Kaffeefahrten schon bestens kennt und Masuren als gefährlich gilt. Nach dieser Wahl verläuft der Rest der Fahrt schweigend, bis auf eine ältere Dame, die leise ins Taschentuch schluchzt. Sie hat im Wald ihren Navigator verloren und muss wahrscheinlich sechsundzwanzig Euro Schadenersatz zahlen.

Zwei Stunden später kommt der polnische Bus des Weges. An Bord befindet sich merkwürdigerweise die gleiche Anzahl von Ausflüglern, die morgens losgefahren ist. Das ist insofern merkwürdig, als vor der Abfahrt niemand offiziell durchgezählt hat, ob alle da sind. Der Busfahrer verlässt sich aber auf seine Fahrgäste. Er weiß aus Erfahrung, dass sie sich gegenseitig bei der Hinfahrt genauestens beobachtet haben, auch wenn sie beleidigt waren und scheinbar nur vor sich hingestarrt haben. Sie würden laut schreien, wenn jemand fehlt. Das hat sich denn auch dieses Mal bestätigt. Gerade, als er um Punkt achtzehn Uhr losfahren wollte, signalisierten mehrere Ausflügler übereinstimmend, dass noch zwei Teilnehmer fehlten, ein Mann und eine Frau. Der Busfahrer schaltete den Motor daraufhin noch einmal ab. Die Ausflügler empörten sich über die erneute Disziplinlosigkeit ihrer Nation. Sie waren sich einig, dass eine solche Frechheit in Deutschland oder Amerika undenkbar wäre!

Nachdem sich die Stimmung dank des gemeinsamen Klagens leicht verbessert hatte, ging man dazu über, gegenseitig die Pilzausbeute zu begutachten. Alle Eimerchen waren gut gefüllt, und es folgten Geschichten von giftigen Pilzen und leckeren Pilzgerichten. Wer bis jetzt geschwiegen hatte, schaltete sich spätestens ein, als eine allgemeine

Klage darüber anhob, dass die Pilzsaison dieses Jahr wegen des trockenen Wetters miserabel sei.

Nach zwei Stunden Wartezeit kamen die beiden Vermissten endlich aus dem Wald. Und zwar, zum Erstaunen aller, verliebt Händchen haltend! Ja, kannten sie sich denn schon vorher? Nein, wohl kaum, sie hatten am Morgen im Bus noch weit voneinander entfernt gesessen, und jemand will sich sogar daran erinnern, dass die junge Frau von so etwas wie einem Ehemann erzählt hatte. Dolle Geschichte – sie haben sich also im Wald kennengelernt! Man sieht es auch daran, dass beide Pilzeeimerchen leer sind.

Die Gruppe war so entzückt über diese romantische Geschichte, dass man das Pärchen mit lautem Hallo begrüßte.

Die allgemeine Übellaunigkeit war wie weggeblasen. Bereitwillig wurde die Rückbank des Busses geräumt. Zwischen das Pärchen und den Rest der Gruppe stapelte man diskret mannshoch die Pilzeeimerchen.

Und da fährt der Bus nun, mit bestens gelaunten Fahrgästen, die sich im Bewusstsein wiegen, zwei Liebenden den Weg zum Glück geebnet zu haben. Mitgebrachte Bier- und Wodkaflaschen kreisen, aber auch diese sind bald geleert. Jeder schaut um sich: Wo in diesem Bus könnte noch eine Flasche versteckt sein? Der Fahrer wird bedrängt, gibt aber erst nach einem leidenschaftlichen Kuss der schönsten Ausflüglerin das Geheimnis preis, wo er seinen Wodkavorrat versteckt hat.

Gegen Abend erreicht der Bus die Stadt. Zwar sind nicht alle Fahrgäste in der Lage, alleine auszusteigen, doch als man endlich untergehakt auf dem Parkplatz steht, herrscht Einigkeit, dass dies ein toller Ausflug war, der in einem Monat unbedingt wiederholt werden muss. Das Ziel: natürlich wieder derselbe Wald.

Zum Abschied

Es gibt ein paar Bereiche, in denen ich mich völliger Polonisierung rühmen darf. Dazu gehören zum Beispiel die Kavalierspflichten gegenüber einer Dame: Tür aufhalten, Stuhl hinschieben, Mantel reinhelfen, Kinokarte bezahlen.

Dazu gehören auch die polnischen Telefongewohnheiten. Während viele Deutsche sich auch nach zehn Jahren in Polen immer noch mit ihrem Nachnamen melden, sage ich beim Abnehmen des Hörers kurz, wie es in Polen üblich ist: *»Słucham?«* (gesprochen: »sfucham«). Das bedeutet: »Ich höre«.

Woher rührt eigentlich diese entsetzliche deutsche (und schweizerische) Unart, dass derjenige, der angerufen wird, sich als Erster vorstellen muss?

Zeigt das etwa unsere deutsche Vertrauensseligkeit gegenüber fremden Anrufern, unsere sympathische deutsche Weltoffenheit? Ich fürchte – nein. Schuld sein dürfte vielmehr die angeblich längst auf dem Müll der Weltgeschichte gelandete deutsche Obrigkeitshörigkeit. »Ich stehe in der Pflicht, mich vorzustellen – es könnte ja das Finanzamt sein!« Kein anderes Kulturvolk würde diesen Unsinn mitmachen. Die Italiener sagen »pronto«, die Engländer »hello«, die Ungarn . . . weiß ich nicht.

Ich stimme jedenfalls voll und ganz den in Deutschland wohnenden Polen zu, wenn sie sich in diesem Punkt nicht assimilieren wollen. Soll sich gefälligst der Anrufer zuerst vorstellen – wenn er mich schon in meiner Ruhe aufschreckt! Ein älterer Pole, der seit Jahrzehnten in Zürich wohnt, gestand mir einmal, dass er einen regelrechten Privatkrieg mit der lokalen Telefon-Unsitte führe. Er melde sich grundsätzlich nicht mit seinem Namen, sondern sage: »Hallo?« Worauf seine schweizerischen Gesprächspartner mit Ungeduld reagierten.

»Ha, wer isch dort, bitte?«

Er halte stur dagegen.

»Mit wem habe ich bitte das Vergnügen?«

Die Schweizer wieder verständnislos.

»Entschuldigung, bei wem bin ich da gelandet?«

»Ja, mit wem wollten Sie denn sprechen?«

Es ende damit, dass viele Anrufer irritiert auflegten.

»Habe mich wohl verwählt.«

Mein perfekt polnisches *Słucham* sorgt deshalb immer wieder für Missverständnisse bei deutschen Anrufern. Einmal wollte mich ein Bekannter aus München anrufen, mit dem ich schon einige Male telefoniert hatte. Weil er mich an diesem Tag partout nicht in seinem Adressbuch finden konnte, rief er die internationale Auskunft an und bat um die Nummer von Steffen Möller in Warschau. Die Dame von der Auskunft wollte wissen, ob jener Möller Wohnungsbesitzer sei oder Mieter. Als sie erfuhr, dass er die Wohnung nur miete, fing sie an zu lachen. »Sie wissen anscheinend nicht, dass die polnischen Telefonbücher ziemlich wertlos sind. In Polen sind nur die Wohnungseigentümer berechtigt, ihr Telefon anzumelden. Mieter stehen deshalb gar nicht im Telefonbuch. Manchmal kommt es vor, dass der angemeldete Eigentümer seit zehn Jahren nicht mehr lebt, sein Enkel das Telefon aber nicht auf sich umschreiben ließ – zum Beispiel, damit nicht herauskommt, dass er keine Erbschaftssteuer gezahlt hat. In so einem Fall müssen Sie also den Namen des verstorbenen Opas kennen.«

Mein Bekannter überlegte einen Augenblick.

»Ich glaube, ich weiß, wie der Besitzer heißt. Jetzt verstehe ich auch, warum mein Freund immer diesen Namen nennt, wenn er den Hörer abnimmt. Suchen Sie doch mal unter ›Słucham‹.«

Während die polnische Begrüßung simpel und in ihrer Lakonie sehr europäisch ist, erfordert die telefonische Verabschiedung wesentlich mehr Einarbeitung. Diesmal dürfte sie es sein, die in Europa ihresgleichen sucht.

1. Jahrestag des polnischen EU-Beitritts 2005: Deutsche Käfer in Gnesen/Gniezno.

In Deutschland reicht ein simples »Tschüss« oder »Auf Wiederhören«; in England genügt ein »bye«, in Italien ein »ciao«. In Polen könnte man theoretisch (und ahnungslose Ausländer tun das auch praktisch) einfach *»Cześć«* (Tschüss) oder *Do usłyszenia* (Auf Wiederhören) sagen.

Doch in der Praxis würde kein Pole dies tun, jedenfalls nicht nach einem Gespräch mit Freunden oder gar Familienangehörigen. Es klänge für den Gesprächspartner nämlich fürchterlich kalt und herzlos. »Tschüss« – und weiter nix? So behandelt man nicht einmal in Verzug geratene Schuldner. Man muss vielmehr eine ganze Liturgie liebenswürdigster Abschiedsformeln herunterbeten, an denen die polnische Sprache fast so reich wie an Schimpfwörtern ist. Besonders Frauen überbieten sich an Warmherzigkeit. So eine Verabschiedung kann länger als das vorangegangene Gespräch dauern und hört sich etwa so an:

»Was, du rufst vom Handy an? Leg schnell auf, ich rufe vom Festnetz zurück. Also dann, bis gleich, halte dich wacker, mach's gut, ich drücke dich, ich küsse dich, auf Wiederhören, du kleine süße Bakterie, auf Wiedersehen, ich verneige mich tief, bis bald, tschüss, ich grüße dich! Hej! Pa!«

Liste einiger polnischer Abschiedsworte:
Cześć! – Tschüss
Pa pa! – Wienerisch: Paaaaaa!
Hej! – Hej!
Wszystkiego najlepszego – alles Beste
Do usłyszenia! – Auf Wiederhören
Tymczasem – Na denn
Do zobaczenia! – Auf baldiges Wiedersehen
Do widzenia! – Auf Wiedersehen
ściskam! – Ich drücke dich
Całuję! – Ich küsse
Kłaniam się nisko! – Ich verbeuge mich tief
Na razie! – Bis bald

Am besten gefällt mir: »Tymczasem!« Das heißt eigentlich »inzwischen« und wird im Sinne von »na denn« benutzt.

Und ich verabschiede mich hiermit vom Leser. Machen Sie's gut. Gehaben Sie sich wohl. Passen Sie auf sich auf. Seien Sie auf der Hut. Sehen Sie sich vor. Nehmen Sie sich in Acht. Bleiben Sie wachsam. Auf Wiederlesen! Inzwischen! Tymczasem!

Bonusmaterial

Zwischen den Polen:
Krakauer Marienkirche,
Autoraststätte Renice und
Ordensritter-Golfplatz

(Ausschnitt aus Kreuzritter-Filme: www.steffen.pl)

Meine Reisetipps mit polnischem Allerlei

Pardon, da bin ich wieder. Es ist in Polen nichts Ungewöhnliches, nach einem langen und gefühlvollen Abschied zwei Minuten später noch einmal atemlos die Treppe hoch zu keuchen: »Hallo, ihr Lieben, ich habe total vergessen, Grüße an Onkel Jurek und Tante Halina auszurichten!« Und dann quatscht man sich im Flur fest, und das ganze Abschiedszeremoniell beginnt von vorne. Genau das möchte auch ich dem Leser jetzt zumuten. Eigentlich hatte ich mich ja schon mit einer ganzen Tabelle von Abschiedswörtern empfohlen – aber nun ist mir eben doch noch etwas Wichtiges eingefallen . . . nämlich einige konkrete Tipps für den nächsten Polenurlaub. Und weil ich nicht, wie man auf Polnisch sagt, »konkret bis zum Schmerz« sein will, streue ich einige meiner allerneuesten hobbyethnologischen Erkenntnisse bezüglich der schier unergründlichen polnischen Mentalität ein.

Beginnen wir, als Einstimmung für den Urlaub, mit den Rezepten meiner polnischen Lieblingsgerichte.

Meine drei Lieblingsgerichte

Nein, ich werde hier kein Rezept für das polnische Nationalgericht Bigos angeben. Der Grund: Seine Zeit ist abgelaufen. Nach meiner Beobachtung wird Bigos – außer an

Hochzeiten – kaum noch gegessen. Die nun folgenden kulinarischen Genüsse hingegen gibt es an jeder Ecke, sogar in meiner eigentlichen Heimat, dem Speisewagen WARS im Eurocity zwischen Warschau und Berlin.

Żurek-Suppe

Żurek wird »Schurek« ausgesprochen und ist eine saure Suppe, die man auf tausend Arten kochen kann. Wenn man sie im Restaurant bestellt, wird man von der Kellnerin häufig gefragt, ob man Żurek mit Ei- oder Wurst-Einlage haben will. Ich sage dann immer: »Mit beidem.« Das Wort »Żurek« leitet sich übrigens ab vom deutschen Wort *sauer*.

Zutaten
100 g Vollkorn-Roggen-Schrot, 500 ml abgekochtes Wasser, 750 Kasseler Rippchen, 5 große Kartoffeln, 2 El Essig-Essenz, 3 Zehen Knoblauch

Die eigentliche säuerliche Flüssigkeit, den »Żur«, kauft man in Polen als Trockenpulver in Tüten. Man kann diesen Geschmack aber auch selber herstellen. Um das Roggenschrot zum Gären zu bringen, nimmt man ein Einweckglas und füllt es mit dem Roggenschrot, dem abgekochten Wasser und den zerkleinerten Knoblauchzehen. Anschließend wird alles miteinander vermischt und mit dem Deckel verschlossen. Dieses Gemisch muss nun circa 2–3 Tage im Warmen ruhen, bis die Masse langsam gärt. Beim Öffnen sollte es säuerlich riechen und ein Zischen zu hören sein.
Aus den Kasseler-Rippchen wird nun die Brühe gekocht, wo-

bei nicht zu viel Wasser hinzugefügt werden darf, gerade so viel, dass das Fleisch bedeckt ist – ansonsten schmeckt die Brühe zu fad. Dann die Kartoffeln zerkleinern und in einem separaten Topf kochen. Sobald die Brühe fertig gekocht ist, wird das Fleisch vom Knochen getrennt und in die Brühe gegeben. Dann werden die gekochten Kartoffeln hinzugegeben. Das Glas mit dem gegorenen Roggenschrot vor dem Öffnen schütteln und langsam der Brühe nach und nach beimischen, damit das Schrot langsam andickt. Ganz nach Belieben das Schrot zur Brühe geben, je nachdem wie dickflüssig man die Suppe haben möchte. Abschließend kann die Suppe mit Essig abgeschmeckt werden.

Pilzsuppe

Pilze sammeln ist *der* polnische Nationalsport. Viele sehr ernstzunehmende Personen geben an, kein größeres, meditativeres Vergnügen zu kennen, als im Spätsommer nach einem kleinen Regenschauer in den Wald zu gehen und tief gebückt nach Pilzen Ausschau zu halten. Kein Wunder, dass Pilzsuppen in Polen so beliebt sind.

Zutaten
100 g getrocknete Pilze (am besten Steinpilze), 250 g Suppengemüse (ohne Kohl), 10 Pfefferkörner, 1–2 Zwiebeln, 200 g Sahne, Zitronensaft, Salz

Zuerst müssen die Pilze sorgfältig gewaschen werden und in kaltem Wasser 3–4 Stunden lang ruhen. Dann werden die Pilze in 2 Liter Wasser, das mit Zwiebeln und Pfeffer gewürzt wird, fast weich gekocht. Nun gibt man das Suppengemüse hinzu und kocht die Suppe noch einmal eine halbe Stunde lang. Anschließend wird sie durch ein Sieb gegossen und gesalzen. Vorsichtig mit Zitronensaft ansäuern. Zunächst mischt man dann die Sahne mit einigen Löffeln heißer Suppe und gießt diese Mischung anschließend in den Suppentopf. Die Pilzköpfe werden von den Stielen getrennt, in Streifen geschnitten und als Beilage serviert. Pilzsuppe schmeckt am besten mit selbstgemachten Nudeln, doch können es zur Not auch gekaufte sein.

Piroggen mit Fleisch

Piroggen sind gefüllte Teigtaschen aus Hefe- oder Blätterteig. »Pir« bedeutet auf Russisch eigentlich *Schmaus*, *Gastmahl* oder *Fest*. Sie können als Vorspeise, Hauptgericht oder, in der süßen Variante (mit Blaubeeren und Sahne), auch als Nachtisch gegessen werden.

Zutaten für den Teig
350 g Mehl, 1 Ei, 125 ml lauwarmes Wasser, Salz

Zutaten für die Füllung
350 g gekochtes Rindfleisch, 800 g Speck, 1 trockenes Brötchen, 1 Zwiebel, 40 g Butter, Salz, Pfeffer

Zuerst wird der Teig geknetet und anschließend zugedeckt, damit er nicht austrocknet. Dann weicht man das Brötchen in Wasser ein und kocht den Speck 20 Minuten lang. Danach werden Fleisch, Speck, Brötchen sowie die klein geschnittene und angeschmorte Zwiebel in die Rührmaschine gegeben, das erhitzte Fett, Salz und Pfeffer dazugegeben, gemischt und gekühlt. Nachdem man diesen Teig ausgewalzt hat, sticht man Kreise mit einem Durchmesser von 6–7 cm aus und belegt jeden mit der Füllung. Im Anschluss werden diese Teigkreise zu Halbmonden gefaltet, an den Rändern verklebt und in einem großen Topf mit gut gesalzenem Wasser und geschlossenem Deckel gekocht. Wenn die Piroggen beginnen, an die Oberfläche zu schwimmen, kann man den Deckel abnehmen und weiter kochen lassen, bis sie gar sind. Abschließend werden sie mit einem Kochlöffel herausgenommen und mit Fett und Grieben übergossen. Für den Weihnachtsabend wird die Füllung traditionell auch aus Sauerkraut und Pilzen hergestellt.

Apropos Weihnachten: An dieser Stelle möchte ich zwei meiner neuesten Beobachtungen bezüglich der großartigsten polnischen Eigenschaft erwähnen – der Herzlichkeit. Eine gewisse Rückschrittlichkeit der deutschen im Vergleich zur polnischen Herzlichkeit fällt mir immer an Weihnachten auf. Da bekomme ich auf mein polnisches Handy etwa fünfzig ellenlange SMSe mit den besten Wünschen, oft von Leuten, die ich seit Jahren nicht mehr gesehen habe. »Lieber Steffek, ich wünsche Dir geruhsame Tage im Kreis Deiner Lieben und dass Du im neuen Jahr so viel Glück habest wie unsere Minister Geld veruntreuen und so oft krank werdest, wie unsere Nationalmannschaft bei der Fußball-EM in Österreich Tore geschossen hat - Wojtek.« Aus Deutschland bekomme ich meist nur eine einzige SMS, nämlich von meiner alten Freundin Monika aus Wuppertal: »Frohes Fest!« Und ich schreibe ihr zurück: »Dito«.

Die zweite Beobachtung habe ich auf meinen Lese-Touren durch Deutschland gemacht. Im Anschluss an meine Lesung kommen manchmal Leute zu mir, um mich um eine Buchsignierung zu bitten. Ein Pole oder eine Polin fragt: »Könnten Sie bitte schreiben: ›Für Andrzej, meinen alten Freund, damit er im Krankenhaus was zu lesen hat und schneller gesund wird‹.« Und dann kommt ein Deutscher und hält mir wortlos mein Buch hin. Ich frage: »Was soll ich denn schreiben?« Er trocken, fast ungehalten: »Na, Steffen Möller!« – »Ja, aber ich könnte doch was dazuschreiben, für einen Menschen, den Sie lieb haben!« – »Nee, neutral.« Deswegen bitte ich die Leute jetzt immer: »Zeigen Sie, dass auch wir Deutschen herzlich sein können, überlegen Sie sich eine schöne Widmung!« Eine ältere Dame in Braunschweig nahm sich das zu Herzen und sagte: »Mir hat am besten gefallen, was Sie über das ständige Komplimentemachen der Polen erzählen. Bitte schreiben Sie: »Für Jürgen, damit er mir in den nächsten vierzig Jahren auch mal ein Kompliment macht.«

Gastronomie

Und nun geht es los nach Polen. Doch wo essen? Auch dazu drei Tipps.

Auto-Raststätte »Auto-Port Renice«

Nach einem gemeinsamen Auftritt in Szczecin mit der sehr bekannten Kabarett-Gruppe »Raki« wurde mir die Ehre zuteil, den Heimweg gemeinsam mit den Künstlern in ihrem Pkw antreten zu dürfen. Wie sich herausstellte, war ihr Chef und Fahrer, Krzysiek Hanke, mit allen Wassern gewaschen und bediente sich eines sonst nur bei Lkw-Fahrern und Hobby-Funkern gebräuchlichen Kurzwellen-Sprechgeräts namens »CB-Radio«. Dadurch war er nicht nur über aktuelle Radarfallen informiert, sondern erhielt auch von wildfremden Fahrern gute Tipps, welche Raststätten er unbedingt ansteuern müsse. Und so kam es, dass wir auf unserer Fahrt über die Lebuser Landstraße Nummer 3 – keine vierzig Kilometer vor Gorzów/Landsberg und gleich hinter Myślibórz – bei einer Raststätte haltmachten, die den Namen »Auto Port Renice« trug. In beiden Fahrtrichtungen befanden sich Tankstellen, eine von BP, die andere von Orlen. Doch nur bei letzterer gab es die Sensation, die mich sprachlos machte: Im Restaurant befand sich ein Terrarium, in dem sich ein riesiges Krokodil räkelte. Während die Raki-Jungs, die das Monster schon kannten, seelenruhig am Tisch saßen und mit großem Appetit ihre Grillwürste vertilgten, stand ich wie gebannt an der Umzäunung und wartete darauf, dass das Krokodil mit dem Schwanz um sich schlagen würde. Tat es aber nicht. Es lag maulfaul da und war gar nicht gefährlich. Wenn ich Berliner wäre, würde ich mich einfach ins Auto setzen und in zwei Stunden hinüber nach Polen zu dieser Raststätte fahren. Das ist doch dreimal abenteuerlicher als ein Ausflug in den Zoo!

Jazz-Klub »Hipnoza«

Der Jazz-Klub »Hipnoza« (Hypnose) befindet sich im Zentrum von Kattowitz, am Plac Sejmu śląskiego 2, im Oberschlesischen Kulturzentrum, einem Beton-Moloch aus kommunistischer Zeit. Nach der wenig verheißungsvollen Verpackung ist man über den Innenbereich dann umso überraschter: Der Klubraum wirkt groß, phantasievoll-warm und doch cool, eine in Deutschland nicht eben häufige Mischung. Hier sind wirklich alle großen Jazz-Musiker aufgetreten, von Kahil El Zabar bis zu Dave Douglas und Uri Caine. Ob der Klub vor allem wegen der Jazz-Konzerte stets überfüllt ist, kann ich nicht sagen. Vermutlich werden die Gäste auch von der guten Küche angezogen. Sie ist bekannt für ihre verschiedenen Auflaufvarianten (»zapiekanka«), die alle originelle Namen tragen. Einer heißt zum Beispiel »Streikbrecher« und besteht aus mit Speck überbackenen Kartoffelklößen, Pilzen, Zwiebeln und Ei; ein anderer heißt (nach dem ungezogenen Bauernführer und ehemaligen Vize-Premierminister) »Leppers Rache« und setzt sich zusammen aus Broccoli,

Karotten, Blumenkohl, Rosenkohl, grünen Bohnen und Soße. Sehr empfehlen kann ich auch Eierkuchen auf gebackenem Reis, gefüllt mit Spinat, Soße und Käse. Oder die süße Variante der Rache: Eierkuchen mit Früchten und Sahne. Fast schade, dass Lepper inzwischen wieder weg vom politischen Fenster ist!

Kaffeehaus »Larousse«

Unter den unzähligen Restaurants, Bars und Klubs, die es in der Krakauer Altstadt und im jüdischen Stadtteil Kazimierz gibt, habe ich einen kleinen, sehr unscheinbaren Liebling. Es ist das winzigste Kaffeehaus der Stadt, das »Larousse« in der Ulica świętego Tomasza 22 (»Straße des Heiligen Thomas«) – keine hundert Meter vom Marktplatz entfernt, mit gerade mal drei oder vier Tischen, dafür aber mit exzellentem, selbstgebackenem Apfelkuchen. Der Name »Larousse« bezieht sich auf das französische Pendant zum »Brockhaus«, die große, reich bebilderte Enzyklopädie, deren vergrößerte Seiten als Kaffeehaus-Tapete dienen. Man fühlt sich sofort wie im Jahr 1900 und glaubt für einen kurzen Moment lang sogar wieder an das Klischee von der französisch-polnischen Affinität. An tristen November-Nachmittagen gibt es keinen gemütlicheren Ort auf der Welt, es sei denn, die Tür geht auf und ein neuer Gast schüttelt seinen Regenschirm aus. Dann löscht das Spritzwasser mit einem Schlag alle Tischkerzen aus, was die traut tuschelnden Paare aber nur ganz kurz stört.

Als ich im Jahr 2000 kurzzeitig nach Krakau zog, bekam ich hier im Larousse von einer charmanten Kellnerin den entscheidenden Wohnungstipp, allerdings setzte sie mich gleich darauf an die frische Luft, musste sie doch das Café herrichten für Star-Regisseur Andrzej Wajda, der hier nach erfolgreicher Herzoperation einen Empfang für seinen Chirurgen gab.

Ostsee-Bäder

Die polnische Ostseeküste ist 528 km lang und ähnelt sich durchweg sehr – egal ob nun auf der Insel Wollin oder am Frischen Haff. Überall gibt es einen schmalen Sandstreifen, der weder von der Flut verkleinert, noch von der Ebbe vermüllt wird (weil es nur minimale Gezeiten-Unterschiede gibt), dann kommen flache Dünen, hinter denen sich kleine Nadelwäldchen entlangziehen. Was deutsche Touristen sofort bemerken: Es fehlen Strandkörbe und Sandburgen. Wer also weder Borkum noch Timmendorfer Strand ausstehen kann, weil sie ihn an Kleingarten-Kolonien erinnern, sollte einige Kilometer weiter nach Polen fahren.

Międzyzdroje

Das glanzvollste aller polnischen Ostsee-Bäder befindet sich auf der Insel Wollin in Międzyzdroje (gesprochen: Miänsesdroje). Der Ort, nicht weit von świnoujście/Swinemünde entfernt, hat noch aus dem 19. Jahrhundert einiges an geschichtlichem Flair bewahrt, wie zum Beispiel eine zwei Kilometer lange Promenade und eine inzwischen auf fast 400 Meter Länge ausgebaute Seebrücke. In Międzyzdroje findet jedes Jahr im Juli ein Filmfestival statt, zu dem traditionell viele polnische Film- und Fernsehstars anreisen, die ein bisschen Hollywood-Sehnsucht verspüren. Auf der »Allee der Stars«, dem Sunset-Boulevard von Międzyzdroje, können sie ihre Hände in Beton eindrücken. Ich selber habe es bislang nur zu einem Kabarett-Auftritt im Kulturhaus gebracht.

Frombork

Der für mich schönste Ort an der polnischen Ostsee-Küste ist Frombork, das frühere Frauenburg. Erstens gibt es einen gotischen Backstein-Dom, in dem mehrmals täglich kurze Orgelkonzerte erklingen. Zweitens hat man vom Glockenturm aus einen ewig weiten Blick über das Frische Haff. Drittens hängt in diesem Turm ein über viele Stockwerke reichendes Foucault'sches Pendel, mit dem bekanntlich die Drehung der Erde nachgewiesen werden kann. Viertens gibt es unten im Turm noch ein kleines Planetarium mit einer wunderbaren Show für Kinder (ich war als Betreuer eines lärmenden Deutschkurses da). All das wird aber noch übertroffen durch das Gefühl, sich an einem revolutionären Ort der Menschheit zu befinden. Denn hier, in einem unscheinbaren Wehrturm, lebte bis zu seinem Tod 1543 der Arzt und Domherr Nikolaus Kopernikus, der mehrere Jahre lang in Italien studiert hatte und durch astronomische Beobachtungen auf die Idee gekommen war, dass nicht nur die Erde, sondern alle Planeten sich um die Sonne drehen. Weil er Recht hatte, glauben alle Deutschen bis heute, dass Kopernikus Deutscher war – und alle Polen halten ihn für einen Polen und nennen ihn Mikołaj Kopernik. Die Wahrheit lautet, wie wir heute wissen: Kopernikus war von allem etwas, nämlich ein früher Betweener.

Hel

Ein merkwürdiges Phänomen bilden die Nehrungen, schmale Landstreifen, die sich parallel entlang der Ostseeküste ziehen. Die schmalste von allen ist die Halbinsel »Hel« – man spricht es auf Polnisch wie »Chel« aus, also mit schweizerisch angerauter Kehle.

Ausgangspunkt, noch auf dem Festland, ist die Stadt Władysławowo, dann kommt der nördlichste Punkt Polens, Rozewie, wo sich ein Leuchtturm befindet, und von da an schiebt sich während der Sommermonate eine un-

unterbrochene Autoschlange die Halbinsel hinunter. An manchen Stellen, zum Beispiel in Chałupy (dort, wo bis 1995 der berühmteste FKK-Strand Polens war) ist die Nährung so schmal, dass gerade mal die Straße, die Bahngleise, ein Zeltplatz und der Strand Platz haben. Die beiden berühmtesten Orte auf Hel sind Jastarnia und Jurata. Es gibt hier Luxus-Hotels, deren Einzelzimmer 250 Euro pro Tag kosten und die größte Anhäufung polnischer Snobs bieten. Außerdem befindet sich in Jurata die Sommerresidenz des polnischen Präsidenten. Man sieht davon allerdings nur die Hubschrauber befreundeter Staatsmänner, die über das Meer herandonnern.

Einkaufszentren

Das deutsche Wort »Einkaufszentrum« strahlt das Kaufvergnügen eines Second-Hand-Shops für Mähdrescher aus. Und genau so sehen die deutschen »Einkaufszentren« ja dann auch aus. Ganz anders die drei nun folgenden polnischen Exemplare. Schon der elegante polnische Begriff »Galeria Handlowa« zeigt an, dass es sich hier um luxuriöse Konsumtempel handelt, die selbstverständlich auch am Sonntag geöffnet sind (und das im angeblich so katholischen Polen).

Stary Browar/Alte Brauerei

Posens reichste Bürgerin, die Multimillionärin Grażyna Kulczyk, initiierte den Bau der schönsten Einkaufsgalerie der ganzen Welt, der »Alten Brauerei«. Dieser Superlativ

entstammt nicht meinem polonisierten, dramatisierungs-
wütigen Hirn, sondern wurde der Alten Brauerei im Jahr
2005 vom International Council of Shopping Centers zuer-
kannt. Eine stillgelegte Backstein-Brauerei verwandelte sich
in einen prächtigen Shopping-Palast und wurde um einen
zweiten, aus dem Boden gestampften Teil erweitert. Beide
Gebäude, die zusammen Hunderte von Geschäften haben,
sind verbunden durch einen glasüberdachten Hof und ausgestattet mit beeindruckenden Skulpturen des polnischen
Bildhauers Mitoraj. Übrigens können auch stinknormale
Aufzugtüren künstlerisch verziert werden. Fast hätte ich
vergessen auszusteigen. Kurz: In diesem »Einkaufszentrum«
fühlt man sich wie in einem Gesamt-Kunstwerk.

Apropos Posen: Hier möchte ich eine dankenswerte Kor-
rektur bezüglich meiner Theorie der polnischen Toilet-
tensymbole einschieben. Wie mir ein 86jähriger Leser
schrieb, sind Dreieck und Kreis nicht, wie ich im Kapitel
»PRL« spekulierte, kommunistische Überbleibsel, sondern
wurden offenbar bereits in den zwanziger Jahren des
zwanzigsten Jahrhunderts ersonnen. Ich zitiere:
»Sehr geehrter Herr Möller, Ihr Buch *Viva Polonia* habe
ich gelesen [. . .] Jetzt zu den Toiletten auf Seite 272. Dieses
abstrakte Zeichen *erfand* der Fahrradhändler Otto Mix,
Poznan, ul Kantaka 6, so um das Jahr 1928. Er war unter
anderem ehrenamtlicher Vertreter der Leipziger Muster-
messe für ganz Polen. Als er einmal selbst auf der Messe
war, beobachtete er, wie die Menschen die Toiletten suchten und nicht fanden, weil man damals über die Klos eben
nur hinter vorgehaltener Hand sprach. Wie er auf die Zeichen Dreieck und Kreis im Einzelnen kam, weiß ich nicht.
Auf jeden Fall: Er hat sich die Zeichen in Polen urheber-

rechtlich schützen lassen. In Deutschland ging das nicht. Wie er das Zeichen dann über ganz Polen *publik* machte, weiß ich nicht. Ich weiß nur, dass in der ul. Kantaka in seinem Fahrradgeschäft die bestellten Klo-Schilder verpackt und versandt wurden.«

Welche unglaubliche Nachricht. Man stelle sich einmal vor, Otto Mix wäre mit seiner Toiletten-Zeichen-Patentierung auch in Deutschland durchgekommen! Wir hätten heute eine andere Republik.

Manufaktura

Fast ebenso prächtig wie die Alte Brauerei präsentiert sich die Galeria Handlowa »Manufaktura« in Lodz/Łódź (gesprochen: Wuutsch). Auch hier wurde ein altes Backstein-Fabrik-Gelände, auf dem sich mehrere abgewrackte Hallen befanden, geschmackssicher umgebaut. Bei dem Objekt handelt es sich um die Textilfabrik von Izrael Poznański, des reichsten Bürgers von Łódź im 19. Jahrhundert, in der auch der berühmte Film »Das gelobte Land« (Ziemia obiecana) von Andrzej Wajda spielt. Dieser basiert auf dem Roman des Literatur-Nobelpreisträger Władysław Reymont.

Złote Tarasy/Goldene Terrassen

Ganz anders, futuristisch-modern, sieht Warschaus neuestes Einkaufs-Paradies aus, direkt neben dem Hauptbahnhof: die »Złote Tarasy« (Goldene Terrassen). Das kühn gewellte Dach hat dazu beigetragen, dass die Goldenen

Terrassen neben den neuen Gebäuden von Universitäts-
bibliothek und Oberstem Gericht als bestes Beispiel für
postmoderne Architektur in Polen gelten. Zwar handelt es
sich dabei nicht um die größte Mall der Hauptstadt (die
heißt »Arkadia«), doch ziehen sie wegen ihrer Eleganz und
ihrer zentralen Lage die finanzkräftigste Kundschaft an.
Wer sich einen Eindruck von den chicen Polinnen machen
will, sollte sich auf einem hochgelegenen Aussichtspunkt
im zweiten oder dritten Stock postieren und dazu einen
Kaffee schlürfen.

Krakau

Krakau habe ich im Text »Warschau und Krakau« wohl
etwas stiefmütterlich behandelt. Das ist aber nur meiner
Sympathie für das arme Aschenputtel Warschau zuzuschreiben, das von fast keinem Nicht-Warschauer gemocht
wird. Natürlich würde aber auch ich, wenn man mir die
Frage stellte: »Wo ist Polen am polnischsten?« wahrheits-
gemäß antworten: »Auf dem Marktplatz von Krakau.«

Marienkirche

Beherrscht wird dieser Marktplatz von der Marienkirche.
Sie besitzt zwei Türme: einen höheren (81 m) mit spitzem
Dach und einen etwas niedrigeren (69 m). Er birgt das
vierstimmige, mittelalterliche Geläut. Einer Sage nach sollen die Türme von zwei Brüdern erbaut worden sein, die
miteinander wetteiferten, wer höher bauen könne. Natürlich endete die Geschichte mit Totschlag und Flucht.

Im höheren Nordturm befindet sich die Bläserstube. Hier residiert auf 54 m Höhe ein Feuerwehrmann, der zu jeder vollen Stunde, auch nachts um drei Uhr, in alle vier Himmelsrichtungen das berühmte »Hejnał«-Signal spielt (gesprochen: Chejnau). Hierbei handelt es sich um die berühmteste polnische Melodie, die noch aus der Zeit der mongolischen Invasion im Jahr 1241 stammt. Der Trompeter blies sie, um die schlafende Stadt vor einem Angriff der Mongolen zu warnen, wurde aber leider mitten im Spiel von einem Tartarenpfeil in den Hals getroffen. Zur Erinnerung an dieses Missgeschick bricht das Signal noch heute jäh ab. Seit 1927 wird es übrigens mittags, vor den Zwölf-Uhr-Nachrichten, live vom Sender Radio Kraków nach ganz Polen übertragen und ist somit die älteste Musiksendung der Welt.

Veit Stoß

Die zweite Geschichte handelt vom Hochaltar der Marienkirche, dem ersten gesicherten Werk des spätgotischen Bildhauers Veit Stoß.

Stoß (1447–1533) ist meine Lieblingsgestalt der deutsch-polnischen Geschichte. Interessanterweise gilt er in Polen als Pole (ähnlich wie Kopernikus), und man spricht seinen Namen in der polonisierten Form Wit Stwosz aus. Aus heutiger Sicht lässt sich auch dieser Streit schnell schlichten: Stoß war ebenfalls ein Betweener. Gebürtig aus Horb am Neckar brach er im Alter von 30 Jahren nach Krakau auf, wo er 22 Jahre lang blieb. Ob er gleich zu Beginn einen zweiwöchigen Polnischkurs besucht hat, ist urkundlich nicht verbürgt, aber stark anzunehmen.

Sein Hochaltar entstand in den Jahren 1477 bis 1489 und ist der Marienverehrung gewidmet. Mit einer Höhe von 13 und einer Breite von 11 Metern ist er der weltweit größte gotische Schnitzaltar und beherrscht den Chorraum der Basilika. Die 2,80 Meter hohen Schreinfiguren aus Lindenholz sind aus Holzstämmen gearbeitet, die schon bei der Herstellung vor 500 Jahren 500 Jahre alt sein mussten. Von der Bürgerschaft bekam Stoß 2000 Gulden Honorar, was dem Jahresbudget der damaligen Hauptstadt Krakau entsprochen haben soll. Umso tiefer der Fall, als Stoß schließlich nach Nürnberg ging und man ihm dort wegen Urkundenfälschung mal eben schnell die Wangen mit glühenden Eisen brandmarkte. Versöhnlicher Schluss: Obwohl sie ihren Künstler recht unterschiedlich behandelten, sind Nürnberg und Krakau heute Partnerstädte.

Wawel

Auf dem Krakauer Schlossberg, genannt »Wawel«, dem Pendant zum Prager Hradschin, befinden sich zwei der würdigsten polnischen Bauwerke: das ehemalige Königsschloss und die Kathedrale, in der die Sarkophage vieler polnischer Könige sowie einiger nationaler Heroen stehen, etwa des Staatsmanns Józef Piłsudski oder der beiden romantischen Dichter Adam Mickiewicz und Juliusz Słowacki (der polnischen Äquivalente zu Goethe und Schiller). Bemerkenswert für deutsche Touristen dürfte sein, dass auch August der Starke, Kurfürst von Sachsen und König in Polen, hier seine letzte Ruhestätte gefunden hat. Nur sein Herz – das erbaten sich die Dresdner zurück. Und seine Eingeweide sollen gar in einem Warschauer

Kloster aufbewahrt werden. Dieses Zerschneiden von Leichen wurde übrigens auch an Frédéric Chopin erprobt. Sein Körper ruht auf dem Pariser Père Lachaise-Friedhof; sein Herz aber wurde nach Polen geschmuggelt, wo man es seither in der Warschauer Heiligkreuz-Kirche aufbewahrt.

Die Sigismund-Glocke der Wawel-Kathedrale aus dem Jahr 1520 wird nur bei Ereignissen von nationaler Bedeutung geläutet, wie etwa beim Tod von Johannes Paul II. Zwölf Glöckner sind nötig, um sie in Bewegung zu setzen.

Nachdem ich meinen deutschen Gästen den Wawel inzwischen wohl schon ein Dutzend Mal gezeigt habe, lasse ich sie heute allein in die finstere Krypta hinabsteigen und verbringe meine Zeit lieber draußen im Schlosshof, gelehnt an eine sonnenbeschienene Mauer. Hier befinde ich mich in internationaler, meist amerikanischer Gesellschaft. Alle zusammen hoffen wir auf ein nachhaltiges Energie-Tanken, heißt es doch in esoterisch-buddhistischen Kreisen, dass der Krakauer Schlossberg von einem der stärksten Erd-Chakren durchlaufen wird. Ähnlich starke Chakren befinden sich angeblich nur in Mekka, an der Cheops-Pyramide und in Stonehenge. Der Prälat der Wawel-Kathedrale erklärt dies zwar alles für Humbug und versucht, mit Hilfe von Baugerüsten alle sonnenbeschienenen Mauern zuzustellen, doch finde ich trotzdem stets ein freies Plätzchen und meditiere über diese seltsame Begegnung zweier spiritueller Systeme, des Buddhismus und der Katholischen Kirche.

Städte

Und nun zu drei bemerkenswerten Städten in Polen, die großen Eindruck auf mich gemacht haben, jede aus einem anderen Grund.

Kazimierz Dolny

Fragt man einen Polen nach den fünf malerischsten Städten seines Landes, wird man mit Sicherheit auch »Kazimierz Dolny« vernehmen, die »Perle an der Weichsel«. Das winzige Städtchen liegt etwa auf halber Strecke zwischen Lublin und Warschau, dort, wo die Weichsel sich durch waldige Hügel windet, und ist berühmt für seine Bürgerhäuser aus der Renaissance und dem Barock, wie etwa das im Jahr 1615 im manieristischen Stil errichtete Haus des Heiligen Nikolaus oder das des Heiligen Christophorus. Berühmt ist auch die aus dem Jahr 1620 stammende Kirchenorgel, eine der ältesten Polens. Die an der einst schiffbaren Weichsel gebauten Getreidespeicher hat man heute in Hotels umfunktioniert. Essbarste Touristen-Attraktion ist der Hahn aus Teig, eine Art Weckmann, den man in jeder Bäckerei bekommt.

Kazimierz eignet sich dank seiner schönen, hoch in den Hügeln über der Stadt gelegenen Holzhaus-Pensionen nicht nur für einen Sonntagsausflug. Viele reiche Warschauer mieten sich hier, nur anderthalb Stunden von der Hauptstadt entfernt, für den ganzen Urlaub ein oder haben hier gleich ihr festes Sommerdomizil errichtet. Kultstatus besitzt übrigens das Filmfestival von Kazimierz Dolny, das im Sommer unter freiem Himmel stattfindet.

In Südost-Polen befindet sich ein merkwürdiges Städtchen, eingetragen im Unesco-Welterbe. Es stellt die Realität gewordene Vision eines einzelnen Menschen dar, nämlich: eine ideale Stadt zu erbauen. Dieser Mensch – ein Gigant der Renaissance – hieß Jan Zamoyski (1542–1605), war Großhetmann der Krone, Drahtzieher der polnischen Politik zwischen 1570 und 1600, also eine Art polnischer Bismarck, und besaß mal eben elf Städte und zweihundert Dörfer. Warum dann nicht eine dieser Städte zum Ideal ausbauen? Die Wahl fiel auf Zamość (gesprochen: Samoschtsch), das über 25 Jahre lang nach den Plänen des italienischen Baumeister Bernardo Morando erbaut wurde und wie die Anatomie eines menschlichen Körpers angelegt ist. Am einen Ende, also quasi oben, befindet sich der

Kopf, der Palast des Herrschers, in der Mitte dann das Herz, nämlich das Rathaus mit seiner berühmten Freitreppe und seinem achteckigen Uhrenturm – und die beiden Haupt-Straßenachsen sind die Beine. Berühmteste Tochter der Stadt ist Rosa Luxemburg, die hier 1870 geboren wurde. Auch Bundespräsident Horst Köhler ist nahe Zamość im Städtchen Skierbieszów zur Welt gekommen. Traurigen Ruhm erlangte die Stadt während der deutschen Okkupation, als sie kurzerhand in »Heidenstein« umbenannt wurde. Es gab eine groß angelegte Aktion der SS, bei der viele polnische, »arisch« aussehende Kinder ihren Eltern weggenommen und an deutsche Adoptiveltern verschickt wurden. Es soll in Deutschland noch heute Menschen geben, die nicht wissen, dass sie eigentlich Kinder aus Zamość sind.

Oświęcim/Auschwitz

Genau genommen handelt es sich bei »Oświęcim/Auschwitz« nicht um ein und denselben Ort. Das fiel mir gleich beim ersten Polnisch-Sprachkurs in Krakau auf, als unser Lehrer Krzysztof mitteilte, er sei in »Oświęcim« (gesprochen: Oschwiäntschim) in die Schule gegangen, ach so, und auf Deutsch heiße es pauschal »Auschwitz«. Und dann erklärte Krzysztof uns, was er mit »pauschal« meinte: Die deutsche Bezeichnung »Auschwitz« werde in Polen nur für die beiden Konzentrationslager Auschwitz I und Auschwitz-Birkenau verwendet, während der polnische Name »Oświęcim« der alten Stadt gelte, die seit über 800 Jahren existiert. Oświęcim habe etwa 40 000 Einwohner und sei bekannt für seine gute Eishockey-Mannschaft, die schon mehrfach polnischer Meister wurde. Mit der Unterscheidung solle einem traurigen Missverständnis entgegengewirkt werden, das sich weltweit verbreitet habe, der Meinung nämlich, dass die KZs von Polen betrieben worden seien – nur weil sie auf dem Gebiet des heutigen Polens lagen.

Viele Touristen, die nur das berüchtigte Foto des Lagertors von Auschwitz-Birkenau kennen, stellen überrascht fest, dass das Stammlager Auschwitz I mitten in der Stadt Oświęcim lag. Auch mir erging es so, als ich das KZ 1993 in Gesellschaft zweier jüdischer Italienerinnen besuchte. Außerdem kam es zu einem Ereignis, das die eigentlich eher museumsähnliche Besichtigung vollkommen veränderte. Wir, die Italienerinnen und ich, kommunizierten miteinander auf Englisch. Als sie mich in einer der Waschstuben baten, ihnen einen auf die Wand gemalten Befehl zu übersetzen – »Beim Waschen Hemd runter. Reinlichkeit ist Gesundheit!« – realisierte ich plötzlich, dass Deutsch nicht nur meine, sondern auch die Muttersprache der Mörder war. Meine sonst so gefahrlos bewahrte Distanz zu den deutschen Verbrechen schmolz dahin – ich gehörte dazu, irgendwie.

Drei Naturwunder

Der Berg Giewont

Es ist eine Schande, aber noch immer nicht habe ich Polens berühmtesten Berg bestiegen, den Giewont. Er befindet sich unweit des Winterkurortes Zakopane, also in der Hohen Tatra, und ist beileibe nicht der höchste Berg des Landes. Das ist der Rysy, mit 2499 m. Der Giewont hat eigentlich drei Gipfel, die, wenn man sie sich im richtigen Winkel nebeneinander anschaut, die Gestalt eines schlafenden Ritters ergeben. Der höchste dieser drei Gipfel misst 1894 m.

Berühmt ist das fünfzehn Meter hohe Gipfelkreuz auf dem Giewont, eine Stahlkonstruktion aus dem Jahr 1901. Dieses Kreuz war damals, als es Polen offiziell nicht gab, nicht nur ein Glaubenssymbol, sondern eine Manifestation der polnischen Identität. Wegen dieses Kreuzes besitzt der Giewont für Polen deshalb in etwa die Bedeutung, die der Fujijama für die Japaner hat – wenn auch mit dem unabdingbaren Quentchen Ironie. Der Fin-de-Siècle-Dichter Franciszek Mirandola schrieb beispielsweise ein Sonett mit dem Titel »Das 1623. Sonett über den Giewont«, in dem er den Berg vor ungezählten ihm gewidmeten Gedichten warnte. »Die granitene Masse ergraut in der Dämmerung, doch darf man seinen Hals darauf wetten: Sie finden dich trotz alledem und werden dich wieder beschreiben, armer Giewont!«

Von einer Besteigung während der Saison ist abzuraten. Viel zu viele Menschen drängen sich auf den Pfaden, die teilweise nach dem Einbahnstraßen-Prinzip funktionieren. Und Vorsicht auf dem Gipfel! Das berühmte Kreuz zieht nicht nur zahlreiche Pilger, sondern auch Blitze an. Bei Gewitter gibt es in ganz Polen keinen gefährlicheren Ort als den Giewont.

Das Urwaldgebiet Puszcza Białowieska

Vergessen Sie die Lüneburger Heide! Etwa 150 Kilometer östlich von Warschau beginnt das größte Waldgebiet der mitteleuropäischen Tiefebene. Es umfasst 1250 Quadrat-

kilometer, von denen 580 auf polnischem Territorium liegen, der Rest in Weißrussland. Ein Teil des polnischen Waldgebietes bildet den Białowieski-Nationalpark (gesprochen: Biawowiäski). Davon wiederum ist ein Reservat von 4700 Hektar abgetrennt worden, in dem sich wie in einem Freilichtmuseum seltene Naturbewohner erhalten haben, zum Beispiel Weißbuchen-, Erlen- und Eschenwälder, aber auch Elche, Marder, Luchse und Wölfe. Vor allem aber sind mit Erfolg Hunderte von Wisenten (auch Bisons genannt) wiederangesiedelt worden – die größten frei lebenden Tiere Europas. Vom polnischen Wort für Wisent/Bison, »żubr«, ist auch der berühmte żubrówka-Wodka abgeleitet (gesprochen: Schubruffka), erkennbar am Bisongrashalm in der Flasche.

Die größte Stadt in der Region und Ausgangspunkt für Waldausflüge ist Hajnówka (gesprochen: Chajnuffka), wo im Mai ein internationales Festival für orthodoxe Musik stattfindet – wird doch dieser östliche Zipfel Polens von einer orthodoxen Minderheit bewohnt. Wer die befestigten Grenzen der geliebten EU nicht verlassen und trotzdem einen Vorgeschmack vom wilden russischen Osten haben will, der muss nach Hajnówka fahren.

Das Salzbergwerk Wieliczka

In Wieliczka (sprich: Wiälitschka) wird seit dem 12. Jahrhundert Salz abgebaut. Mit diesem profanen Nutzen begnügten sich die Bergleute aber nicht. Irgendwann – vielleicht aus Langeweile oder während eines ermüdenden Tarifkonflikts – begannen sie, die Salzwände der unterirdischen Stollen bildhauerisch zu bearbeiten. Im Lauf der

Jahrhunderte entwickelte sich so eine eigene Kunst, die *Salzbildhauerei.* Es wurden zahlreiche Skulpturen, Altäre und Säulen in Salz gehauen. Heute gibt es in Wieliczka mehrere unterirdische Kapellen, eine davon wurde von einem einzelnen Bergmann gehauen, eine andere ist 55 m lang, und in der riesigen Salz-Kammer »Warszawa« finden gar in 125 Metern Tiefe Silvesterbälle und Tennisturniere statt. Schon Goethe ist hier in die Erde eingefahren, und die Nazis taten es ihm nach, als sie während des Krieges eine Fabrik zur Herstellung von Flugzeugteilen hierher verlegten. Das Bildhauer-Salzbergwerk ist in Europa einzigartig und gehört selbstverständlich zum Welt-Kultur-Erbe der Unesco.

Zum guten Schluss:
Meine neueste Zauberformel

Nach so viel touristischen Fakten möchte ich nun zum Ausklang noch ein bisschen Ethnologie treiben und meine allerneueste Entdeckung präsentieren, eine einstweilige Zauberformel für den allergröbsten Unterschied zwischen deutscher und polnischer Mentalität. Achtung, hier ist sie: Während Grenzen in Deutschland klar sind und meist brav respektiert werden, sind sie in Polen eine ziemlich fließende Angelegenheit. Grenzen müssen hier von Fall zu Fall, von Mann zu Frau, von Kunde zu Verkäufer neu ausgehandelt werden, ergeben sich also in einem dauernden Try-and-Error-Verfahren. Kein Wunder, dass die emotionale Intelligenz der Polen im Allgemeinen stärker entwickelt ist – sie garantiert das Überleben. Wer nicht hellwach seine Mitmenschen beobachtet, erleidet Übergriffe auf sein Territorium, so wie etwa im Straßenverkehr. Erlaubt ist alles, was man sich auf Kosten der anderen Fahrer herausnimmt. Wenn ich mich in eine Stau-Lücke drängele – Pech für die anderen Fahrer. Wehe aber, ich treffe auf einen Gleichgestrickten – dann beginnt das Duell. Das Gleiche gilt bei Fernsehdiskussionen: Ich rede so lange, bis mich jemand unterbricht. Spätestens nach zehn Minuten explodiert die Runde dann. Alle beschimpfen sich, so wie die Gallier bei Asterix und Obelix.

Keine Frage: Das ewige Grenzen-Austesten in Polen ist manchmal ziemlich anstrengend; hier liegt die Wurzel der polnischen Nationalkrankheit, des Misstrauens gegen die eigenen Landsleute und gegen den Staat. Und weil viele Polen diese Anstrengung leid sind, emigrieren sie. Sie wollen lieber in einem Land leben, wo man seinen Wohlstand in Ruhe verzehren kann. Ein Deutscher hingegen kann es sich erlauben, halb autistisch durch die (deutsche) Welt zu stapfen und abends still vor dem Fernseher zu sitzen. Da läuft ganz gemütlich eine Talkshow, in der sieben Leute schweigen, während ein achter seine fünf Minuten Redezeit abspult. Die »Gesprächspartner« erwarten nicht viel von ihm, eigentlich nur, dass er pünktlich aufhört zu reden und ansonsten die Mittagsruhe einhält.

Das ruhige Leben hat viele Vorteile, führt aber auch dazu, dass weite Bereiche des Lebens in Deutschland verödet sind, nämlich all diejenigen, in denen es erst interessant wird, wenn Grenzen gesprengt werden, vielleicht nicht gerade in Talkshows, aber im Fall von Liebe, Gastfreundschaft oder Humor. Und genau hier liegen dann die positiven Seiten der polnischen Mentalität. Man ist flexibler, herzlicher, trennt nicht so stark zwischen Privatleben und Arbeit, scherzt sogar mal mit dem Briefträger und hat weniger Mühe, eine Frau anzusprechen. Wenn ein Pole, der nach Schweden, England oder Deutschland emigriert ist, sich diese angenehme Art des Grenzen-Verschiebens in seiner alten Heimat vorstellt – meistens abends, bei einem kühlen Bierchen – kriegt er plötzlich heftiges Heimweh, und preist sich doch gleich am nächsten Vormittag wieder glücklich, dass er dem Wahnsinn entronnen ist.

Manchmal befürchte ich, dass das schwedische, englische, deutsche Modell sich auf Dauer überall durchsetzen wird, dass also zwar die Staatsgrenzen aus Europa verschwinden, die Grenzen in den Köpfen aber immer stärker werden, proportional zu den ins Unermessliche wachsenden EU-Normen. Ja, es steht leider zu befürchten, dass auch die Polen sich mit Liebe, Gastfreundschaft und Humor immer schwerer tun werden. Welch ein rabenschwarzer Tag wird es gar sein, wenn auch in einem polnischen TV-Studio acht Menschen ruhig im Kreis sitzen und sich gegenseitig ausreden lassen! Ich müsste mein Bündel packen und durch den Grenzfluss Bug hinüber in die Ukraine waten. Doch das ist zum Glück einstweilen noch Zukunftsmusik. Ich habe es tröstlich gemerkt, als ich vor kurzem bei einer Mieterversammlung meines Wohnblocks war. Da ging es hoch her; der Vorsitzende rief aus Verzweiflung über einen alkoholisierten Schreihals die Polizei, doch als sie kam, wurde sie von einigen wütenden Mietern wieder aus dem Saal gedrängt. Auf dem Heimweg entging ich dann noch um Haaresbreite einem blindwütigen Rechtsabbieger, so dass ich hier mit Fug und Optimismus prophezeien darf: Noch ist Polen nicht völlig an die EU-Mentalität verloren. Einstweilen! Inzwischen! Tymczasem! Tschüss! Pa pa!

Inhaltsverzeichnis

Bildnachweis

Die S. Fischer Verlag GmbH dankt allen Rechtegebern für die Abdruckgenehmigungen. Da in einigen Fällen die Inhaber der Rechte nicht festzustellen oder erreichbar waren, verpflichtet sich der Verlag, rechtmäßige Ansprüche nach den üblichen Honorarsätzen zu vergüten.

Grzegorz Gałęzia: S. 297
iStock: S. 368
Ireneusz Sobieszczuk: S. 342
Forum: S. 368, 373, 379, 389, 392, 393, 395
Steffen Möller: S. 17, 19, 30, 59, 71, 79, 124, 135, 144, 147, 158, 197, 224,
236, 276, 344, 352, 364, 368
Ludwig Rauch: S. 368
U2: Katharina Scheff
U3: Kai Pahnen